최상위의 절대 기준

절대등급

절

대

등

급

이 책을 집필하신 선생님들께 감사드립니다.

김규완	대구 황금중학교	**김진영**	대구 고산중학교	**서지영**	신천중학교	**신은지**	원촌중학교
신혜진	서문여자중학교	**우희정**	숭문중학교	**유승연**	신도림중학교	**윤남희**	중동중학교
이규현	원촌중학교	**이문영**	대전 삼천중학교	**이삭**	배명중학교	**전대식**	장원중학교
전지영	대전 대덕중학교	**전한우**	서문여자중학교	**정다희**	서일중학교	**최진이**	광주 풍암중학교

이 책을 검토하신 선생님들께 감사드립니다.

강유미	경기 광주	**김국희**	청주	**김민지**	대구	**김선아**	부산
김주영	서울 용산	**김훈회**	청주	**노형석**	광주	**신범수**	대전
신지예	대전	**안성주**	영암	**양영인**	성남	**양현호**	순천
원민희	대구	**윤영숙**	서울 서초	**이미란**	광양	**이상일**	서울 강서
이승열	광주	**이승희**	대구	**이영동**	성남	**이진희**	청주
임안철	안양	**장영빈**	천안	**장전원**	대전	**전승환**	안양
전지영	안양	**정상훈**	서울 서초	**정재봉**	광주	**지승롱**	광주
채수현	광주	**최주현**	부산	**허문석**	천안	**홍인숙**	안양

최상위의 절대 기준

절대등급

중학 **수학** 3-2

구성과 특징

현직 우수 학군 중학교 선생님들이 만든 문제

실제 학교 시험 문항을 출제하는
현직 선생님들이 내신 대비에 최적화
된 상위권 문제만을
엄선하였습니다.

최고 실력을 완성할 수 있는 문제로 구성

유형만 반복하는 문제 풀이는 이제 그만!
문제 해결력을 키워주는 필수 문제부터
변별력을 결정하는 최고난도 문제까지
내신 만점을 위한 집중 학습이 가능
하도록 구성하였습니다.

전국 우수 학군 기출 문제와 교과서를 철저히 분석

강남, 목동 등의 전국 우수 학군 지역
중학교의 신경향 기출 문제와
모든 교과서의 사고력 문항을
분석하여 수준 높은 문항을
수록하였습니다.

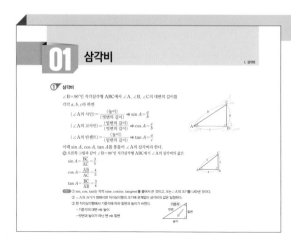

개념

• 중단원별로 꼭 알아야 하는 핵심 개념과 원리를 참고, 주의, 예와 함께 수록하였습니다.

심화 개념 핵심 개념과 연계되는 심화 개념 또는 상위 개념을 체계적으로 정리하였습니다.

쌤의 활용 꿀팁 심화 개념에서 꼭 알아두어야 할 문제 해결 포인트를 선생님이 직접 제시하였습니다.

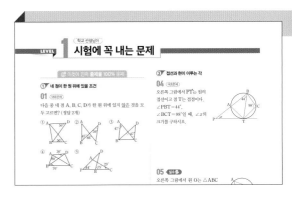

LEVEL 1 — 학교 선생님이 시험에 꼭 내는 문제

- **이것이 진짜 출제율 100% 문제** 전국 모든 중학교 시험에 출제된 문제 중에서 개념별로 대표 문제들을 엄선하여 상위 20 %의 실력을 다질 수 있게 하였습니다.

- **이것이 진짜 교과서에서 뽑아온 문제** 전국 중학교에서 사용하는 다양한 교과서 문항 중 시험에 나올 수 있는 사고력 문제를 선별하였습니다.

    실수多 학교 시험에서 학생들이 실수하기 쉬운 문제들을 쌤의 오답 코칭과 함께 수록하여 실수를 줄일 수 있게 하였습니다.

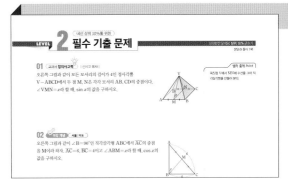

LEVEL 2 — 내신 상위 10%를 위한 필수 기출 문제

- 전국 우수 학군 중학교의 최근 기출 문제를 철저히 분석하여 실제 시험에 출제될 가능성이 높은 문제들로 구성하여 상위 10 %의 실력을 굳힐 수 있게 하였습니다.

    복합 개념 두 가지 이상의 개념을 적용해야 해결할 수 있는 문제입니다.

    신유형 새롭게 떠오르는 변별력 있는 문제입니다.

    만점 KILL 학교 시험에서 만점 방지를 위해 나올 수 있는 고난이도 문제입니다.

    교과서 추론, **교과서 창의사고력** 교과서 문항을 분석하여 실제 학교 시험 고난도 문항으로 출제 가능한 형태로 제시하였습니다.

- 문항의 출제 지역(서울 강남, 서울 목동, 서울 서초, 서울 송파, 분당 서현, 안양 평촌, 대전 둔산, 광주 봉선, 대구 수성, 부산 해운대)을 표시하였습니다.

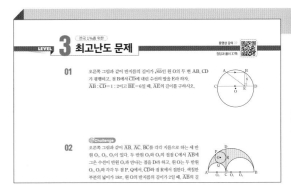

LEVEL 3 — 전국 1%를 위한 최고난도 문제

- 종합 사고력 및 가장 높은 수준의 문제 해결력을 요구하는 전국 1 % 실력을 완성할 수 있는 문제로 구성하였습니다.

    Challenge 경시 및 특목고 대비까지 가능하도록 최고 수준 문제를 한 문항 엄선하였습니다.

    동영상 강의 LEVEL 3의 모든 문제에 대한 풀이 동영상을 제공합니다. QR 코드를 인식하면 동영상을 볼 수 있습니다.

선배들의 같은 문제 다른 풀이

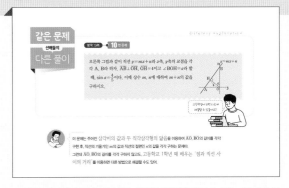

- 앞에서 풀었던 문제 중 상위 개념을 이용하여 풀 수 있는 문제를 선별하여 다른 풀이를 제시하였고, 상위 개념을 미리 익힐 수 있게 하였습니다.

정답과 풀이

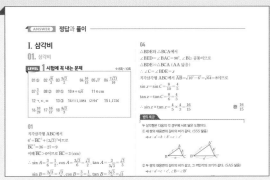

- 이해하기 쉬운 깔끔한 풀이와 한 문제에 대한 여러 가지 해결 방법을 제시하였습니다.

- 쌤의 오답 피하기 특강, 쌤의 만점 특강, 쌤의 복합 개념 특강, 쌤의 특강을 제시하여 문제마다 충분한 이해가 가능하게 하였고, LEVEL 3의 문제는 solution 미리 보기를 제시하였습니다.

차례

I

삼각비

현직 교사의 학교 시험 고난도 킬러 강의

이 단원에서는 한 변의 길이와 한 내각의 크기가 주어진 직각삼각형에서 삼각비의 값을 이용하여 나머지 변의 길이를 구하는 능력이 중요해요. 닮음인 두 직각삼각형에서 대응각을 이용하여 삼각비의 값을 구하는 문제, 삼각비의 값을 이용하여 일반삼각형의 높이와 여러 가지 도형의 넓이를 구하는 문제, 삼각비의 개념이 적용되는 실생활 문제는 꼭 출제돼요. 특히, 직접 측정하기 어려운 두 지점 사이의 거리나 높이를 구하는 문제는 이 단원에서의 kill 문제죠.

01 삼각비

① 삼각비

$\angle B = 90°$인 직각삼각형 ABC에서 $\angle A$, $\angle B$, $\angle C$의 대변의 길이를
각각 a, b, c라 하면

$$(\angle A의\ 사인) = \frac{(높이)}{(빗변의\ 길이)} \Rightarrow \sin A = \frac{a}{b}$$

$$(\angle A의\ 코사인) = \frac{(밑변의\ 길이)}{(빗변의\ 길이)} \Rightarrow \cos A = \frac{c}{b}$$

$$(\angle A의\ 탄젠트) = \frac{(높이)}{(밑변의\ 길이)} \Rightarrow \tan A = \frac{a}{c}$$

이때 $\sin A$, $\cos A$, $\tan A$를 통틀어 $\angle A$의 삼각비라 한다.

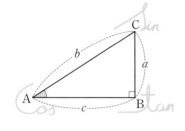

예) 오른쪽 그림과 같이 $\angle B = 90°$인 직각삼각형 ABC에서 $\angle A$의 삼각비의 값은

$$\sin A = \frac{\overline{BC}}{\overline{AC}} = \frac{3}{5}$$

$$\cos A = \frac{\overline{AB}}{\overline{AC}} = \frac{4}{5}$$

$$\tan A = \frac{\overline{BC}}{\overline{AB}} = \frac{3}{4}$$

참고 ① $\sin$, $\cos$, $\tan$는 각각 sine, cosine, tangent를 줄여서 쓴 것이고, A는 $\angle A$의 크기를 나타낸 것이다.

② $\angle A$의 크기가 정해지면 직각삼각형의 크기에 관계없이 삼각비의 값은 일정하다.

③ 한 직각삼각형에서 기준각에 따라 밑변과 높이가 바뀐다.

- 기준각의 대변 ➡ 높이
- 빗변과 높이가 아닌 변 ➡ 밑변

② 삼각비 사이의 관계 〔심화 개념〕

$\angle B = 90°$인 직각삼각형 ABC에서 $\angle C = 90° - \angle A$이므로
삼각비 사이에는 다음 관계가 성립한다.

(1) $\sin A = \dfrac{\overline{BC}}{\overline{AC}} = \cos C$

(2) $\cos A = \dfrac{\overline{AB}}{\overline{AC}} = \sin C$

(3) $\tan A = \dfrac{\overline{BC}}{\overline{AB}} = \dfrac{1}{\tan C}$

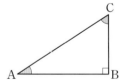

> **쌤의 활용 꿀팁**
> 직각삼각형에서 기준각에 따라 밑변과 높이가 달라지니 삼각비 사이의 관계를 묻는 문제는 그림을 그려 놓고, 삼각비의 값을 생각하세요.

③ 직선의 기울기와 삼각비 〔심화 개념〕

직선 $y = mx + n$이 x축의 양의 방향과 이루는 각의 크기를
a라 할 때, 오른쪽 그림의 직각삼각형 AOB에서

$$\tan a = \frac{\overline{BO}}{\overline{AO}} = \frac{(y의\ 값의\ 증가량)}{(x의\ 값의\ 증가량)}$$

$$= (직선의\ 기울기) = m$$

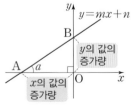

> **쌤의 활용 꿀팁**
> 직선의 기울기가 $\tan a$의 값과 같음을 이용하면 밑변의 길이와 높이를 구하지 않아도 $\tan a$의 값을 바로 알 수 있어요.

④ 30°, 45°, 60°의 삼각비의 값

삼각비 \ A	30°	45°	60°
$\sin A$	$\dfrac{1}{2}$	$\dfrac{\sqrt{2}}{2}$	$\dfrac{\sqrt{3}}{2}$
$\cos A$	$\dfrac{\sqrt{3}}{2}$	$\dfrac{\sqrt{2}}{2}$	$\dfrac{1}{2}$
$\tan A$	$\dfrac{\sqrt{3}}{3}$	1	$\sqrt{3}$

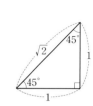 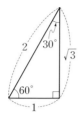

참고 · 그림 ㈎의 △ABC에서

$\overline{AB} = \sqrt{a^2 + a^2} = \sqrt{2}\,a \Rightarrow \overline{AB} : \overline{BC} : \overline{CA} = \sqrt{2} : 1 : 1$

· 그림 ㈏의 정삼각형 ABD에서

$\overline{AC} = \sqrt{(2a)^2 - a^2} = \sqrt{3}\,a \Rightarrow \overline{AB} : \overline{BC} : \overline{CA} = 2 : 1 : \sqrt{3}$

㈎   ㈏

⑤ 예각의 삼각비의 값

(1) 예각의 삼각비의 값

좌표평면 위의 원점 O를 중심으로 하고 반지름의 길이가 1인 사분원에서 임의의 예각 α에 대하여

$$\sin \alpha = \frac{\overline{AB}}{\overline{OA}} = \frac{\overline{AB}}{1} = \overline{AB}$$

$$\cos \alpha = \frac{\overline{OB}}{\overline{OA}} = \frac{\overline{OB}}{1} = \overline{OB}$$

$$\tan \alpha = \frac{\overline{CD}}{\overline{OD}} = \frac{\overline{CD}}{1} = \overline{CD}$$

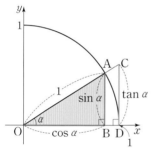

예 오른쪽 그림과 같이 반지름의 길이가 1인 사분원에서

$$\sin 40° = \frac{\overline{AB}}{\overline{OA}} = \frac{\overline{AB}}{1} = \overline{AB} = 0.6428$$

$$\cos 40° = \frac{\overline{OB}}{\overline{OA}} = \frac{\overline{OB}}{1} = \overline{OB} = 0.7660$$

$$\tan 40° = \frac{\overline{CD}}{\overline{OD}} = \frac{\overline{CD}}{1} = \overline{CD} = 0.8391$$

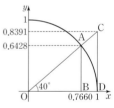

(2) 0°, 90°의 삼각비의 값

① $\sin 0° = 0$, $\cos 0° = 1$, $\tan 0° = 0$

② $\sin 90° = 1$, $\cos 90° = 0$, $\tan 90°$의 값은 정할 수 없다.

참고 $0° \le x \le 90°$일 때, x의 크기가 증가하면

① $\sin x$의 값은 0에서 1까지 증가한다.   ② $\cos x$의 값은 1에서 0까지 감소한다.   ③ $\tan x$의 값은 0에서 무한히 증가한다.

⑥ 삼각비의 표

(1) **삼각비의 표** : 0°에서 90°까지 1° 간격으로 삼각비의 값을 반올림하여 소수점 아래 넷째 자리까지 나타낸 표

(2) **삼각비의 표 보는 방법** : 삼각비의 표에서 가로줄과 세로줄이 만나는 곳에 있는 수가 삼각비의 값이다.

예 $\sin 12°$의 값은 삼각비의 표에서 12°의 가로줄과 $\sin$의 세로줄이 만나는 곳에 있는 수인 0.2079이다.

각도	sin	cos	tan
⋮	⋮	⋮	⋮
11°	0.1908	0.9816	0.1944
12° →	0.2079	0.9781	0.2126
13°	0.2250	0.9744	0.2309
⋮	⋮	⋮	⋮

참고 삼각비의 표에 있는 값은 반올림한 값이지만 삼각비의 값을 나타낼 때는 등호(=)를 사용한다.

⊙ 이것이 진짜 **출제율 100%** 문제

① 삼각비

01 대표문제

오른쪽 그림과 같이 ∠C=90°인 직각
삼각형 ABC에서 다음 중 옳지 <u>않은</u>
것은?

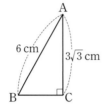

① $\sin A = \dfrac{1}{2}$

② $\cos A = \dfrac{\sqrt{3}}{2}$

③ $\sin B = \dfrac{\sqrt{3}}{2}$

④ $\cos B = \dfrac{1}{2}$

⑤ $\tan A = \sqrt{3}$

02

오른쪽 그림과 같이 ∠B=90°인
직각삼각형 ABC에서 $\overline{AB}=\sqrt{2}$,
$\overline{AC}=\sqrt{6}$이다. $\overline{BC}$의 중점을 D
라 할 때, $\cos x$의 값을 구하시오.

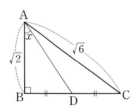

03

오른쪽 그림과 같이 ∠C=90°인 직각삼각
형 ABC에서 $\overline{AB}=6$, $\cos A = \dfrac{\sqrt{3}}{2}$
일 때, △ABC의 넓이를 구하시오.

04

오른쪽 그림과 같이
∠A=90°인 직각삼각형
ABC에서 $\overline{BC} \perp \overline{DE}$이고,
$\overline{AC}=6$, $\overline{BC}=10$이다.
∠BDE=x라 할 때,
$\sin x \times \tan x$의 값을 구하시오.

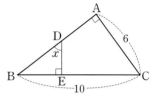

② 삼각비 사이의 관계 심화

05 대표문제

∠B=90°인 직각삼각형 ABC에서 $\sin A = \dfrac{\sqrt{2}}{4}$일 때,
$\tan(90°-A)$의 값을 구하시오.

06

$0° < A < 90°$이고 이차방정식 $25x^2-20x+4=0$의 근이
$\cos A$일 때, $\sin A + \tan A$의 값을 구하시오.

③ 직선의 기울기와 삼각비 심화

07 대표문제

오른쪽 그림과 같이 일차방정식 $3x-5y+15=0$의 그래프가 x축의 양의 방향과 이루는 각의 크기를 a라 할 때, $\tan a$의 값을 구하시오.

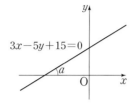

08

오른쪽 그림과 같이 일차함수 $y=3x+6$의 그래프와 x축, y축의 교점을 각각 A, B라 하자. $y=3x+6$의 그래프가 x축의 양의 방향과 이루는 각의 크기를 a라 할 때, $\cos a$의 값은?

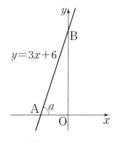

① $\dfrac{\sqrt{3}}{10}$
② $\dfrac{\sqrt{10}}{10}$
③ $\dfrac{\sqrt{3}}{5}$
④ $\dfrac{\sqrt{10}}{5}$
⑤ $\dfrac{\sqrt{10}}{4}$

④ 30°, 45°, 60°의 삼각비의 값

09 대표문제

$\cos(x-30°)=\dfrac{\sqrt{3}}{2}$일 때, $\sin x+\tan x$의 값은?

(단, $0°\leq x-30°\leq 90°$)

① $\dfrac{3+2\sqrt{3}}{6}$
② $\dfrac{5\sqrt{3}}{6}$
③ $\dfrac{3}{2}$
④ $\dfrac{1+2\sqrt{3}}{2}$
⑤ $\dfrac{3\sqrt{3}}{2}$

10

오른쪽 그림과 같이 두 직각삼각형 ABC와 BCD에서 $\overline{AB}=4$이고, $\angle A=60°$, $\angle D=45°$일 때, $\overline{AC}+\overline{BD}$의 길이를 구하시오.

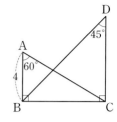

11

오른쪽 그림과 같이 $\angle C=90°$인 직각삼각형 ABC에서 $\angle B=30°$, $\angle ADC=60°$, $\overline{CD}=3\,\mathrm{cm}$일 때, $\overline{BD}$의 길이를 구하시오.

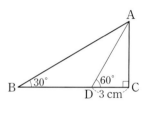

⑤ 예각의 삼각비의 값

12 대표문제 실수多

오른쪽 그림과 같이 반지름의 길이가 1인 사분원에서 다음 보기 중 옳은 것을 모두 고르시오.

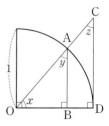

◀ 보기 ▶

ㄱ. $\sin x=\overline{AB}$　　　ㄴ. $\cos x=\overline{OD}$
ㄷ. $\cos y=\overline{AB}$　　　ㄹ. $\sin z=\overline{OC}$
ㅁ. $\tan x+\tan y+\tan z=\overline{CD}+\dfrac{2}{\overline{CD}}$

쌤의 오답 코칭 | $\overline{OA}$, $\overline{OD}$의 길이는 1이지만 $\overline{CD}$의 길이는 1이 아님에 주의한다.

13

다음 중 옳지 <u>않은</u> 것은?

① $\sin 90° - \cos 0° + \tan 45° = 1$

② $\tan 60° \times \cos 0° + \sin 45° \times \tan 0° = \sqrt{3}$

③ $(\sin 0° + \cos 60°)(\cos 90° - \sin 30°) = \dfrac{1}{4}$

④ $\cos 30° \times \sin 45° - \cos 45° \times \tan 30° = \dfrac{\sqrt{6}}{12}$

⑤ $\sqrt{3} \sin 60° - \sqrt{2} \cos 45° + \sqrt{3} \tan 30° = \dfrac{3}{2}$

⑥ 삼각비의 표

14 (대표문제)

아래 삼각비의 표를 보고 다음을 구하시오.

각도	sin	cos	tan
45°	0.7071	0.7071	1.0000
46°	0.7193	0.6947	1.0355
47°	0.7314	0.6820	1.0724
48°	0.7431	0.6691	1.1106

(1) $\sin 48° - \cos 45° + \tan 47°$의 값

(2) $\sin x = 0.7193$, $\tan y = 1.1106$일 때, $x + y$의 크기

15 실수多

오른쪽 그림과 같이 반지름의 길이가 2인 사분원에서 $\overline{AB} = 1.618$일 때, 다음 삼각비의 표를 이용하여 $\overline{OB}$의 길이를 구하시오.

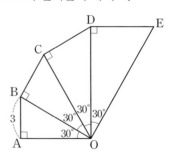

각도	sin	cos	tan
53°	0.7986	0.6018	1.3270
54°	0.8090	0.5878	1.3764
55°	0.8192	0.5736	1.4281
56°	0.8290	0.5592	1.4826

✏️ **쌤의 오답 코칭** | 사분원의 반지름의 길이가 2임에 주의하여 각의 크기를 구한다.

📖 이것이 진짜 **교과서에서 뽑아온** 문제

16

| 천재 유사 |

오른쪽 그림과 같이 가로의 길이, 세로의 길이, 높이가 각각 4 cm, 3 cm, 2 cm인 직육면체에서 $\angle AGE = x$라 할 때, $\sin x \times \cos x$의 값을 구하시오.

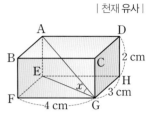

17

| 동아 유사 |

오른쪽 그림과 같이 $\angle A = 90°$인 직각삼각형 ABC에서 $\overline{AD} \perp \overline{BC}$이고 $\overline{AB} = 8$, $\overline{AC} = 15$이다. $\angle BAD = x$, $\angle CAD = y$라 할 때, $\sin x + \cos y$의 값을 구하시오.

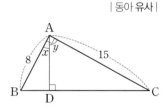

18

| 교학사 유사 |

다음 그림과 같이 $AB = 3$, $\angle AOB = 30°$인 직각삼각형 AOB의 빗변을 한 변으로 하고 $\angle BOC = 30°$인 직각삼각형 BOC를 그렸다. 이와 같은 방법으로 $\triangle COD$와 $\triangle DOE$를 그렸을 때, $\overline{DE}$의 길이를 구하시오.

01 교과서 **창의사고력** 💡 | 신사고 유사 |

오른쪽 그림과 같이 모든 모서리의 길이가 4인 정사각뿔
V−ABCD에서 두 점 M, N은 각각 모서리 AB, CD의 중점이다.
∠VMN=x라 할 때, sin x의 값을 구하시오.

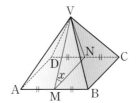

쌤의 출제 Point

꼭짓점 V에서 $\overline{MN}$에 수선을 그어 직
각삼각형을 만들어 본다.

02 **복합 개념** ⚙️ | 서울 | 목동 |

오른쪽 그림과 같이 ∠B=90°인 직각삼각형 ABC에서 $\overline{AC}$의 중점
을 M이라 하자. $\overline{AC}=6$, $\overline{BC}=4$이고 ∠ABM=x라 할 때, cos x의
값을 구하시오.

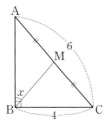

03 교과서 **추론** 📄 | 신사고 유사 |

오른쪽 그림과 같이 직사각형 모양의 종이 ABCD를 점 A가
점 C에 오도록 접었다. $\overline{AB}=3$ cm, $\overline{AE}=4$ cm이고
∠CEF=x라 할 때, tan x의 값은?

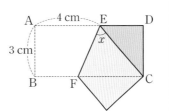

① $\dfrac{4-\sqrt{7}}{3}$ ② $\dfrac{\sqrt{7}}{3}$ ③ $\dfrac{4+\sqrt{7}}{3}$

④ $\dfrac{4+2\sqrt{7}}{3}$ ⑤ $4+\sqrt{7}$

접은 각의 크기가 같고, 평행선에서 엇
각의 크기가 같음을 이용하여 ∠CEF
와 크기가 같은 각을 모두 찾는다.

04 **신유형** 🌱 | 광주 | 봉선 |

오른쪽 그림의 △ABC에서 $\overline{AB}$가 원 O의 중심을 지나고 ∠B=45°,
$\overline{AO}=6$ cm, $\overline{BO}=4$ cm일 때, sin A의 값을 구하시오.

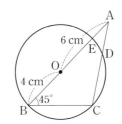

05

오른쪽 그림과 같이 $\angle B = 90°$인 직각삼각형 ABC에서
$\overline{AB} = \overline{BD} = \overline{DC} = 1$이고, $\angle CAD = x$라 할 때, $\tan(90° - x)$
의 값을 구하시오.

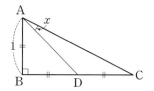

쌤의 출제 Point

점 C에서 $\overline{AD}$의 연장선 위에 수선을
그어 직각삼각형을 만들어 본다.

06 복합 개념 서울 | 강남

오른쪽 그림과 같이 $\angle A = 90°$인 직각삼각형 ABC의 꼭짓점
A에서 $\overline{BC}$에 내린 수선의 발을 D, 점 D에서 $\overline{AC}$에 내린 수선
의 발을 E라 하고, $\angle BAD = x$, $\angle CAD = y$라 하자.
$\overline{AE} = 2$, $\overline{CE} = 3$일 때, $\sin y + \cos x$의 값을 구하시오.

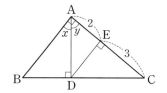

07

오른쪽 그림과 같이 $\angle A = 90°$인 직각삼각형 ABC에서
$\overline{AC} \perp \overline{DE}$ 이고, $\overline{AB} = \overline{CE}$, $\overline{CD} = 1$, $\overline{AC} + \overline{DE} = 2$이다.
$\angle B = x$라 할 때, $\tan x$의 값을 구하시오.

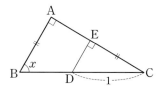

08

오른쪽 그림과 같이 $\overline{AB} = 9$, $\overline{BC} = 8$, $\overline{CA} = 7$인 $\triangle ABC$에서
$\sin B + \sin C$의 값을 구하시오.

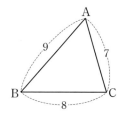

09

$\sin A : \cos A = 4 : 3$일 때, $\dfrac{\tan A - 1}{\tan A + 1}$의 값을 구하시오. (단, $0° < A < 90°$)

10

오른쪽 그림과 같이 직선 $y = mx + n$과 x축, y축의 교점을 각각 A, B라 하자. $\overline{AB} \perp \overline{OH}$, $\overline{OH} = 4$이고 $\angle BOH = a$라 할 때, $\sin a = \dfrac{4}{5}$이다. 이때 상수 m, n에 대하여 $m + n$의 값을 구하시오.

(단, 점 O는 원점이다.)

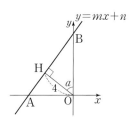

11

오른쪽 그림과 같이 $\angle C = 90°$인 직각삼각형 ABC에서 $\overline{BC}$를 3등분하는 점 중 점 B에 가까운 점을 D라 하자. $\angle B = 30°$이고, $\angle ADC = x$라 할 때, $\cos x$의 값을 구하시오.

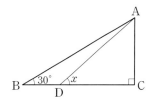

12

오른쪽 그림과 같이 $\angle C = 90°$인 직각삼각형 ABC에서 $\overline{AB} \perp \overline{DE}$이고, $\angle B = 45°$, $\angle ADC = 60°$, $\overline{CD} = 2$일 때, $\cos 15°$의 값을 구하시오.

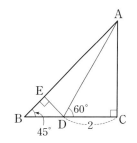

13

오른쪽 그림과 같은 직사각형 ABCD에서 $\overline{BQ}=8$이고, $\angle ABP=45°$, $\angle BPQ=90°$, $\angle BQP=60°$일 때, $\tan 15°$의 값을 구하시오.

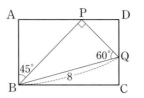

쌤의 출제 Point

14 만점 KILL 🏆 ⚙️ 복합 개념 서울 | 서초

오른쪽 그림과 같이 점 I는 $\angle C=90°$인 직각삼각형 ABC의 내심이고 $\angle B=60°$, $\overline{AB}=6\sqrt{3}$이다. $\overline{AI}$의 연장선이 $\overline{BC}$와 만나는 점을 D라 할 때, $\overline{CD}$의 길이는?

① $12-2\sqrt{3}$ ② $12-6\sqrt{3}$ ③ $18-3\sqrt{3}$

④ $18-9\sqrt{3}$ ⑤ $18-6\sqrt{3}$

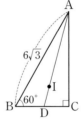

점 I는 세 내각의 이등분선의 교점이다.

15 신유형 대구 | 수성

오른쪽 그림과 같이 직사각형 모양의 종이를 $\overline{EF}$, $\overline{IJ}$를 접는 선으로 하여 $\overline{FI}=\overline{MJ}=6$ cm가 되도록 접었더니 $\angle x-\angle y=15°$가 되었다. 이때 $\triangle EIM$의 넓이를 구하시오. (단, 점 I는 $\overline{BC}$와 $\overline{EH}$의 교점이다.)

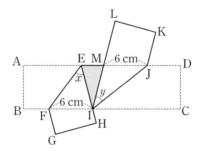

16

오른쪽 그림과 같이 $\angle D=90°$인 직각삼각형 ABD와 $\angle C=90°$인 직각삼각형 BCD에서 $\angle ABD=30°$, $\overline{AD}=4$, $\overline{BC}=\overline{CD}$, $\overline{AE}\perp\overline{BC}$이다. $\angle BAE=x$라 할 때, $\tan x$의 값을 구하시오.

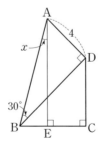

17

오른쪽 그림과 같이 한 변의 길이가 6인 정사각형 ABCD에서 $\angle DEC=60°$이다. $\angle BDE=x$라 할 때, $\tan x$의 값을 구하시오.

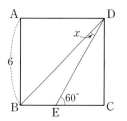

쌤의 출제 Point

18

오른쪽 그림과 같이 한 모서리의 길이가 $10\,cm$인 정사면체에서 $\overline{AD}$의 중점을 M, $\angle BMC=x$라 할 때, $\sin x$의 값을 구하시오.

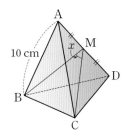

19 신유형 〔서울 | 목동〕

놀이동산으로 체험학습을 간 A, B, C 세 학생은 오른쪽 그림과 같이 반지름의 길이가 10 m인 원 모양을 따라 시계 반대 방향으로 12분에 한 바퀴씩 일정하게 회전하는 관람차를 탔다. 가장 먼저 A가 타고 A가 탄 지 2분 후에 B가 탔다. 또, B가 탄 지 3분 후에 C가 탔다. A가 탄 관람차가 제일 높은 위치에 도착했을 때, 세 사람이 탄 관람차의 위치에 대한 설명 중 옳은 것을 모두 고르면? (정답 2개)

(단, 관람차의 크기는 고려하지 않는다.)

관람차가 1분 동안 회전한 각도를 구한 후, A, B, C의 위치를 찾는다.

① A가 B보다 $5\sqrt{3}$ m 높은 지점에 있다.

② A가 C보다 $(10-5\sqrt{3})$ m 높은 지점에 있다.

③ A가 C보다 $(10+5\sqrt{3})$ m 높은 지점에 있다.

④ B가 C보다 $(5\sqrt{3}-5)$ m 높은 지점에 있다.

⑤ B가 C보다 $(5\sqrt{3}+5)$ m 높은 지점에 있다.

20

$\sqrt{(\sin x-\cos x)^2}+\sqrt{(\sin x+\cos x)^2}=\dfrac{4}{5}$일 때, $\cos(90°-x)\times\tan x$의 값을 구하시오.

(단, $0°<x<45°$)

$0°<x<45°$일 때 $\sin x$와 $\cos x$의 대소 관계를 이용하여 제곱근을 없앤 후, 식을 간단히 한다.

21

오른쪽 그림에서 부채꼴 ODG는 반지름의 길이가 10인 사분원이다. $\angle OEF = x$, $\angle EOF = y$라 할 때, $10(\tan x + \sin x - \cos y)$의 값을 한 선분의 길이로 나타내면?

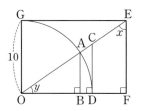

① $\overline{OB}$ ② $\overline{OD}$ ③ $\overline{OF}$
④ $\overline{BF}$ ⑤ $\overline{DF}$

쌤의 출제 Point

22

오른쪽 그림과 같이 좌표평면 위의 원점 O를 중심으로 하고 반지름의 길이가 15인 사분원에서 $\angle COD = \alpha$라 하자. $\sin \alpha = \dfrac{4}{5}$일 때, $\triangle CAE$의 넓이를 구하시오.

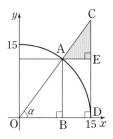

주어진 삼각비의 값을 이용하여 먼저 $\overline{OB}$, $\overline{AB}$의 길이를 구한다.

23

$\dfrac{0.3956 + \tan x}{0.6172 - \tan x} = 3$일 때, 오른쪽 삼각비의 표를 이용하여 $\cos(69° - x) + \sin(x + 31°)$의 값을 구하시오. (단, $0° < x < 45°$)

각도	sin	cos	tan
20°	0.3420	0.9397	0.3640
⋮	⋮	⋮	⋮
49°	0.7547	0.6561	1.1504
50°	0.7660	0.6428	1.1918
51°	0.7771	0.6293	1.2349

24

오른쪽 그림과 같이 $\angle C = 90°$인 직각삼각형 ABC에서 $\overline{BE}$는 $\angle B$의 이등분선이고 $\angle A = 30°$, $\angle EDB = 40°$, $\overline{AE} = 8$일 때, 다음 삼각비의 표를 이용하여 $\overline{DE}$의 길이를 반올림하여 소수점 아래 첫째 자리까지 구하시오.

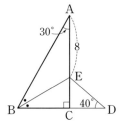

각도	sin	cos	tan
49°	0.7547	0.6561	1.1504
50°	0.7660	0.6428	1.1918
51°	0.7771	0.6293	1.2349

01 오른쪽 그림과 같이 ∠C=90°인 직각삼각형 ABC에서 $\overline{BC}=4\sqrt{3}$ cm, ∠A=60°이다. △ABC와 서로 닮음이고 모두 합동인 직각삼각형 4개로 △ABC를 나누었을 때, 이 직각삼각형 한 개의 둘레의 길이를 구하시오.

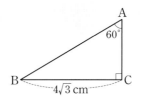

02 오른쪽 그림과 같이 한 변의 길이가 4인 정사각형 ABCD에서 $\overline{AB}$의 삼등분점 중 점 A에 가까운 점을 E, $\overline{BC}$의 삼등분점 중 점 C에 가까운 점을 F라 하자. ∠EDF=x라 할 때, $\sin x$의 값을 구하시오.

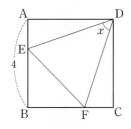

03 오른쪽 그림에서 △ABC는 ∠A=36°, $\overline{BC}=1$이고, $\overline{AB}=\overline{AC}$인 이등변삼각형이다. ∠B의 이등분선이 $\overline{AC}$와 만나는 점을 D라 할 때, $\cos 72° \times \cos 36°$의 값을 구하시오.

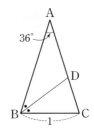

🌐 Challenge

04 다음을 읽고 첫 번째 정삼각형 ABC와 여섯 번째로 그려지는 정삼각형의 한 변의 길이의 비가 $x^5 : y^5$일 때, $\dfrac{y}{x}$의 값을 구하시오. (단, $x>y>0$)

❶ 오른쪽 그림과 같이 첫 번째 정삼각형 ABC를 그린다.
❷ 정삼각형 ABC의 꼭짓점 A에서 $\overline{BC}$에 내린 수선의 발을 D, $\overline{AD}$의 중점을 P라 하고, $\overline{AP}$를 한 변으로 하는 두 번째 정삼각형 APE를 그린다.
❸ 정삼각형 APE의 꼭짓점 A에서 $\overline{PE}$에 내린 수선의 발을 F, $\overline{AF}$의 중점을 P′이라 하고, $\overline{AP'}$을 한 변으로 하는 세 번째 정삼각형 AP′G를 그린다.
⋮

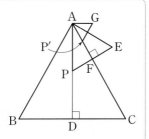

02 삼각비의 활용

① 직각삼각형의 변의 길이

∠C=90°인 직각삼각형 ABC에서

(1) ∠B의 크기와 빗변 AB의 길이 c를 알 때 ➡ $a=c\cos B$, $b=c\sin B$

(2) ∠B의 크기와 변 BC의 길이 a를 알 때 ➡ $b=a\tan B$, $c=\dfrac{a}{\cos B}$

(3) ∠B의 크기와 변 AC의 길이 b를 알 때 ➡ $a=\dfrac{b}{\tan B}$, $c=\dfrac{b}{\sin B}$

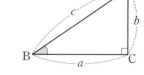

> **참고** ① 직각삼각형에서 한 예각의 크기와 한 변의 길이를 알면 삼각비를 이용하여 나머지 두 변의 길이를 구할 수 있다.
>
> ② $\sin B=\dfrac{b}{c}$ ➡ $b=c\sin B$, $c=\dfrac{b}{\sin B}$
>
> $\cos B=\dfrac{a}{c}$ ➡ $a=c\cos B$, $c=\dfrac{a}{\cos B}$
>
> $\tan B=\dfrac{b}{a}$ ➡ $a=\dfrac{b}{\tan B}$, $b=a\tan B$

② 일반 삼각형의 변의 길이

(1) △ABC에서 두 변의 길이 a, c와 그 끼인각 ∠B의 크기를 알 때

꼭짓점 A에서 $\overline{BC}$에 내린 수선의 발을 H라 하면

$\overline{AH}=c\sin B$, $\overline{BH}=c\cos B$이므로 $\overline{CH}=a-c\cos B$

➡ $\overline{AC}=\sqrt{\overline{AH}^2+\overline{CH}^2}=\sqrt{(c\sin B)^2+(a-c\cos B)^2}$

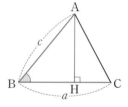

(2) △ABC에서 한 변의 길이 a와 그 양 끝 각 ∠B, ∠C의 크기를 알 때

꼭짓점 B, C에서 대변에 내린 수선의 발을 각각 H, H'이라 하면

$\overline{CH'}=\overline{AC}\sin A=a\sin B$, $\overline{BH}=\overline{AB}\sin A=a\sin C$

➡ $\overline{AC}=\dfrac{a\sin B}{\sin A}$, $\overline{AB}=\dfrac{a\sin C}{\sin A}$

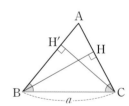

> **참고** 일반 삼각형에서 변의 길이를 구할 때는 한 꼭짓점에서 그 대변에 수선을 그어 구하는 변을 빗변으로 하는 직각삼각형을 만든다.

③ 삼각형의 높이

△ABC에서 한 변의 길이 a와 그 양 끝 각 ∠B, ∠C의 크기를 알 때, 높이 h는

(1) 주어진 각이 모두 예각인 경우

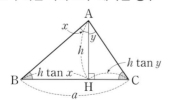

$h\tan x+h\tan y=a$

➡ $h=\dfrac{a}{\tan x+\tan y}$

(2) 주어진 각 중 한 각이 둔각인 경우

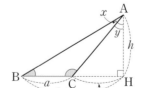

$h\tan x-h\tan y=a$

➡ $h=\dfrac{a}{\tan x-\tan y}$

❹ 삼각형의 넓이

△ABC에서 두 변의 길이 a, c와 그 끼인각 ∠B의 크기를 알 때, 넓이 S는

(1) **∠B가 예각인 경우**

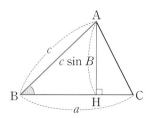

➡ $S = \dfrac{1}{2} ac \sin B$

참고 한 변의 길이가 a인 정삼각형 ABC의 넓이 S는

$$S = \frac{1}{2} a^2 \sin B = \frac{1}{2} a^2 \sin 60° = \frac{1}{2} a^2 \times \frac{\sqrt{3}}{2} = \frac{\sqrt{3}}{4} a^2$$

(2) **∠B가 둔각인 경우**

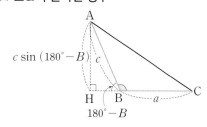

➡ $S = \dfrac{1}{2} ac \sin(180° - B)$

❺ 사각형의 넓이

(1) **평행사변형의 넓이** : 평행사변형 ABCD의 이웃하는 두 변의 길이가 a, b이고 그 끼인각 x가 예각일 때, 넓이 S는

➡ $S = ab \sin x$

참고 x가 둔각이면 $S = ab \sin(180° - x)$

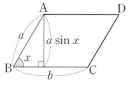

(2) **사각형의 넓이** : □ABCD의 두 대각선의 길이가 a, b이고 두 대각선이 이루는 각 x가 예각일 때, 넓이 S는

➡ $S = \dfrac{1}{2} ab \sin x$

참고 ① x가 둔각이면 $S = \dfrac{1}{2} ab \sin(180° - x)$

② 오른쪽 그림에서 □EFGH는 평행사변형이므로

$$□ABCD = \frac{1}{2} □EFGH = \frac{1}{2} ab \sin x$$

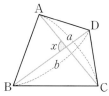

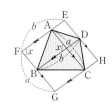

❻ 다각형의 넓이 〔심화 개념〕

(1) **다각형의 넓이** : 보조선을 그어 다각형을 여러 개의 삼각형으로 나눈 후, 삼각형의 넓이의 합을 구한다.

➡ $□ABCD = △ABC + △ACD$

$$= \frac{1}{2} ab \sin x + \frac{1}{2} cd \sin y$$

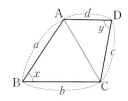

쌤의 활용 꿀팁

다각형의 변의 길이와 각의 크기가 주어지면 보조선을 긋거나 수선을 그은 후, 삼각비를 이용하여 넓이를 구할 수 있어요.

(2) **사다리꼴의 넓이** : 오른쪽 그림과 같이 $\overline{AD} \,/\!/\, \overline{BC}$인 사다리꼴 ABCD의 넓이 S는

➡ $S = \dfrac{1}{2}(a+b)c \sin x$

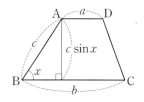

이것이 진짜 **출제율 100%** 문제

① 직각삼각형의 변의 길이

01 대표문제

오른쪽 그림과 같이
$\angle A = 90°$인 직각삼각형
ABC에서 $\angle B = 43°$,
$\overline{BC} = 10$일 때, $x + y$의 값을
구하시오.

(단, $\sin 43° = 0.68$, $\cos 43° = 0.73$으로 계산한다.)

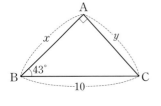

02

오른쪽 그림의 직육면체에서
$\overline{DH} = 5$ cm, $\overline{FH} = 10$ cm이고
$\angle HFG = 30°$일 때, 이 직육면
체의 부피를 구하시오.

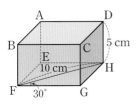

03

오른쪽 그림과 같이 수평면에 대
하여 25° 기울어진 비탈길 위에
두 지점 A, C가 있다. A 지점에
서 수평면 위의 B 지점까지의 거
리가 300 m이다. 자동차가 시속
30 km로 A 지점을 출발하여 C
지점까지 가는 데 걸리는 시간은 몇 초인지 구하시오.

(단, $\cos 25° = 0.9$로 계산한다.)

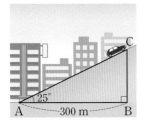

04

오른쪽 그림과 같이 높이가
50 m인 건물의 꼭대기 A 지점
에서 타워의 꼭대기 B 지점을
올려본각의 크기가 45°이고, 타
워의 가장 아랫 부분 C 지점을
내려본각의 크기가 30°일 때, 이
타워의 높이를 구하시오.

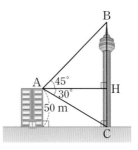

② 일반 삼각형의 변의 길이

05 대표문제

오른쪽 그림과 같은 △ABC에
서 $\overline{AB} = 4\sqrt{3}$ cm, $\overline{BC} = 10$ cm
이고 $\angle B = 30°$일 때, $\overline{AC}$의 길
이를 구하시오.

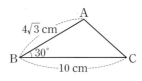

06

민재는 해변의 A 지점에서 섬의
B 지점까지의 거리를 구하기 위
해 오른쪽 그림과 같이 A 지점
에서 300 m 떨어진 C 지점을 정
하였다. $\angle A = 75°$, $\angle C = 60°$
일 때, 두 지점 A, B 사이의 거
리를 구하시오.

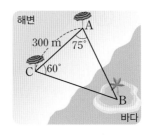

③ 삼각형의 높이

07 (대표문제)

다음 그림은 200 m 떨어져 있는 지면 위의 두 지점 A, B에서 하늘의 C 지점에 떠 있는 헬리콥터를 동시에 올려본 모습이다. A 지점에서 헬리콥터를 올려본각의 크기기 28°이고, B 지점에서 헬리콥터를 올려본각의 크기가 33°일 때, 헬리콥터의 지면으로부터의 높이를 소수점 아래 둘째 자리에서 반올림하여 구하시오.

(단, $\tan 57° = 1.5$, $\tan 62° = 1.9$로 계산한다.)

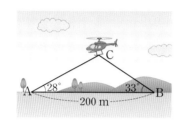

08 (실수多)

오른쪽 그림과 같이 ∠B=75°, ∠C=45°이고, $\overline{AC}$=6 cm인 △ABC의 넓이를 구하시오.

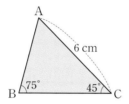

📝 **쌤의 오답 코칭** | 어떤 꼭짓점에서 그 대변에 수선을 그어야 특수각의 삼각비를 이용할 수 있는지 생각한다.

09

오른쪽 그림과 같이 ∠B=30°, ∠C=120°인 △ABC의 꼭짓점 A에서 $\overline{BC}$의 연장선에 내린 수선의 발을 H라 하자. $\overline{AH}$=4 cm일 때, $\overline{BC}$의 길이를 구하시오.

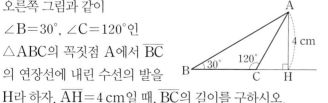

④ 삼각형의 넓이

10 (대표문제)

오른쪽 그림과 같이 $\overline{AB}$=$\overline{AC}$=20 cm이고 ∠B=65°인 이등변삼각형 ABC의 넓이를 다음 삼각비의 표를 이용하여 구하시오.

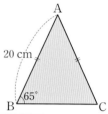

각도	sin	cos	tan
49°	0.7547	0.6561	1.1504
50°	0.7660	0.6428	1.1918
51°	0.7771	0.6293	1.2349

11

오른쪽 그림과 같이 ∠A=90°인 직각삼각형 ABC에서 ∠ABC=60°이다. $\overline{BC}$를 한 변으로 하는 정사각형 BDEC의 한 변의 길이가 10 cm일 때, △AEC의 넓이를 구하시오.

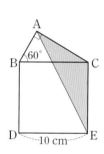

⑤ 사각형의 넓이

12 (대표문제)

다음 그림과 같이 $\overline{AB}$=8 cm, $\overline{BC}$=14 cm인 평행사변형 ABCD에서 ∠BAD=150°일 때, △OCD의 넓이를 구하시오. (단, 점 O는 두 대각선의 교점)

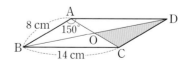

13

오른쪽 그림과 같이 $\overline{AD} /\!/ \overline{BC}$ 인 등변사다리꼴 ABCD에서 두 대각선이 이루는 각의 크기는 135°이다. □ABCD의 넓이가 $28\sqrt{2}\ \mathrm{cm}^2$일 때, $\overline{AC}$의 길이를 구하시오.

6 다각형의 넓이 심화

14 대표문제

오른쪽 그림과 같이
$\overline{AB}=2\sqrt{3}\ \mathrm{cm}$, $\overline{BC}=4\sqrt{2}\ \mathrm{cm}$,
$\angle ABD=120°$, $\angle DBC=45°$,
$\angle C=90°$일 때, □ABCD의 넓이를 구하시오.

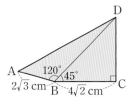

15

오른쪽 그림과 같이 지름의 길이가 10 cm인 원에 내접하는 정팔각형의 넓이를 구하시오.

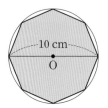

📖 이것이 진짜 교과서에서 뽑아온 문제

16

| 교학사 유사 |

오른쪽 그림과 같이 오르막길 위에 건물이 세워져 있다. 지면 위의 A 지점에서 건물의 꼭대기 C 지점을 올려본각의 크기가 60°이다. A 지점에서 30 m 떨어진 D 지점에서 오르막길이 시작되고 지면과 30°의 경사를 이루었다. 오르막길인 $\overline{DE}$의 길이가 $8\sqrt{3}$ m일 때, 건물의 높이인 $\overline{CE}$의 길이를 구하시오.

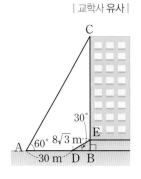

17

| 미래엔 유사 |

오른쪽 그림의 △ABC에서
$\overline{AB}=12\ \mathrm{cm}$, $\overline{BC}=4\sqrt{2}\ \mathrm{cm}$이고
$\angle B=45°$일 때, $\overline{AC}$의 길이를 구하시오.

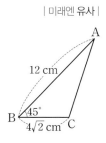

18

| 미래엔 유사 |

오른쪽 그림과 같이 10 m 떨어진 지면 위의 두 지점 A, B에서 나무의 꼭대기를 올려본각의 크기가 각각 45°, 60°일 때, 나무의 높이인 $\overline{CD}$의 길이는 몇 m인지 구하시오.

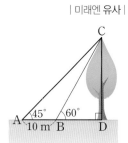

19 실수多

| 천재 유사 |

오른쪽 그림과 같이 반지름의 길이가 $6\sqrt{3}$ cm인 반원 O에서 $\angle CAB=30°$일 때, 색칠한 부분의 넓이를 구하시오.

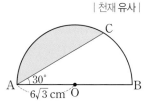

✏️ 쌤의 오답 코칭 | 색칠한 부분을 포함하는 부채꼴이 생기도록 적절한 보조선을 긋는다.

01

쌤의 출제 Point

오른쪽 그림과 같이 밑면의 한 변의 길이가 6 cm인 정사각뿔의 꼭짓점 O에서 밑면에 내린 수선의 발을 H라 하자. $\angle OBD = 60°$일 때, 다음을 구하시오.

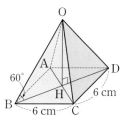

(1) $\overline{OB}$의 길이

(2) 정사각뿔 O − ABCD의 부피

02

오른쪽 그림과 같이 폭이 9 cm로 일정한 직사각형 모양의 종이를 $\overline{AB}$를 접는 선으로 하여 접었다. $\overline{AB} = 18$ cm일 때, $\triangle ABC$의 넓이를 구하시오.

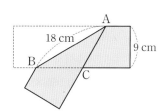

03

오른쪽 그림과 같이 $\angle B = 90°$인 직각삼각형 ABC에서 $\overline{AB} = 3$ cm, $\angle C = 15°$, $\angle AEB = 60°$, $\angle AED = 90°$일 때, $\overline{AC}$의 길이를 구하시오.

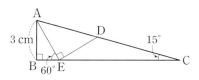

04 🔩 복합 개념 | 분당 | 서현

다음 그림과 같이 $\angle A = 90°$, $\angle B = 60°$, $\overline{AB} = 4$인 직각삼각형 ABC를 직선 l 위에서 한 바퀴 회전시켰다. 이때 $\overline{BC}$의 중점 M이 지나는 곡선과 직선 l로 둘러싸인 부분의 둘레의 길이를 구하시오.

점 M은 직각삼각형 ABC의 외심이다.

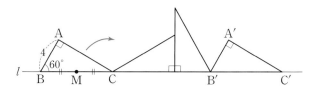

05 신유형 (서울 | 강남)

오른쪽 그림과 같이 지면 위의 A 지점에서 건물의 꼭대기 C 지점을 올려본각의 크기가 45°이고, A 지점과 100 m 떨어진 D 지점에서 C 지점을 올려본각의 크기가 75°이다. 건물의 높이인 $\overline{CB}$ 위의 한 지점 E에서 A 지점을 내려다 보았을 때, ∠AEB=60° 이었다. 이때 두 지점 C와 E 사이의 거리를 구하시오. (단, 세 지점 A, D, B는 한 직선 위에 있고, tan 75°=2+√3으로 계산한다.)

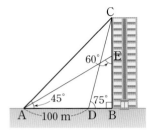

쌤의 출제 Point

06

다음 글을 읽고, 사탑의 경사각의 크기가 5.5°에서 4°로 줄어들었을 때, 변화된 경사 거리의 차를 구하시오. (단, sin 4°=0.0698, sin 5.5°=0.0958로 계산한다.)

이탈리아 토스카나 주의 피사 시에 있는 대성당의 종탑은 똑바로 서 있지 않고 기울어져 있어 사탑(斜塔)이라 불린다. 높이가 55.9 m인 이 탑은 1173년 착공 이후 남쪽으로 조금씩 기울어져 왔고, 1990년에는 경사각의 크기가 5.5° 정도가 되어 붕괴 직전에 이르렀다. 그 후 경사각의 크기를 줄이는 공사가 시작되었고 2001년에는 경사각의 크기가 4° 정도로 줄어들어 현재에 이르고 있다.

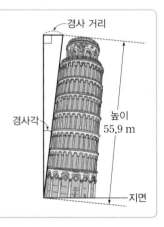

경사각의 크기가 5.5°일 때와 4°일 때의 직각삼각형을 그린다.

07 만점 KILL (대전 | 둔산)

오른쪽 그림의 평행사변형 ABCD에서 $\overline{AB}$=8 cm, $\overline{BC}$=12 cm이고, ∠DAB : ∠ABC=2 : 1이다. 이때 □ABCD의 네 내각의 이등분선에 의해 만들어지는 □PQRS의 넓이를 구하시오.

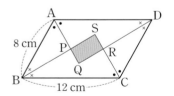

∠DAB, ∠ABC의 크기를 각각 구한 후, □PQRS가 어떤 사각형인지 알아본다.

08 교과서 **추론** | 지학사 유사 |

오른쪽 그림과 같은 평행사변형 ABCD에서 $\overline{AB}=6\,\text{cm}$, $\overline{BC}=8\,\text{cm}$, $\angle A=120°$일 때, $\overline{BD}$의 길이를 구하시오.

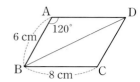

09 신유형 안양|평촌

오른쪽 그림과 같이 집의 위치를 O라 하고 농구장, 도서관, 학교의 위치를 각각 A, B, C라 하자. 형과 동생이 집에서 동시에 출발하여 50분 동안 형은 시속 6 km로, 동생은 시속 3 km로 걸어 각각 도서관과 농구장에 도착하였다. $\angle AOC=40°$, $\angle BOC=20°$일 때, 농구장과 도서관 사이의 거리는 몇 km인지 구하시오.

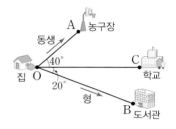

10

오른쪽 그림과 같은 △ABC에서 $\angle B=60°$, $\angle C=45°$이고 $\overline{AB}=2\sqrt{2}$일 때, $\overline{AC}$, $\overline{BC}$의 길이를 각각 구하시오.

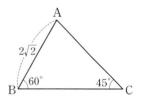

11

오른쪽 그림은 건물의 높이를 구하기 위해 $\overline{AB}=100\,\text{m}$가 되도록 지면 위에 두 지점 A, B를 잡고 측량한 것이다. 이때 건물의 높이인 $\overline{PH}$의 길이를 구하시오.

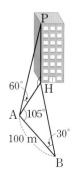

12 교과서 **창의사고력** | 신사고 유사 |

오른쪽 그림과 같이 무인도의 A 지점에 조난 당해 있는 사람들을 구조하기 위해 헬리콥터가 시속 180 km로 수면과 평행하게 직선 방향으로 A 지점을 향해 가고 있다. 헬리콥터가 B 지점에서 A 지점을 내려본각의 크기가 30°이고, 1분 후에 헬리콥터가 C 지점에서 A 지점을 내려본각의 크기가 60°일 때, 헬리콥터의 수면으로부터의 높이는 몇 km인지 구하시오.

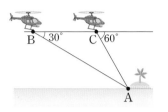

쌤의 출제 Point

먼저 두 지점 B, C 사이의 거리를 구한다.

13

오른쪽 그림과 같은 △ABC에서 ∠ABD=30°, ∠DBC=120°이고, $\overline{AB}=12$ cm, $\overline{BC}=6\sqrt{3}$ cm일 때, $\overline{BD}$의 길이를 구하시오.

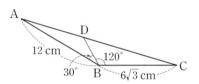

14 교과서 **추론** | 천재 유사 |

오른쪽 그림과 같이 △ABC에서 $\overline{AB}$의 길이는 20 % 줄이고, $\overline{BC}$의 길이는 10 % 늘여서 △A′BC′을 만들 때, 삼각형의 넓이의 변화는?

① 10 % 감소한다.   ② 10 % 증가한다.
③ 12 % 감소한다.   ④ 12 % 증가한다.
⑤ 14 % 감소한다.

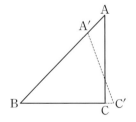

길이가 a인 선분의 길이를

20 % 줄이면 ➡ $a\left(1-\dfrac{20}{100}\right)$

10 % 늘이면 ➡ $a\left(1+\dfrac{10}{100}\right)$

15 복합 개념 부산|해운대

오른쪽 그림에서 점 I는 △ABC의 내심이고 $\overline{AB}=\overline{AC}$,
$\overline{BC}=18$ cm, ∠B=30°일 때, 내접원 I의 반지름의 길이를
구하시오.

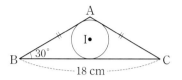

쌤의 출제 Point

16

오른쪽 그림과 같이 호의 길이가 4π cm이고 중심각의 크기가
30°인 부채꼴 AOB가 있다. 점 A에서 $\overline{BO}$에 내린 수선의 발
을 H라 할 때, 색칠한 부분의 넓이를 구하시오.

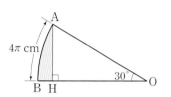

부채꼴의 호의 길이를 이용하여 부채
꼴의 반지름의 길이를 구한다.

17 복합 개념 서울|목동

오른쪽 그림과 같이 반지름의 길이가 10 cm인 원 O에서
$\overparen{AB} : \overparen{BC} : \overparen{CA}=2 : 3 : 3$일 때, △ABC의 넓이를 구하시오.

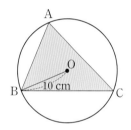

18

오른쪽 그림에서 □ABCD와 □BEFG는 모두 정사각형이고,
△BGH와 △BJI는 각각 $\overline{BG}=\overline{BH}$, $\overline{BI}=\overline{BJ}$인 이등변삼각형
이다. $\overline{AB}=3$ cm, ∠HBG=∠IBJ=30°일 때, 두 삼각형
BGH와 BJI의 넓이의 차를 구하시오.

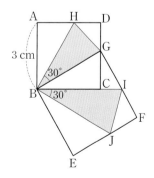

19

폭이 각각 6 cm, 8 cm로 일정한 두 종이 테이프가 오른쪽 그림과 같이 겹쳐져 있을 때, 겹쳐진 부분인 □ABCD의 넓이를 구하시오.

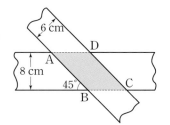

쌤의 출제 Point

□ABCD가 어떤 사각형인지 알아본다.

20

오른쪽 그림과 같은 □ABCD에서 $\overline{AB}=14$ cm, $\overline{BC}=16$ cm, $\overline{CD}=8$ cm이고, $\angle ABD=30°$, $\angle BCD=60°$일 때, □ABCD의 넓이를 구하시오.

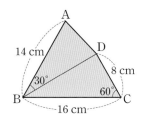

21

오른쪽 그림과 같이 $\overline{AD}\,/\!/\,\overline{BC}$인 사다리꼴 ABCD에서 $\overline{AB}=4$ cm, $\overline{AD}=5$ cm이고, $\angle B=60°$, $\angle C=45°$일 때, □ABCD의 넓이는?

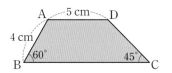

① $(10+6\sqrt{2})$ cm²   ② $(6+10\sqrt{2})$ cm²   ③ $(6+12\sqrt{3})$ cm²

④ $16\sqrt{3}$ cm²   ⑤ $(8+12\sqrt{3})$ cm²

22  **복합 개념** 서울 | 강남

오른쪽 그림과 같이 큰 정육각형의 각 변의 중점을 연결하여 작은 정육각형을 만들었다. 큰 정육각형의 한 변의 길이가 $8\sqrt{2}$ cm일 때, 작은 정육각형의 둘레의 길이와 넓이를 각각 구하시오.

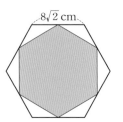

정육각형의 한 내각의 크기를 이용하여 작은 정육각형의 한 변의 길이를 구한다.

01 오른쪽 그림과 같이 한 변의 길이가 6 cm인 정사각형 ABCD에서 $\overline{CD}$ 위의 한 점 E에 대하여 $\overline{BE}$를 한 변으로 하는 정사각형 BEFG를 그렸더니 ∠ABE＝60°가 되었다. 이때 두 정사각형의 겹쳐진 부분의 넓이를 구하시오.

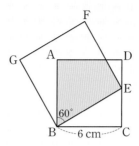

02 오른쪽 그림과 같이 배 모양의 놀이 기구인 바이킹은 중심 기둥과 양쪽 지지대 기둥의 길이가 20 m이고, 양쪽 지지대와 중심 기둥이 이루는 각의 크기는 각각 30°이다. 바이킹의 바닥의 중심인 B 지점은 지면으로부터 1.2 m 떨어져 있고, 바이킹이 움직이기 시작하여 중심 기둥이 왼쪽으로 60°만큼 올라갔을 때의 바이킹의 A, B 지점을 각각 A′, B′이라 하자. 이때 A′ 지점과 B′ 지점의 지면으로부터의 높이의 합을 구하시오.

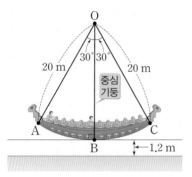

03 오른쪽 그림과 같은 정삼각형 ABC에서 점 D는 $\overline{AC}$의 중점이고, 점 E는 $\overline{BD}$의 중점이다. ∠BCE＝x라 할 때, $\sin x$의 값을 구하시오.

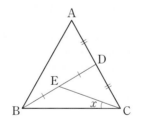

04 ^{Challenge}

오른쪽 그림과 같이 한 변의 길이가 10 cm인 정사각형 ABCD의 내부에 $\overline{BC}$를 한 변으로 하는 정삼각형 EBC가 있다. $\overline{BD}$와 $\overline{EC}$의 교점을 F라 할 때, △EBF의 넓이를 구하시오.

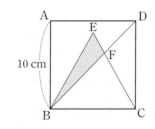

같은 문제
선배들의
다른 풀이

본책 13쪽 ● **10** 번 문제

오른쪽 그림과 같이 직선 $y=mx+n$과 x축, y축의 교점을 각각 A, B라 하자. $\overline{AB} \perp \overline{OH}$, $\overline{OH}=4$이고 $\angle BOH=a$라 할 때, $\sin a=\frac{4}{5}$이다. 이때 상수 m, n에 대하여 $m+n$의 값을 구하시오. (단, 점 O는 원점이다.)

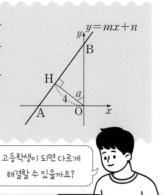

고등학생이 되면 다르게 해결할 수 있을까요?

이 문제는 주어진 삼각비의 값과 두 직각삼각형의 닮음을 이용하여 $\overline{AO}$, $\overline{BO}$의 길이를 각각 구한 후, 직선의 기울기인 m의 값과 직선의 y절편인 n의 값을 각각 구하는 문제야.

그런데 $\overline{AO}$, $\overline{BO}$의 길이를 각각 구하지 않고도, 고등학교 1학년 때 배우는 '점과 직선 사이의 거리'를 이용하면 다른 방법으로 해결할 수 있어.

$\angle BAO=\angle BOH=a$이고, $\sin a=\frac{4}{5}$이므로 $\triangle AOB$에서 $\tan a=\frac{4}{3}$야.

이때 $\tan a$의 값은 직선 $y=mx+n$의 기울기와 같으니까 $m=\frac{4}{3}$야.

그렇다면 n의 값은 다음 공식을 이용하여 구해 볼까?

점 (x_1, y_1)과 직선 $ax+by+c=0$ 사이의 거리

➡ $\dfrac{|ax_1+by_1+c|}{\sqrt{a^2+b^2}}$

주어진 그림에서 원점 O와 직선 $\frac{4}{3}x-y+n=0$ 사이의 거리는 4이므로

$$\dfrac{\left|\frac{4}{3}\times 0-0+n\right|}{\sqrt{\left(\frac{4}{3}\right)^2+(-1)^2}}=4, \quad |n|=4\times\sqrt{\frac{25}{9}}=4\times\frac{5}{3}=\frac{20}{3}$$

이때 직선의 y절편이 양수이므로 $n=\frac{20}{3}$

이렇게 고등학교에서 배우는 공식을 이용하여 푸는 방법도 있다는 것을 참고하도록 해.

하지만 이 방법도 $\tan$의 값을 이용해 직선의 기울기를 구하는 것이 핵심이니 삼각비의 개념을 정확히 아는 것이 중요해.

II

원의 성질

현직 교사의 학교 시험 고난도 킬러 강의

이 단원에서는 원의 성질을 정확하게 이해하고 그 특징을 파악하는 능력이 중요해요.
원에서 현의 수직이등분선, 현의 길이, 접선의 길이, 원주각의 크기, 원주각과 호의 길이
사이의 관계, 네 점이 한 원 위에 있을 조건 등을 이용하여 선분의 길이나 각의 크기를
구하는 문제는 꼭 출제돼요. 특히, 다각형에 내접하는 원, 원주각과 삼각비의 값 등 여러
가지 개념을 복합적으로 이용하여 주어진 도형의 넓이나 각의 크기, 선분의 길이를 구하
는 문제는 이 단원에서의 kill 문제죠.

① 원의 중심과 현의 수직이등분선

(1) 원의 중심에서 현에 내린 수선은 그 현을 이등분한다.

➡ $\overline{OM} \perp \overline{AB}$이면 $\overline{AM} = \overline{BM}$

예 오른쪽 그림의 원 O에서 $\overline{OM} \perp \overline{AB}$이면

$$\overline{AM} = \overline{BM} = \frac{1}{2}\overline{AB} = \frac{1}{2} \times 6 = 3$$

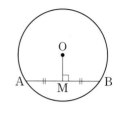

(2) 원에서 현의 수직이등분선은 그 원의 중심을 지난다.

참고 원의 일부분이 주어지면 현의 수직이등분선은 그 원 중심을 지남을 이용하여 원의 중심을 찾은 후, 반지름의 길이를 r로 놓고 피타고라스 정리를 이용하여 식을 세운다.

➡ $r^2 = (r-a)^2 + b^2$

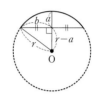

② 원의 중심과 현의 길이

(1) 한 원의 중심으로부터 같은 거리에 있는 두 현의 길이는 서로 같다.

➡ $\overline{OM} = \overline{ON}$이면 $\overline{AB} = \overline{CD}$

예 오른쪽 그림의 원 O에서 $\overline{OM} = \overline{ON} = 5$이므로

$\overline{AB} = \overline{CD} = 14$

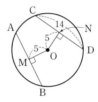

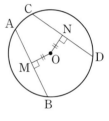

(2) 한 원에서 길이가 같은 두 현은 원의 중심으로부터 같은 거리에 있다.

➡ $\overline{AB} = \overline{CD}$이면 $\overline{OM} = \overline{ON}$

예 오른쪽 그림의 원 O에서

$\overline{OM} \perp \overline{AB}$이므로 $\overline{AB} = 2\overline{AM} = 2 \times 7 = 14$

$\overline{ON} \perp \overline{CD}$이므로 $\overline{CD} = 2\overline{DN} = 2 \times 7 = 14$

$\overline{AB} = \overline{CD}$이므로 $\overline{ON} = \overline{OM} = 5$

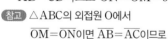

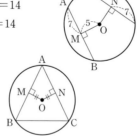

참고 △ABC의 외접원 O에서

$\overline{OM} = \overline{ON}$이면 $\overline{AB} = \overline{AC}$이므로

△ABC는 이등변삼각형

➡ ∠B = ∠C

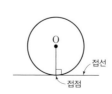

③ 원의 접선의 길이

원 밖의 한 점에서 그 원에 그은 두 접선의 길이는 서로 같다.

➡ $\overline{PA} = \overline{PB}$

참고 ① 원 밖의 한 점에서 그 원에 그을 수 있는 접선은 2개이다.

② 원의 접선은 그 접점을 지나는 원의 반지름에 수직이다.

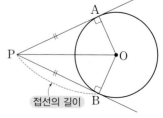

④ 원의 접선의 활용 〔심화 개념〕

$\overline{\mathrm{AD}}$, $\overline{\mathrm{AE}}$, $\overline{\mathrm{BC}}$가 원 O의 접선이고 세 점 D, E, F가 접점일 때

(1) $\overline{\mathrm{AD}}=\overline{\mathrm{AE}}$, $\overline{\mathrm{BD}}=\overline{\mathrm{BF}}$, $\overline{\mathrm{CE}}=\overline{\mathrm{CF}}$

(2) (△ABC의 둘레의 길이)$=\overline{\mathrm{AB}}+\overline{\mathrm{BC}}+\overline{\mathrm{CA}}$
$=\overline{\mathrm{AB}}+(\overline{\mathrm{BF}}+\overline{\mathrm{FC}})+\overline{\mathrm{CA}}$
$=(\overline{\mathrm{AB}}+\overline{\mathrm{BD}})+(\overline{\mathrm{CE}}+\overline{\mathrm{CA}})$
$=\overline{\mathrm{AD}}+\overline{\mathrm{AE}}=2\overline{\mathrm{AD}}$

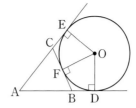

> **쌤의 활용 꿀팁**
> 원의 두 접선의 성질을 이용하여 주어진 원에서 길이가 같은 선분을 모두 찾아 놓으면 원의 접선을 활용한 문제를 쉽게 해결할 수 있어요.

〔참고〕 $\overline{\mathrm{AD}}$, $\overline{\mathrm{BC}}$, $\overline{\mathrm{CD}}$가 반원 O의 접선이고, 세 점 A, B, E가 접점일 때
① $\overline{\mathrm{DC}}=\overline{\mathrm{DE}}+\overline{\mathrm{EC}}=\overline{\mathrm{AD}}+\overline{\mathrm{BC}}$
② 점 D에서 $\overline{\mathrm{BC}}$에 내린 수선의 발을 H라 하면
$\overline{\mathrm{AB}}=\overline{\mathrm{DH}}=\sqrt{\overline{\mathrm{DC}}^2-\overline{\mathrm{CH}}^2}$

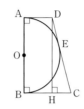

⑤ 삼각형의 내접원 〔심화 개념〕

원 O는 △ABC의 내접원이고 세 점 D, E, F가 접점일 때,
내접원의 반지름의 길이를 r라 하면

(1) $\overline{\mathrm{AD}}=\overline{\mathrm{AF}}$, $\overline{\mathrm{BD}}=\overline{\mathrm{BE}}$, $\overline{\mathrm{CE}}=\overline{\mathrm{CF}}$

(2) (△ABC의 둘레의 길이)$=a+b+c=2(x+y+z)$

(3) $\triangle\mathrm{ABC}=\dfrac{1}{2}r(a+b+c)$

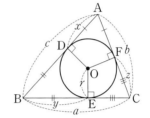

> **쌤의 활용 꿀팁**
> 원 O가 △ABC에 내접할 때, 세 꼭짓점 A, B, C에서 접점에 이르는 거리는 각각 같음을 이용하여 문제를 해결하세요. 또, 내접원의 반지름의 길이를 이용하여 삼각형의 넓이를 구하는 방법도 기억하세요.

〔참고〕 ① $\triangle\mathrm{ABC}=\triangle\mathrm{AOB}+\triangle\mathrm{BOC}+\triangle\mathrm{COA}$
$=\dfrac{1}{2}cr+\dfrac{1}{2}ar+\dfrac{1}{2}br$
$=\dfrac{1}{2}r(a+b+c)$

② 원 O는 직각삼각형 ABC의 내접원이고 내접원의 반지름의 길이가 r일 때
• □OECF는 정사각형이다.
• $\triangle\mathrm{ABC}=\dfrac{1}{2}r(a+b+c)=\dfrac{1}{2}ab$

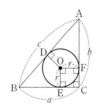

⑥ 원에 외접하는 사각형의 성질

(1) 원에 외접하는 사각형에서 두 쌍의 대변의 길이의 합은 서로 같다.
➡ $\overline{\mathrm{AB}}+\overline{\mathrm{DC}}=\overline{\mathrm{AD}}+\overline{\mathrm{BC}}$

〔설명〕 $\overline{\mathrm{AP}}=\overline{\mathrm{AS}}$, $\overline{\mathrm{BP}}=\overline{\mathrm{BQ}}$, $\overline{\mathrm{CQ}}=\overline{\mathrm{CR}}$, $\overline{\mathrm{DR}}=\overline{\mathrm{DS}}$이므로
$\overline{\mathrm{AB}}+\overline{\mathrm{DC}}=(\overline{\mathrm{AP}}+\overline{\mathrm{PB}})+(\overline{\mathrm{DR}}+\overline{\mathrm{RC}})$
$=\overline{\mathrm{AS}}+\overline{\mathrm{BQ}}+\overline{\mathrm{SD}}+\overline{\mathrm{QC}}$
$=(\overline{\mathrm{AS}}+\overline{\mathrm{SD}})+(\overline{\mathrm{BQ}}+\overline{\mathrm{QC}})$
$=\overline{\mathrm{AD}}+\overline{\mathrm{BC}}$

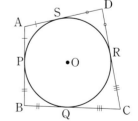

(2) 두 쌍의 대변의 길이의 합이 같은 사각형은 원에 외접한다.

〔참고〕 ① 원에 외접하는 다각형
➡ 한 다각형의 모든 변이 원에 접할 때, 다각형은 원에 외접한다고 하고 원은 다각형에 내접한다고 한다.
② 원에 내접하는 다각형
➡ 한 다각형의 모든 꼭짓점이 한 원 위에 있을 때, 다각형은 원에 내접한다고 하고 원은 다각형에 외접한다고 한다.

🎯 이것이 진짜 **출제율 100%** 문제

① 원의 중심과 현의 수직이등분선

01 대표문제

오른쪽 그림과 같은 원 O에서
$\overline{AB} \perp \overline{OC}$이고, $\overline{AH} = 4$, $\overline{CH} = 3$
일 때, 원 O의 반지름의 길이를 구
하시오.

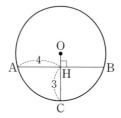

02

오른쪽 그림은 원 O의 원주 위의 한
점이 원의 중심에 겹쳐지도록 접은 것
이다. $\overline{OA} = 6$ cm일 때, $\triangle ABO$의
넓이를 구하시오.

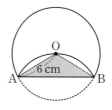

03

오른쪽 그림의 원 O에서
$\overline{AB} \perp \overline{OM}$, $\overline{CD} \perp \overline{ON}$이고
$\overline{OM} = 5$ cm, $\overline{ON} = 3$ cm,
$\overline{CD} = 12$ cm일 때, $\overline{AB}$의 길이를
구하시오.

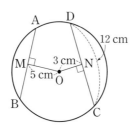

04

오른쪽 그림에서 $\overparen{AB}$는 원의
일부이다. $\overline{AB} \perp \overline{CD}$이고
$\overline{AD} = \overline{BD} = 6$ cm,
$\overline{CD} = 4$ cm일 때, 이 원의 넓이를
구하시오.

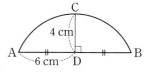

② 원의 중심과 현의 길이

05 대표문제

오른쪽 그림의 원 O에서 $\overline{AB} \perp \overline{OM}$,
$\overline{CD} \perp \overline{ON}$이고 $\overline{OA} = 9$ cm,
$\overline{OM} = \overline{ON} = 5$ cm일 때, $\overline{CD}$의 길이
는?

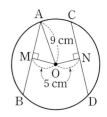

① 12 cm   ② $8\sqrt{3}$ cm

③ 14 cm   ④ $4\sqrt{14}$ cm

⑤ $6\sqrt{7}$ cm

06

오른쪽 그림과 같이 반지름의 길이
가 5인 원 O에서 $\overline{AB} = \overline{CD}$,
$\overline{OM} \perp \overline{AB}$이고 $\overline{OM} = 3$일 때,
$\triangle COD$의 넓이를 구하시오.

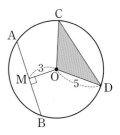

07

오른쪽 그림과 같이 △ABC가
원 O에 내접하고 $\overline{OM}\perp\overline{AB}$,
$\overline{ON}\perp\overline{AC}$이고 $\overline{OM}=\overline{ON}$이다.
∠B=52°일 때, ∠MON의 크
기는?

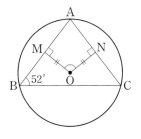

① 96°　　② 98°

③ 100°　　④ 102°

⑤ 104°

08

오른쪽 그림과 같은 원 O에서
$\overline{OM}\perp\overline{AB}$, $\overline{ON}\perp\overline{CD}$이고
$\overline{OM}=\overline{ON}$이다. $\overline{AM}=6\,cm$,
∠NOD=60°일 때, 원 O의 넓이
를 구하시오.

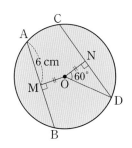

③ 원의 접선의 길이

09 대표문제

오른쪽 그림에서 $\overrightarrow{PA}$, $\overrightarrow{PB}$는 원
O의 접선이고 두 점 A, B는 접
점이다. ∠APB=60°,
$\overline{PA}=12$일 때, 원 O의 반지름의
길이를 구하시오.

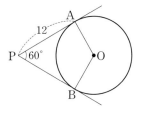

10

오른쪽 그림에서 $\overrightarrow{PA}$, $\overrightarrow{PB}$는
원 O의 접선이고 두 점 A, B
는 접점이다. $\overline{OA}=6\,cm$,
∠P=65°일 때, 색칠한 부분
의 넓이를 구하시오.

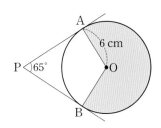

11

오른쪽 그림에서 $\overrightarrow{PA}$, $\overrightarrow{PB}$는
원 O의 접선이고 두 점 A, B
는 접점이다. $\overline{PA}=15$,
$\overline{OA}=8$일 때, $\overline{AB}$의 길이를
구하시오.

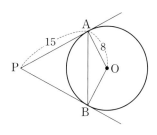

④ 원의 접선의 활용　심화

12 대표문제

오른쪽 그림에서 $\overrightarrow{AD}$, $\overrightarrow{AE}$,
$\overrightarrow{BC}$는 원 O의 접선이고 세 점
D, E, F는 접점이다.
$\overline{OA}=13$, $\overline{OE}=5$일 때,
△ABC의 둘레의 길이를 구하
시오.

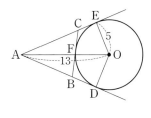

13

오른쪽 그림에서 $\overline{AB}$는
반원 O의 지름이고, $\overline{AD}$,
$\overline{BC}$, $\overline{CD}$는 반원 O의 접선
이다. 세 점 A, B, E가 접
점이고 $\overline{AD}=6$ cm,
$\overline{BC}=10$ cm일 때, □ABCD의 넓이를 구하시오.

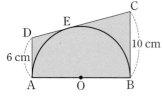

14

오른쪽 그림에서 $\overline{AB}$는 반원
O의 지름이고 $\overline{AD}$, $\overline{BC}$, $\overline{CD}$
는 각각 반원 O의 접선이다.
세 점 A, B, P는 접점이고
$\overline{AD}=3$ cm, $\overline{BC}=8$ cm일
때, $\overline{BD}$의 길이를 구하시오.

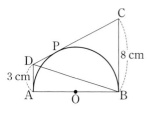

⑤ 삼각형의 내접원 심화

15 (대표문제)

오른쪽 그림의 원 O는
△ABC의 내접원이고 세 점
D, E, F는 접점이다.
$\overline{AB}=18$ cm, $\overline{BC}=24$ cm,
$\overline{CA}=20$ cm일 때, $\overline{AD}$의 길
이는?

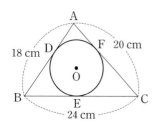

① 6 cm   ② 6.5 cm   ③ 7 cm
④ 7.5 cm   ⑤ 8 cm

16

오른쪽 그림에서 원 O는
△ABC의 내접원이고
세 점 D, E, F는 접점이다.
$\overline{AD}=4$, $\overline{CF}=7$이고
△ABC의 둘레의 길이가
38일 때, $\overline{BC}$의 길이를 구하시오.

17

오른쪽 그림에서 원 O는
∠C=90°인 직각삼각형 ABC의 내
접원이고 세 점 D, E, F는 접점이다.
$\overline{AB}=10$, $\overline{AC}=8$일 때, 원 O의 반
지름의 길이를 구하시오.

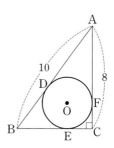

18

오른쪽 그림에서 원 O는
△ABC의 내접원이고 세 점
D, E, F는 접점이다. $\overline{HI}$는
점 G를 접점으로 하는 원 O
의 접선이고 $\overline{AB}=11$ cm,
$\overline{BC}=12$ cm, $\overline{CA}=9$ cm일
때, △HIC의 둘레의 길이를 구하시오.

⑥ 원에 외접하는 사각형의 성질

19 (대표문제)

오른쪽 그림과 같이 □ABCD는 원 O에 외접하고 $\overline{AB}=11$ cm, $\overline{CD}=9$ cm이다. $\overline{AD}:\overline{BC}=2:3$일 때, $\overline{BC}$의 길이를 구하시오.

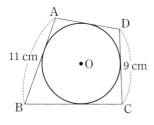

20 실수多

오른쪽 그림과 같이 원 O에 외접하는 등변사다리꼴 ABCD에서 $\overline{AD}=12$, $\overline{BC}=18$일 때, 원 O의 지름의 길이를 구하시오.

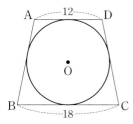

✎ 쌤의 오답 코칭 | 등변사다리꼴 ABCD의 높이와 원 O의 지름의 길이는 같다.

21

다음 그림과 같이 두 원 O, O'이 각각 두 사각형 ABDC, CDFE에 내접할 때, $\overline{EF}-\overline{AB}$의 길이를 구하시오.

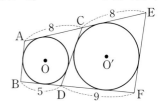

22

다음 대화를 보고, 오른쪽 그림과 같이 깨진 접시의 원래 원 모양의 접시의 둘레의 길이를 구하시오.

| 금성 유사 |

> 수희 : 이 박물관에는 접시가 많네.
> 은주 : 이 접시들은 삼국 시대에 사용했던 것이야.
> 수희 : 앗! 저기 깨진 접시가 있다.
> 은주 : 음... 이 접시는 출토 당시부터 깨졌다고 적혀 있어.
> 수희 : 이 접시의 깨지기 전 둘레의 길이를 구할 수 있을까?
> 은주 : 그럼! 원의 중심과 현의 수직이등분선의 성질을 이용하여 구할 수 있지.

23 실수多

| 지학사 유사 |

오른쪽 그림과 같이 중심이 같은 두 원 모양으로 이루어진 산책로를 만들고, 그 안에 꽃밭을 만들려고 한다. 작은 원의 접선이 큰 원과 만나는 두 점을 A, B라 하고 $\overline{AB}$와 작은 원의 접점을 M이라 하자. $\overline{AB}=120$ m일 때, 산책로의 넓이를 구하시오.

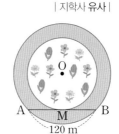

✎ 쌤의 오답 코칭 | 산책로의 넓이는 두 원의 반지름의 제곱의 차를 알면 구할 수 있다.

24

| 신사고 유사 |

오른쪽 그림과 같이 원 O가 직사각형 ABCD의 세 변과 $\overline{AE}$에 접한다. $\overline{AB}=8$ cm, $\overline{BC}=12$ cm일 때, $\overline{BE}$의 길이를 구하시오.

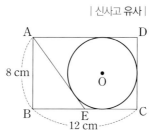

01

오른쪽 그림과 같이 두 원 O, O′의 한 교점 P를 지나는 직선
이 두 원과 만나는 점을 각각 A, B라 하고 두 원의 중심 O,
O′에서 $\overline{AB}$에 내린 수선의 발을 각각 M, N이라 하자.
$\overline{OO'}=26$, $\overline{OM}=10$, $\overline{O'N}=20$일 때, $\overline{AB}$의 길이를 구하시
오.

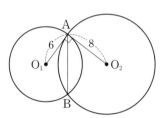

02

오른쪽 그림과 같이 반지름의 길이가 각각 6, 8인 두 원 O_1,
O_2의 교점을 A, B라 하자. $\overline{O_1A} \perp \overline{O_2A}$일 때, $\overline{AB}$의 길이는?

① $\dfrac{44}{5}$ ② $\dfrac{46}{5}$ ③ $\dfrac{48}{5}$

④ 10   ⑤ $\dfrac{52}{5}$

03 🔧 복합 개념 (서울 | 강남)

오른쪽 그림과 같이 원 O에 내접하는 사각형 ABCD가 있다. $\overline{AB}$는
원 O의 지름이고, $\overline{CB} /\!/ \overline{DO}$, $\overset{\frown}{AD} : \overset{\frown}{DB}=1 : 3$이고 $\overline{BC}=8$ cm일 때,
□ABCD의 넓이를 구하시오.

점 O에서 $\overline{BC}$에 수선을 그어
□DOBC의 넓이를 구한다.

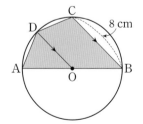

04 교과서 창의사고력 | 천재 유사 |

오른쪽 그림과 같은 원 O에서 서로 수직인 두 현 AB, CD의 교점을 P라 하자. $\overline{AP}=6$, $\overline{BP}=16$, $\overline{CP}=4$, $\overline{DP}=24$일 때, 원 O의 넓이를 구하시오.

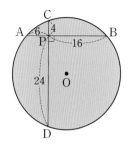

05 신유형 서울 | 송파 |

문화재 발굴 현장에서 원 모양의 접시가 발견되었다. 폭이 3인 직사각형 모양의 막대를 올려놓았더니 오른쪽 그림과 같았다. $\overline{AE}=8$, $\overline{BF}=5$, $\overline{EH}=10$일 때, 접시의 둘레의 길이를 구하시오.

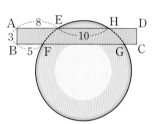

06 교과서 추론 | 금성 유사 |

오른쪽 그림과 같이 △ABC가 원 O에 내접하고 원의 중심에서 △ABC의 세 변에 내린 수선의 발을 D, E, F라 하자. $\overline{OD}=\overline{OE}=\overline{OF}$이고 $\overline{AB}=18$ cm일 때, 원 O의 넓이를 구하시오.

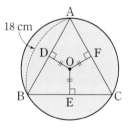

07

오른쪽 그림과 같은 반지름의 길이가 6인 원 O에서 $\overline{OM}\perp\overline{AB}$, $\overline{ON}\perp\overline{CD}$이다. $\overline{OM}=\overline{ON}=3$, $\angle MON=150°$일 때, 색칠한 부분의 넓이를 구하시오.

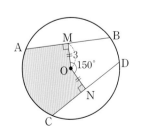

08

오른쪽 그림과 같이 원 O의 중심에서 두 현 AB, AC에 내린 수선의 발을 각각 M, N이라 하고, 현 BC와 $\overline{OM}$, $\overline{ON}$이 만나는 점을 각각 D, E라 하자. $\overline{OM}=\overline{ON}$이고 ∠BAC=120°, $\overline{AB}=6$ cm일 때, 색칠한 부분의 넓이를 구하시오.

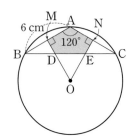

쌤의 출제 Point

09

오른쪽 그림에서 $\overrightarrow{PA}$, $\overrightarrow{PB}$는 원 O의 접선이고 두 점 A, B는 접점이다. ∠APB=60°, $\overline{AP}=3\sqrt{3}$일 때, 색칠한 부분의 넓이를 구하시오.

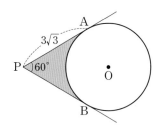

10

오른쪽 그림과 같이 반지름의 길이가 5 cm인 세 원 O_1, O_2, O_3이 서로 외접하고, $\overrightarrow{PA}$는 원 O_1 위의 한 점 P에서 원 O_3에 그은 접선이다. $\overrightarrow{PA}$와 원 O_2의 교점을 각각 B, C라 할 때, $\overline{BC}$의 길이를 구하시오.
(단, 네 점 P, O_1, O_2, O_3은 한 직선 위에 있다.)

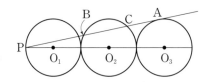

점 O_2에서 $\overline{BC}$에 수선을 긋고, 현의 수직이등분선의 성질을 이용한다.

11

오른쪽 그림과 같이 가로의 길이가 14 cm, 세로의 길이가 13 cm인 직사각형 ABCD에서 점 A는 원 O 위의 점이고 $\overline{BC}$, $\overline{CD}$는 각각 두 점 E, F에서 원 O와 접한다. $\overline{AB}$, $\overline{AD}$와 원 O가 만나는 점을 각각 G, H라 하고 $\overline{BG}=3$ cm일 때, $\overline{DH}$의 길이를 구하시오.

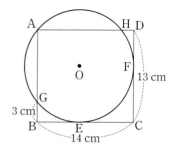

쌤의 출제 Point

12

오른쪽 그림과 같이 $\overline{AB}=10$ cm, $\overline{AD}=15$ cm인 직사각형 ABCD에 접하는 두 원 O, O′이 서로 외접할 때, 원 O′의 반지름의 길이를 구하시오.

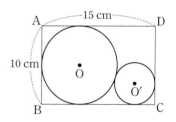

$\overline{OO'}$을 그으면 $\overline{OO'}$의 길이는 두 원의 반지름의 길이의 합과 같다.

13

오른쪽 그림에서 $\overrightarrow{PA}$, $\overrightarrow{PB}$, $\overleftrightarrow{CD}$, $\overleftrightarrow{FG}$는 원 O의 접선이고 네 점 A, B, E, H는 접점이다. $\overline{PC}=15$ cm, $\overline{PD}=12$ cm, $\overline{CD}=11$ cm일 때, △DFG의 둘레의 길이를 구하시오.

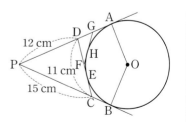

14

오른쪽 그림은 가로의 길이가 17 cm, 세로의 길이가 8 cm인 직사각형 ABCD에서 점 B를 중심으로 하고 $\overline{AB}$ 를 반지름으로 하는 사분원을 그린 것이다. 점 C에서 사분원에 그은 접선이 $\overline{AD}$와 만나는 점을 E, 그 접점을 F라 할 때, $\overline{AE}$의 길이를 구하시오.

쌤의 출제 Point

15 만점 KILL 복합 개념 대전 | 둔산

오른쪽 그림과 같이 $\overline{AB}$를 지름으로 하는 반원 O에서 $\overline{AD}$, $\overline{BC}$, $\overline{CD}$는 반원 O의 접선이고 세 점 A, B, E는 접점이다. $\overline{AC}$ 와 $\overline{BD}$의 교점을 F라 하고, $\overline{EF}$의 연장선이 $\overline{AB}$와 만나는 점을 G라 하자. $\overline{AD}=6$, $\overline{BC}=9$일 때, $\overline{OG}$의 길이를 구하시오.

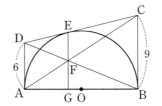

$\overline{DA} /\!/ \overline{CB}$이므로 평행선 사이의 선분의 길이의 비를 이용한다.

16

오른쪽 그림에서 $\overrightarrow{AD}$, $\overrightarrow{AE}$, $\overrightarrow{BC}$는 원 O의 접선이고 세 점 D, E, F는 접점이다. 원 O′은 △ABC의 내접원이고 세 점 P, Q, R는 접점이다. $\overline{AB}=11$, $\overline{BC}=12$, $\overline{CA}=15$일 때, $\overline{FR}$의 길이를 구하시오.

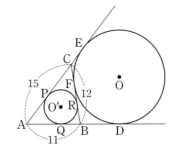

17 신유형 부산 | 해운대

오른쪽 그림과 같이 원 O는 ∠A=90°인 직각삼각형 ABC의 외접원이고, 원 O′은 △ABC의 내접원이다. 원 O의 반지름의 길이가 4 cm이고 △ABC의 넓이가 9 cm²일 때, 다음을 구하시오. (단, $\overline{AB} < \overline{AC}$)

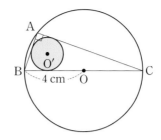

(1) $\overline{AB}$, $\overline{AC}$의 길이

(2) 원 O′의 넓이

쌤의 출제 Point

원 O의 반지름의 길이와 △ABC의 넓이를 이용하여 $\overline{AB}$, $\overline{AC}$의 길이를 구한다.

18

오른쪽 그림과 같이 원 O가 △ABC에 내접하고 세 점 P, Q, R는 접점이다. $\overline{AB}$=14 cm, $\overline{AC}$=10 cm, $\overline{AP}$=4 cm일 때, 원 O의 반지름의 길이를 구하시오.

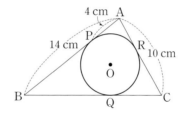

19

오른쪽 그림에서 직사각형 ABCD의 둘레의 길이는 84 cm이고, 반지름의 길이가 6 cm인 두 원 O, O′은 각각 △ABC와 △ACD의 내접원이다. 두 원 O, O′과 $\overline{AC}$의 접점을 각각 E, F라 할 때, □EOFO′의 넓이를 구하시오. (단, $\overline{AB} < \overline{BC}$)

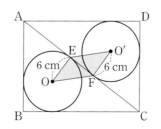

20

쌤의 출제 Point

오른쪽 그림에서 네 원은 각각 네 삼각형의 내접원이고, $\overline{AC}$, $\overline{AD}$, $\overline{AE}$는 공통인 접선이다. $\overline{AB}=21$, $\overline{BC}=10$, $\overline{CD}=8$, $\overline{DE}=6$, $\overline{EF}=5$일 때, $\overline{AF}$의 길이를 구하시오.

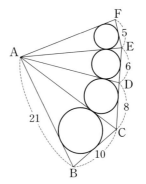

21 만점 KILL 신유형 서울|강남

오른쪽 그림과 같이 $\angle C=90°$인 직각삼각형 ABC에서 원 O_1은 △ABC의 내접원이고, 점 C에서 $\overline{AB}$에 내린 수선의 발을 H라 하자. 두 원 O_2, O_3는 각각 △AHC, △BCH의 내접원이고, $\overline{AB}=25$, $\overline{BC}=15$, $\overline{CA}=20$일 때, 세 원 O_1, O_2, O_3의 반지름의 길이의 합을 구하시오.

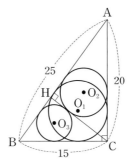

22

오른쪽 그림의 직사각형 ABCD에서 원 O는 □ABCD의 세 변에 접하고, 원 O'은 □ABCD의 두 변에 접한다. $\overline{CE}$는 두 원 O, O'의 공통인 접선이고 $\overline{AE}=4$ cm, $\overline{BC}=12$ cm일 때, 두 원 O, O'의 넓이의 합을 구하시오.

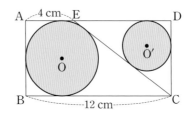

□ABCE의 내접원 O와 △ECD의 내접원 O'으로 나누어 생각한다.

01 오른쪽 그림과 같이 반지름의 길이가 $\sqrt{65}$인 원 O의 두 현 AB, CD가 평행하고, 점 B에서 $\overline{CD}$에 내린 수선의 발을 E라 하자. $\overline{AB}:\overline{CD}=1:2$이고 $\overline{BE}=6$일 때, $\overline{AE}$의 길이를 구하시오.

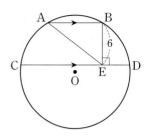

02 Challenge
오른쪽 그림과 같이 $\overline{AB}$, $\overline{AC}$, $\overline{BC}$를 각각 지름으로 하는 세 반원 O_1, O_2, O_3이 있다. 두 반원 O_2와 O_3의 접점 C에서 $\overline{AB}$에 그은 수선이 반원 O_1과 만나는 점을 D라 하고, 원 O는 두 반원 O_1, O_2와 각각 두 점 P, Q에서, $\overline{CD}$와 점 R에서 접한다. 색칠한 부분의 넓이가 18π, 원 O의 반지름의 길이가 2일 때, $\overline{AB}$의 길이를 구하시오.

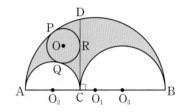

03 오른쪽 그림과 같이 $\overline{AB}=8\,\mathrm{cm}$, $\overline{BC}=10\,\mathrm{cm}$, $\overline{CA}=12\,\mathrm{cm}$인 △ABC에서 ∠A의 이등분선이 $\overline{BC}$와 만나는 점을 D라 할 때, △ABC의 내접원을 이용하여 $\overline{AD}$의 길이를 구하시오.

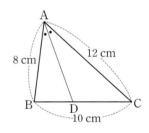

04 오른쪽 그림과 같이 $\overline{AD}/\!/\overline{BC}$인 사다리꼴 ABCD는 원 O에 외접하고 네 점 P, Q, R, S는 접점이다. $\overline{SQ}$는 원 O의 지름이고, □ABCD의 둘레의 길이는 90 cm이다. $\overline{BQ}=18\,\mathrm{cm}$, $\overline{CQ}=12\,\mathrm{cm}$일 때, $\overline{AS}$의 길이를 구하시오.

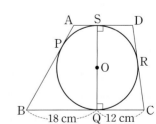

04 원주각

① 원주각과 중심각의 크기

(1) 원주각

원 O에서 호 AB 위에 있지 않은 원 위의 한 점 P에 대하여 ∠APB를 호 AB에
대한 원주각이라 한다.

> 참고 ① 중심각 : 호의 양 끝 점을 지나는 두 반지름이 이루는 각
> ② 원주각 : 호의 양 끝 점을 지나는 두 현이 이루는 각
> ③ 한 호에 대한 중심각은 하나이지만 원주각은 무수히 많다.

(2) 원주각과 중심각의 크기

한 원에서 한 호에 대한 원주각의 크기는 그 호에 대한 중심각의 크기의 $\frac{1}{2}$이다.

➡ $\angle APB = \frac{1}{2} \angle AOB$

② 원주각의 성질

(1) 한 원에서 한 호에 대한 원주각의 크기는 모두 같다.

➡ $\angle AP_1B = \angle AP_2B = \angle AP_3B$

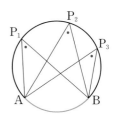

(2) 반원에 대한 원주각의 크기는 90°이다.

➡ $\angle APB = 90°$

> 참고 ① $\overline{AB}$가 원 O의 지름이면 $\widehat{AB}$에 대한 중심각의 크기는 180°이므로
>
> $\widehat{AB}$에 대한 원주각의 크기는 $\widehat{AB}$에 대한 중심각의 크기의 $\frac{1}{2}$인 90°이다.
>
> ➡ $\angle APB = \frac{1}{2} \times 180° = 90°$
>
> ② 원에 내접하는 직각삼각형의 빗변은 원의 지름이다.

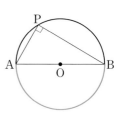

③ 원주각과 삼각비의 값 심화 개념

△ABC가 원 O에 내접할 때, 원의 지름 A′B를 그어 원 O에
내접하는 직각삼각형 A′BC를 그리면 ∠BAC = ∠BA′C이므로

(1) $\sin A = \sin A' = \dfrac{\overline{BC}}{\overline{A'B}}$

(2) $\cos A = \cos A' = \dfrac{\overline{A'C}}{\overline{A'B}}$

(3) $\tan A = \tan A' = \dfrac{\overline{BC}}{\overline{A'C}}$

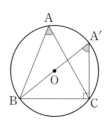

> **쌤의 활용 꿀팁**
> 원의 지름을 지나도록 원주각을 그
> 리면 반원에 대한 중심각의 크기는
> 90°이므로 직각삼각형에서 삼각비
> 의 값을 구할 수 있어요.

④ 원주각의 크기와 호의 길이

한 원 또는 합동인 두 원에서

(1) 길이가 같은 호에 대한 원주각의 크기는 서로 같다.

➡ $\overset{\frown}{AB}=\overset{\frown}{CD}$이면 $\angle APB=\angle CQD$

(2) 크기가 같은 원주각에 대한 호의 길이는 서로 같다.

➡ $\angle APB=\angle CQD$이면 $\overset{\frown}{AB}=\overset{\frown}{CD}$

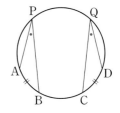

(3) 호의 길이는 그 호에 대한 원주각의 크기에 정비례한다.

> 참고 ① 중심각의 크기와 호의 길이는 정비례하므로 원주각의 크기와 호의 길이도 정비례한다.
> ② 원주각의 크기와 현의 길이는 정비례하지 않는다.

⑤ 원에 내접하는 사각형의 성질

(1) 원에 내접하는 사각형의 한 쌍의 대각의 크기의 합은 $180°$이다.

➡ $\angle A+\angle C=180°$

$\angle B+\angle D=180°$

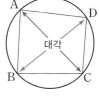

> 설명 오른쪽 그림에서
>
> $\angle A=\dfrac{1}{2}\angle a$, $\angle C=\dfrac{1}{2}\angle b$이고 $\angle a+\angle b=360°$이므로
>
> $\angle A+\angle C=\dfrac{1}{2}\angle a+\dfrac{1}{2}\angle b=\dfrac{1}{2}(\angle a+\angle b)$
>
> $=\dfrac{1}{2}\times360°=180°$

(2) 원에 내접하는 사각형에서 한 외각의 크기는 그와 이웃하는 내각의 대각의 크기와 같다.

➡ $\angle DCE=\angle A$

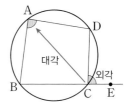

> 설명 $\angle A+\angle BCD=180°$, $\angle BCD+\angle DCE=180°$이므로
>
> $\angle A=\angle DCE$

⑥ 두 원에서 내접하는 사각형의 성질의 활용 심화 개념

두 원이 두 점 P, Q에서 만나고, □ABQP와 □PQCD가 각각 원에 내접할 때

(1) 원에 내접하는 사각형에서 한 외각의 크기는 그와 이웃하는 내각의 대각의 크기와 같으므로

➡ $\angle A=\angle PQC=\angle PDE$ 또는

$\angle B=\angle QPD=\angle QCF$

(2) $\angle A=\angle PDE$(엇각) 또는 $\angle B=\angle QCF$(엇각)이므로

➡ $\overline{AB}\,/\!/\,\overline{CD}$

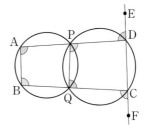

> **쌤의 활용 꿀팁**
>
> 두 사각형이 각각 한 원에 내접하므로 원에 내접하는 사각형의 성질을 이용하여 크기가 같은 각을 찾은 후 두 원에서의 각 사이의 관계를 생각하세요.

🎯 이것이 진짜 **출제율 100%** 문제

1 원주각과 중심각의 크기

01 대표문제
오른쪽 그림과 같은 원 O에서
∠APB=20°, ∠BQC=30°일 때,
∠AOC의 크기를 구하시오.

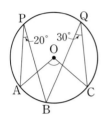

02
오른쪽 그림에서 $\overrightarrow{PA}$, $\overrightarrow{PB}$는
원 O의 접선이고 두 점 A, B
는 접점이다. ∠ACB=65°일
때, ∠APB의 크기는?

① 45°　　　② 50°
③ 55°　　　④ 60°
⑤ 65°

2 원주각의 성질

03 대표문제
오른쪽 그림과 같은 원 O에서
∠AQC=77°, ∠BOC=108°일 때,
∠x의 크기는?

① 23°　　　② 25°
③ 27°　　　④ 29°
⑤ 31°

04
오른쪽 그림과 같이 $\overline{AB}$는 반원 O
의 지름이고 ∠APB=63°일 때,
∠COD의 크기를 구하시오.

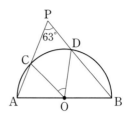

05
오른쪽 그림과 같이 $\overline{AB}$는 원 O의
지름이고, ∠ACD=48°일 때,
∠x의 크기를 구하시오.

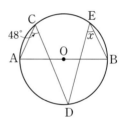

3 원주각과 삼각비의 값　심화

06 대표문제
오른쪽 그림과 같이 반지름의 길이가
10인 원 O에 내접하는 △ABC에서
$\overline{BC}=12$일 때, cos A의 값을 구하시
오.

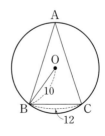

07

오른쪽 그림과 같이 $\overline{AB}$는 반원 O의 지름이고, 반원 O 위의 점 C에서 $\overline{AB}$에 내린 수선의 발을 H라 하자. $\overline{AC}=6$, $\overline{AB}=10$이고 $\angle BCH=\angle x$일 때, $\sin x+\cos x$의 값을 구하시오.

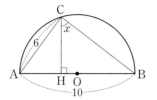

10

오른쪽 그림의 원 O에서 두 현 AB와 CD의 교점을 P라 하자. $\overparen{AD}=\overparen{BC}=4\pi$이고 $\angle APC=100°$일 때, 원 O의 반지름의 길이를 구하시오.

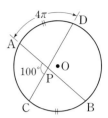

④ 원주각의 크기와 호의 길이

08 (대표문제)

오른쪽 그림의 원에서 두 현 AB와 CD의 교점을 P라 하자. $\angle CAB=26°$, $\angle CPB=78°$이고, $\overparen{AD}=14\,\text{cm}$일 때, $\overparen{BC}$의 길이를 구하시오.

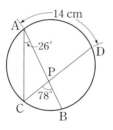

11 실수多

오른쪽 그림과 같이 △ABC는 원 O에 내접한다. $\overparen{AB}:\overparen{BC}:\overparen{CA}=6:5:4$일 때, $\angle A$, $\angle B$, $\angle C$의 크기를 각각 구하시오.

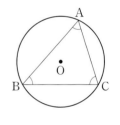

✏️ 쌤의 오답 코칭 | 세 호의 길이의 비를 이용하여 세 원주각의 크기의 비를 구한다.

09

오른쪽 그림과 같이 $\overline{AB}$는 원 O의 지름이고 점 E는 두 현 AD와 BC의 교점이다. $\overparen{AC}=\overparen{CD}$이고 $\angle CED=124°$일 때, $\angle x$의 크기를 구하시오.

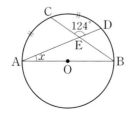

12

오른쪽 그림의 원에서 두 현 AB와 CD의 교점을 P라 하자. $\overparen{BD}$의 길이는 원주의 $\frac{1}{12}$이고, $\overparen{AC}:\overparen{BD}=5:1$일 때, $\angle APC$의 크기를 구하시오.

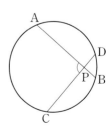

⑤ 원에 내접하는 사각형의 성질

13 (대표문제)

오른쪽 그림과 같이 □ABCD
는 원에 내접하고,
$\angle ABC=81°$, $\angle ACD=52°$,
$\angle ADB=51°$일 때,
$2\angle x-\angle y+\angle z$의 크기를 구
하시오.

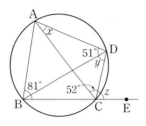

14

오른쪽 그림과 같이 원 O에 내접하
는 오각형 ABCDE에서
$\angle AOB=76°$, $\angle BCD=123°$일
때, $\angle AED$의 크기를 구하시오.

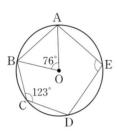

⑥ 두 원에서 내접하는 사각형의 성질의 활용 심화

15 (대표문제)

오른쪽 그림과 같이 두 원 O,
O′은 두 점 P, Q에서 만난다.
$\angle PDC=102°$일 때, $\angle x$의
크기를 구하시오.

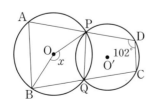

16

다음 그림에서 두 점 P, Q는 두 원 O_1, O_2의 교점이고, 두
점 R, S는 두 원 O_2, O_3의 교점이다. $\angle BAP=85°$,
$\angle ABQ=93°$일 때, $\angle x$의 크기를 구하시오.

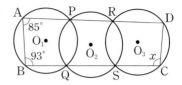

17 | 동아 유사 |

다음 그림의 원 O에서 두 현 AB와 CD의 연장선이 만나는
점을 P라 하자. $\angle AOC=76°$, $\angle BOD=32°$일 때, $\angle x$의
크기를 구하시오.

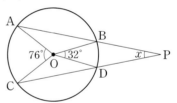

18 실수多 | 미래엔 유사 |

오른쪽 그림과 같이 □ABCD는
원 O에 내접하고, $\overline{BD}$는 원 O의
지름이다. 두 현 AD와 CE의 교
점을 P라 하고, $\angle BCE=63°$,
$\angle EPD=102°$일 때, $\angle ABC$의
크기를 구하시오.

✏️ 쌤의 오답 코칭 | $\overline{BD}$가 원의 지름임을 이용하여 반원에 대한 원주각의 크기를 구한다.

01 🔧 복합 개념 (대전 | 둔산)

오른쪽 그림과 같이 원 모양의 종이를 원 위의 한 점이 원의 중심 O에 겹쳐지도록 $\overline{AB}$를 접는 선으로 하여 접었다. 원 위의 한 점 P에 대하여 $\overline{PA}=8$ cm, $\overline{PB}=6$ cm일 때, 다음을 구하시오.

(1) ∠APB의 크기

(2) △PAB의 넓이

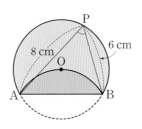

쌤의 출제 Point

∠APB의 크기를 이용하여 $\overset{\frown}{AB}$에 대한 중심각의 크기를 구한다.

02 (교과서 **창의사고력**) | 지학사 유사 |

오른쪽 그림과 같이 원 모양의 공연장에 가로의 길이가 12 m, 세로의 길이가 4 m인 직사각형 모양의 무대를 설치하였다. 공연장의 둘레 위의 한 지점 P에서 무대의 양 끝 지점 A, B를 바라본 각의 크기는 45°이었다. 공연장에서 무대를 정면으로 볼 수 있는 곳에 의자를 놓을 때, 의자를 놓을 수 있는 영역의 넓이를 구하시오.

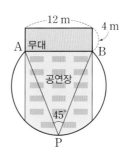

03

오른쪽 그림의 원에서 두 현 AB와 CD는 점 E에서 수직으로 만난다. 점 E에서 $\overline{AC}$에 내린 수선의 발을 F, $\overline{EF}$의 연장선이 $\overline{BD}$와 만나는 점을 G라 하자. ∠ACD=38°일 때, ∠x의 크기를 구하시오.

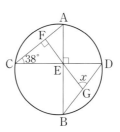

04

오른쪽 그림과 같이 반지름의 길이가 6 cm인 원 O에서 $\overline{AB}=8$ cm, $\overline{AC}=5$ cm이고 $\overline{AH}\perp\overline{BC}$일 때, $\overline{AH}$의 길이를 구하시오.

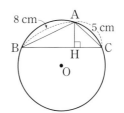

05

오른쪽 그림과 같이 △ABC는 원 O에 내접한다. $\tan A = \sqrt{2}$, $\overline{BC} = 4\sqrt{2}$ 일 때, 원 O의 반지름의 길이를 구하시오.

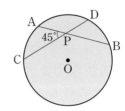

쌤의 출제 Point

06 교과서 **추론** | 신사고 유사 |

오른쪽 그림의 원 O에서 두 현 AB와 CD의 교점을 P라 하자. $\angle APC = 45°$이고 $\overset{\frown}{AC} + \overset{\frown}{BD} = 6\pi$일 때, 원 O의 넓이를 구하시오.

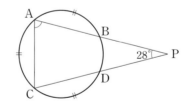

07

오른쪽 그림과 같이 원의 두 현 AB와 CD의 연장선의 교점을 P라 하자. $\overset{\frown}{BA} = \overset{\frown}{AC} = \overset{\frown}{CD}$이고 $\angle APC = 28°$일 때, $\angle BAC$의 크기를 구하시오.

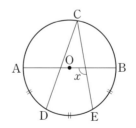

08

오른쪽 그림에서 $\overline{AB}$는 원 O의 지름이다. $\overset{\frown}{AC} : \overset{\frown}{CB} = 5 : 4$이고 $\overset{\frown}{AD} = \overset{\frown}{DE} = \overset{\frown}{EB}$일 때, $\angle x$의 크기를 구하시오.

한 원에서 호의 길이는 원주각의 크기에 정비례함을 이용하여 $\overset{\frown}{AC}$와 $\overset{\frown}{CB}$의 원주각의 크기를 각각 구한다.

09

오른쪽 그림의 원 O에서 $\overparen{AB}$, $\overparen{AC}$의 중점을 각각 M, N이라 하고, $\overline{MN}$이 $\overline{AB}$, $\overline{AC}$와 만나는 점을 각각 P, Q라 하자. $\angle AQM = 50°$, $\angle ABQ = 15°$일 때, $\angle x$의 크기를 구하시오.

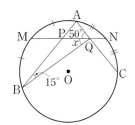

10 만점 KILL 서울 | 서초

오른쪽 그림과 같이 반지름의 길이가 6인 원 O에 내접하는 □ABCD의 두 대각선 AC와 BD가 서로 수직일 때, $\overline{AB}^2 + \overline{CD}^2$의 값을 구하시오.

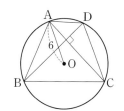

점 A를 지나는 원 O의 지름을 그은 후 반원에 대한 원주각의 크기가 90°임을 이용한다.

11 교과서 추론 | 미래엔 유사

오른쪽 그림과 같이 □ABCD가 원 O에 내접하고, $\angle BPC = 37°$, $\angle AQB = 43°$일 때, $\angle x$의 크기를 구하시오.

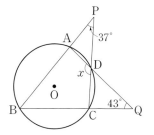

12

오른쪽 그림과 같이 원 O에 내접하는 오각형 ABCDE에서 $\overline{BE}$는 원 O의 지름이다. $\overline{AB}$와 $\overline{DE}$의 연장선의 교점이 F이고 $\angle BCD = 116°$, $\angle ABE = \angle DBE$일 때, $\angle x$의 크기를 구하시오.

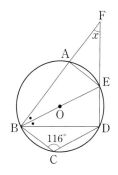

13

오른쪽 그림과 같은 원에서 두 점 P, Q는 각각 $\overset{\frown}{AB}$, $\overset{\frown}{BC}$의 중점이고 ∠ABC=92°일 때, 원 위의 한 점 R에 대하여 ∠PRQ의 크기를 구하시오.

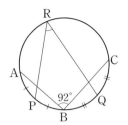

14 복합 개념 대구 | 수성

오른쪽 그림과 같이 $\overline{AB}=\overline{BD}=\overline{DC}$ 이고 ∠B=90°인 직각 삼각형 ABC에서 세 점 A, B, D를 지나는 원 O가 $\overline{AC}$와 만나는 점을 E라 하고, $\overline{DE}$의 연장선이 점 C를 지나고 $\overline{BC}$에 수직인 직선과 만나는 점을 F라 하자. $\overline{CF}=12$ cm일 때, 원 O의 반지름의 길이를 구하시오.

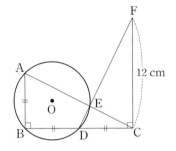

□ABDE는 원 O에 내접한다.

15

오른쪽 그림과 같이 □ABCD는 원 O에 내접하고 $\overset{\frown}{AC}$의 길이는 원주의 $\dfrac{1}{4}$, $\overset{\frown}{BD}$의 길이는 원주의 $\dfrac{1}{3}$일 때, ∠x − ∠y의 크기를 구하시오.

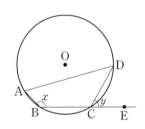

16 신유형 분당 | 서현

오른쪽 그림과 같이 두 원 O, O′은 두 점 C, D에서 만나고, 점 C를 지나는 직선이 두 원 O, O′과 만나는 점을 각각 B, E, $\overline{AB}$의 연장선과 $\overline{EF}$의 연장선이 만나는 점을 P라 하자. ∠BPF=76°일 때, ∠ADF의 크기를 구하시오.

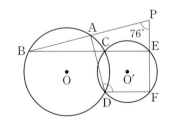

01 오른쪽 그림과 같이 원 O는 △ABC의 외접원이고, ∠BOC=150°, ∠ACB=30°, $\overline{BC}=(\sqrt{3}+1)$ cm일 때, $\overline{AC}$의 길이를 구하시오.

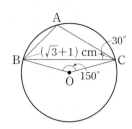

02 오른쪽 그림과 같이 □ABCD는 원 O에 내접하고, $\overline{AC}$는 원 O의 지름이다. $\overline{AB}=\overline{BC}$이고, $\overline{AD}=6$, $\overline{CD}=3$일 때, $\overline{BD}$의 길이를 구하시오.

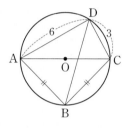

03 오른쪽 그림과 같이 원 O에 내접하는 □ABCD에서 $\overline{CD}$는 원 O의 지름이다. $\overline{AB}=\overline{BC}=6$ cm, $\overline{CD}=24$ cm일 때, $\overline{AD}$의 길이를 구하시오.

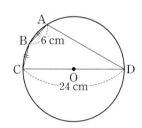

🌐Challenge

04 오른쪽 그림과 같이 $\overline{AB}=\overline{AC}$인 이등변삼각형 ABC가 원 O에 내접하고, ∠BAC=30°이다. 현 DE가 $\overline{AB}$, $\overline{AC}$와 만나는 점을 각각 F, G라 하고, $\overparen{AE}$, $\overparen{BD}$의 길이는 각각 원주의 $\frac{1}{12}$이다. $\overline{DE}=2$ cm일 때, $\overline{AF}$의 길이를 구하시오.

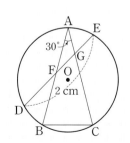

05 원주각의 활용

① 네 점이 한 원 위에 있을 조건

두 점 C, D가 직선 AB에 대하여 같은 쪽에 있을 때

$$\angle ACB = \angle ADB$$

이면 네 점 A, B, C, D는 한 원 위에 있다.

> **설명** 네 점 A, B, C, D가 한 원 위에 있으면 ∠ACB와 ∠ADB는 호 AB에 대한 원주각이므로
> $\angle ACB = \angle ADB$

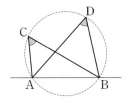

② 사각형이 원에 내접하기 위한 조건

(1) 한 쌍의 대각의 크기의 합이 180°인 사각형은 원에 내접한다.

➡ $\angle A + \angle C = 180°$이면 □ABCD는 원에 내접한다.

> **참고** 정사각형, 직사각형, 등변사다리꼴은 한 쌍의 대각의 크기의 합이 180°이므로 항상 원에 내접한다.

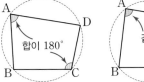 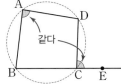

(2) 한 외각의 크기가 그와 이웃하는 내각의 대각의 크기와 같은 사각형은 원에 내접한다.

➡ $\angle A = \angle DCE$이면 □ABCD는 원에 내접한다.

(3) □ABCD에서 두 대각선 AC, BD를 그을 때

$$\angle BAC = \angle BDC$$

이면 □ABCD는 원에 내접한다.

③ 접선과 현이 이루는 각

(1) 원의 접선과 그 접점을 지나는 현이 이루는 각의 크기는 그 각의 내부에 있는 호에 대한 원주각의 크기와 같다.

➡ $\overleftrightarrow{AT}$가 원 O의 접선이면 $\angle BAT = \angle BCA$

(2) 원 O에서 $\angle BAT = \angle BCA$이면 $\overleftrightarrow{AT}$는 원 O의 접선이다.

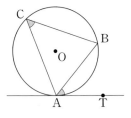

④ 두 원에서 접선과 현이 이루는 각

$\overleftrightarrow{PQ}$가 두 원 O, O′의 공통인 접선이고 점 T가 접점일 때

(1)

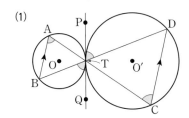

$$\angle BAT = \angle BTQ = \angle DTP = \angle DCT$$

➡ 엇각의 크기가 같으므로 $\overline{AB} /\!/ \overline{CD}$

(2)

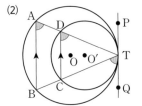

$$\angle BAT = \angle BTQ = \angle CDT$$

➡ 동위각의 크기가 같으므로 $\overline{AB} /\!/ \overline{CD}$

⑤ 원에서의 비례 관계 〔심화 개념〕

원에서 두 현 AB, CD 또는 그 연장선의 교점을 P라 하면

➡ $\overline{PA} \times \overline{PB} = \overline{PC} \times \overline{PD}$

(1) 점 P가 원의 내부에 있는 경우

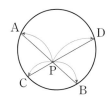

(2) 점 P가 원의 외부에 있는 경우

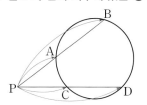

〔쌤의 활용 꿀팁〕

두 삼각형의 닮음을 이용하여 비례식을 세운 후, 식을 유도하는 과정을 이해하면 공식처럼 외우지 않아도 문제를 풀 수 있어요.

〔설명〕 (1) 오른쪽 그림에서 △PAC∽△PDB (AA 닮음)

이므로 $\overline{PA} : \overline{PD} = \overline{PC} : \overline{PB}$

➡ $\overline{PA} \times \overline{PB} = \overline{PC} \times \overline{PD}$

(2) 오른쪽 그림에서 △PAD∽△PCB (AA 닮음)

이므로 $\overline{PA} : \overline{PC} = \overline{PD} : \overline{PB}$

➡ $\overline{PA} \times \overline{PB} = \overline{PC} \times \overline{PD}$

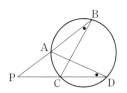

⑥ 원에서 할선과 접선 사이의 관계 〔심화 개념〕

원 밖의 한 점 P에서 그 원에 그은 접선과 할선이 원과

만나는 점을 각각 T, A, B라 하면

➡ $\overline{PT}^2 = \overline{PA} \times \overline{PB}$

〔설명〕 오른쪽 그림에서

△PAT∽△PTB (AA 닮음)

이므로 $\overline{PA} : \overline{PT} = \overline{PT} : \overline{PB}$

➡ $\overline{PT}^2 = \overline{PA} \times \overline{PB}$

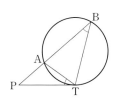

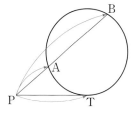

〔쌤의 활용 꿀팁〕

접선과 현이 이루는 각의 성질을 이용하여 닮음인 삼각형을 찾는 것이 중요해요. 결과만 외우기보다는 원리를 이해해야 다양한 응용 문제를 풀 수 있어요.

〔참고〕 원에서 할선과 접선 사이의 관계의 활용

(1) 각의 이등분선

$\overline{AQ}$가 ∠A의 이등분선일 때, ∠QBP=∠BAP이므로 $\overline{BQ}$는 세 점 A, B, P를 지나는 원의 접선이다.

➡ $\overline{QB}^2 = \overline{QP} \times \overline{QA}$

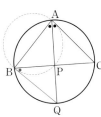

(2) 이등변삼각형

$\overline{AB}=\overline{AC}$이면 ∠ABP=∠BQP이므로 $\overline{AB}$는 세 점 B, P, Q를 지나는 원의 접선이다.

➡ $\overline{AB}^2 = \overline{AP} \times \overline{AQ}$

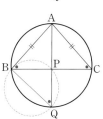

이것이 진짜 출제율 100% 문제

1 네 점이 한 원 위에 있을 조건

01 (대표문제)

다음 중 네 점 A, B, C, D가 한 원 위에 있지 **않은** 것을 모두 고르면? (정답 2개)

①

②

③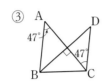

④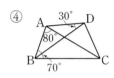

⑤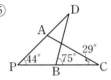

02

오른쪽 그림에서 네 점 A, B, C, D가 한 원 위에 있을 때, $\angle x$, $\angle y$ 의 크기를 각각 구하시오.

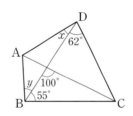

2 사각형이 원에 내접하기 위한 조건

03 (대표문제)

오른쪽 그림에서 $\angle BEC = 28°$, $\angle AFB = 44°$일 때, □ABCD가 원에 내접하도록 하는 $\angle x$의 크기를 구하시오.

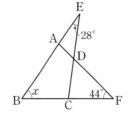

3 접선과 현이 이루는 각

04 (대표문제)

오른쪽 그림에서 $\overrightarrow{PT}$는 원의 접선이고 점 T는 접점이다. $\angle PBT = 44°$, $\angle BCT = 98°$일 때, $\angle x$의 크기를 구하시오.

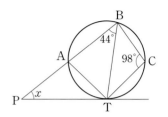

05 (실수多)

오른쪽 그림에서 원 O는 △ABC 에 외접하고 $\widehat{AB} : \widehat{BC} : \widehat{CA} = 7 : 5 : 6$이다. $\overrightarrow{BT}$는 원 O의 접선이고 점 B는 접점일 때, $\angle CBT$의 크기를 구하시오.

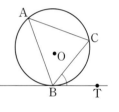

📝 쌤의 오답 코칭 | △ABC의 세 내각의 크기의 합은 180°이다.

4 두 원에서 접선과 현이 이루는 각

06 (대표문제)

오른쪽 그림에서 $\overrightarrow{PQ}$는 두 원의 공통인 접선이고 점 T는 접점이다. $\angle ABT = 41°$, $\angle TCD = 63°$일 때, $\angle ATB$의 크기는?

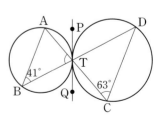

① 72° ② 74° ③ 76°

④ 78° ⑤ 80°

⑤ 원에서의 비례 관계 〔심화〕

07 〔대표문제〕

오른쪽 그림에서 $\overline{AB}$는 원 O의 지름이고 $\overline{PA}=\overline{PO}$이다. $\overline{PC}=3$ cm, $\overline{PD}=2$ cm일 때, 원 O의 넓이를 구하시오.

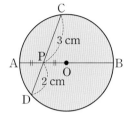

08 〔실수多〕

오른쪽 그림에서 $\overline{AB}$는 원 O의 지름이고 $\overline{AB}\perp\overline{DO}$이다. $\overline{AB}$, $\overline{CD}$의 연장선의 교점을 P라 하고, $\overline{PA}=4$, $\overline{PD}=20$일 때, $\overline{PC}$의 길이를 구하시오.

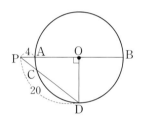

✏️ 쌤의 오답 코칭 | $\overline{PA}\times\overline{AB}\neq\overline{PC}\times\overline{CD}$임에 주의한다.

⑥ 원에서 할선과 접선 사이의 관계 〔심화〕

09 〔대표문제〕

오른쪽 그림에서 $\overrightarrow{PT}$는 원의 접선이고 점 T는 접점이다. $\overline{PA}=8$ cm, $\overline{AB}=10$ cm, $\overline{AT}=6$ cm일 때, $\overline{BT}$의 길이를 구하시오.

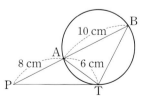

10

오른쪽 그림에서 $\overline{AB}$는 두 원 O, O′의 공통인 현이고 $\overline{TT'}$은 공통인 접선이다. $\overline{AB}=12$ cm, $\overline{TT'}=16$ cm일 때, $\overline{PA}$의 길이를 구하시오.

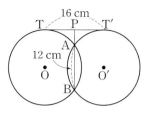

📖 이것이 진짜 **교과서에서 뽑아온** 문제

11

| 비상 유사 |

오른쪽 그림에서 원 O는 △ABC의 내접원이면서 △DEF의 외접원이다. ∠C=56°, ∠DEF=68°일 때, ∠DFE의 크기를 구하시오.

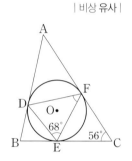

12

| 동아 유사 |

오른쪽 그림에서 $\overrightarrow{PT}$는 원 O의 접선이고 점 T는 접점이다. $\overline{PB}$는 원 O의 중심을 지나고, ∠BTC=65°일 때, ∠x의 크기를 구하시오.

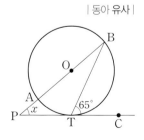

01

오른쪽 그림과 같은 △ABC에서 점 M은 $\overline{BC}$의 중점이고, $\overline{AB} \perp \overline{CD}$, $\overline{AC} \perp \overline{BE}$이다. ∠A＝64°일 때, ∠DME의 크기를 구하시오.

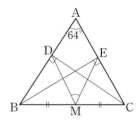

쌤의 출제 Point

02

오른쪽 그림과 같이 $\overline{AB}$를 지름으로 하는 원 O에서 ∠ODC＝∠OEC＝15°이고, ∠AOD＝65°일 때, ∠DOE의 크기를 구하시오.

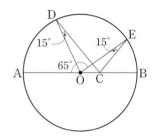

∠ODC＝∠OEC임을 이용하여 한 원 위에 있는 네 점을 찾는다.

03

오른쪽 그림에서 두 삼각형 ABC와 ADE는 합동이고 ∠BAD＝62°이다. 네 점 A, B, D, E가 한 원 위에 있도록 하는 ∠ACB의 크기를 구하시오.

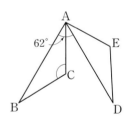

04 교과서 창의사고력 | 천재 유사 |

오른쪽 그림과 같이 △ABC에 외접하는 원 O에서 $\overleftrightarrow{BT}$는 원 O의 접선이고, 점 B는 접점이다. $\overline{BC}＝12\,cm$, ∠CBT＝60°일 때, 원 O의 넓이를 구하시오.

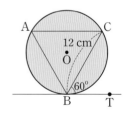

05  교과서 **추론** | 신사고 유사 |

오른쪽 그림에서 $\overrightarrow{PT}$는 원의 접선이고 점 T는 접점이다.
$\overline{AB}=\overline{BT}$, $\angle BCT=106°$일 때, $\angle x$의 크기를 구하시오.

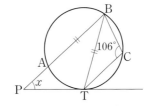

쌤의 출제 Point

06 복합 개념 만점 **KILL** 서울 | 강남

오른쪽 그림과 같이 $\overline{AB}$를 지름으로 하는 원 O 안에 $\overline{OB}$를 지름으로 하는 원 O'을 그렸다. 점 A에서 원 O'에 그은 접선이 원 O와 만나는 점을 C, 접점을 T라 하자. 원 O의 반지름의 길이는 12 cm이고 $\angle TOB=x$일 때, $\tan x$의 값을 구하시오.

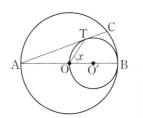

$\overline{BT}$를 그어 접선과 현이 이루는 각의 성질을 이용한다.

07 신유형 안양 | 평촌

오른쪽 그림과 같이 $\overrightarrow{PQ}$는 점 T에서 두 원과 접하고 큰 원의 현 AB는 작은 원과 점 C에서 접한다. $\overline{AT}$, $\overline{BT}$와 작은 원의 교점을 각각 D, E라 하고, $\overline{DE}$, $\overline{CT}$의 교점을 F라 하자.
$\angle TAB=47°$, $\angle TBA=65°$일 때, $\angle DFT$의 크기를 구하시오.

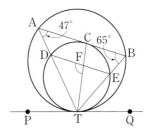

접선과 현이 이루는 각의 성질을 이용하여 크기가 같은 각을 찾는다.

08 복합 개념 대구|수성

오른쪽 그림에서 $\overrightarrow{PT}$는 원의 접선이고 점 T는 접점이다. $\overline{PD}$는 ∠BPT의 이등분선이고, $\overline{AT}$와 $\overline{PD}$의 교점을 C라 하자. $\overline{AT}=6\,cm$, $\overline{BT}=9\,cm$일 때, $\overline{DT}$의 길이를 구하시오.

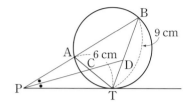

쌤의 출제 Point

09

오른쪽 그림과 같이 두 원 O, O′이 두 점 B, D에서 만나고, $\overline{AB}$와 $\overline{CD}$의 연장선이 원 O′과 만나는 점을 각각 E, F라 하자. $\overline{PA}=2$, $\overline{PC}=3$, $\overline{PE}=9$일 때, $\overline{PF}$의 길이를 구하시오.

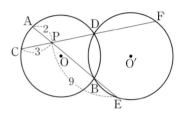

두 원 O, O′에서의 비례 관계를 각각 생각한다.

10

오른쪽 그림에서 $\overline{PT}$는 $\overline{AB}$를 지름으로 하는 원 O의 접선이고 점 T는 접점이다. $\overline{BP}\perp\overline{PT}$이고, $\overline{BP}$가 원 O와 만나는 점을 C라 하자. $\overline{AB}=6\,cm$, $\overline{BP}=4\,cm$일 때, $\overline{PC}$의 길이를 구하시오.

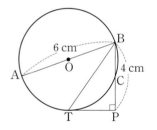

11

오른쪽 그림과 같이 △ABC는 원에 내접하고 $\overline{AB}=\overline{AC}$이다. $\overline{AP}$의 연장선이 원과 만나는 점을 Q라 하고, $\overline{AP}=5\,cm$, $\overline{PQ}=4\,cm$일 때, $\overline{AB}$의 길이를 구하시오.

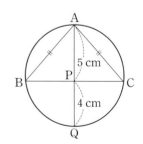

01 오른쪽 그림과 같이 $\overline{AB}$를 지름으로 하는 원 안에 $\overline{BC}$를 지름으로 하는 원을 그렸다. $\overline{AD}$는 점 P에서 작은 원에 접하고, 점 P에서 $\overline{AB}$에 내린 수선의 발을 H라 하자. ∠DAB=32°일 때, ∠DHB의 크기를 구하시오.

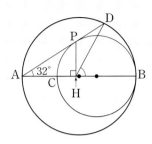

02 오른쪽 그림에서 $\overleftrightarrow{PQ}$는 두 원의 공통인 접선이고 점 T는 접점이다. 점 T를 지나는 두 직선이 두 원과 네 점 A, B, C, D에서 만난다. $\overline{AB}=12$ cm, $\overline{AT}=\overline{BT}=10$ cm, $\overline{CD}=9$ cm일 때, 색칠한 부분의 넓이를 구하시오.

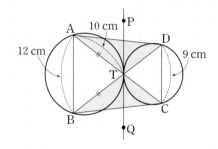

🌐 **Challenge**

03 오른쪽 그림에서 △ABC는 원에 내접하고 $\overline{AB}=9$ cm, $\overline{BC}=5$ cm, $\overline{CA}=6$ cm이다. $\overline{AD}$는 ∠A의 이등분선일 때, $\overline{AD}$의 길이를 구하시오.

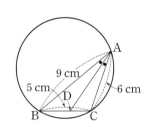

04 오른쪽 그림과 같은 원에서 $\overarc{CAB}=\overarc{BD}$이고 점 P는 $\overline{AB}$, $\overline{CD}$의 연장선의 교점이다. $\overline{PA}=5$ cm, $\overline{AB}=4$ cm일 때, $\overline{BD}$의 길이를 구하시오.

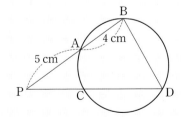

본책 38쪽 ● **02** 번 문제

오른쪽 그림과 같이 반지름의 길이가 각각 6, 8인 두 원 O_1, O_2의 교점을 A, B라 하자. $\overline{O_1A} \perp \overline{O_2A}$일 때, $\overline{AB}$의 길이는?

① $\dfrac{44}{5}$ ② $\dfrac{46}{5}$ ③ $\dfrac{48}{5}$

④ 10   ⑤ $\dfrac{52}{5}$

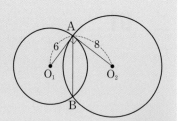

고등학생이 되면 다르게
해결할 수 있을까요?

이 문제는 직각삼각형 AO_1O_2에서 $\overline{O_1O_2}$를 구한 후, $\overline{O_1O_2}$가 $\overline{AB}$를 수직이등분함을 이용하여 $\overline{AB}$의 길이를 구하는 문제야. 그런데 고등학교 1학년 때 배우는 '원의 방정식'을 이용하면 다른 방법으로 구할 수 있어.

중학교 2학년 때, 직선의 방정식은 $ax+by+c=0$(a, b, c는 상수, $a \neq 0$ 또는 $b \neq 0$)이라고 배웠잖아.

고등학생이 되면 직선에서 더 나아가 원의 방정식도 다음과 같이 알 수 있어.

> 원의 중심이 점 (a, b)이고 반지름의 길이가 r인 원의 방정식
> ➡ $(x-a)^2 + (y-b)^2 = r^2$

$\overline{O_1O_2} = \sqrt{6^2 + 8^2} = 10$이므로

오른쪽 그림과 같이 점 O_1의 좌표를 $(-5, 0)$,

점 O_2의 좌표를 $(5, 0)$이라 하면

원 O_1의 방정식은 $(x+5)^2 + y^2 = 6^2$,

원 O_2의 방정식은 $(x-5)^2 + y^2 = 8^2$이야.

$(x+5)^2 + y^2 = 6^2$에서 $y^2 = 6^2 - (x+5)^2$ ······ ㉠

$(x-5)^2 + y^2 = 8^2$에서 $y^2 = 8^2 - (x-5)^2$

즉, $6^2 - (x+5)^2 = 8^2 - (x-5)^2$이므로

$36 - (x^2 + 10x + 25) = 64 - (x^2 - 10x + 25)$ $\therefore x = -\dfrac{7}{5}$

$x = -\dfrac{7}{5}$을 ㉠에 대입하면 $y^2 = 36 - \left(-\dfrac{7}{5} + 5\right)^2 = 36 - \dfrac{324}{25} = \dfrac{576}{25}$ $\therefore y = \pm\dfrac{24}{5}$

따라서 두 원 O_1, O_2의 교점인 A, B의 좌표는 $A\left(-\dfrac{7}{5}, \dfrac{24}{5}\right)$, $B\left(-\dfrac{7}{5}, -\dfrac{24}{5}\right)$

이므로 $\overline{AB} = \dfrac{48}{5}$임을 알 수 있지. 이렇게 고등학생이 되면 원의 방정식, 원과 직선의 위치 관계 등을 배우게 되므로 그 바탕이 되는 원의 성질을 정확하게 이해해 실력을 확실하게 다져 놓도록 해.

III

통계

⭕ 현직 교사의 학교 시험 고난도 킬러 강의

통계 단원은 단순히 복잡한 계산을 하는 단원이 아닌, 원하는 정보를 얻기 위한 적합한
자료의 수집과 분석, 그리고 그 자료의 해석을 통한 의사 결정이 주가 되는 유용한
단원입니다. 이 단원에서는 자료 전체의 특징을 대표하는 대푯값과 자료의 흩어진 정도를
나타내는 산포도의 성질을 이용하여 주어진 자료를 분석하거나 조건을 만족시키는
자료의 값을 구하는 문제가 주로 고득점 문제로 출제됩니다. 특히, 산점도를 보고 자료를
해석하는 문제나 상관관계의 정의와 성질을 묻는 문제는 이 단원에서의 kill 문제죠.

06 대푯값과 산포도

① 대푯값과 평균

(1) 대푯값

자료 전체의 중심적인 경향이나 특징을 대표적으로 나타낸 값으로 평균, 중앙값, 최빈값 등이 있다.

(2) 평균

변량의 총합을 변량의 개수로 나눈 값

➡ $(평균) = \dfrac{(변량의\ 총합)}{(변량의\ 개수)}$

예 3, 4, 7, 9, 11, 14의 평균은

$$\frac{3+4+7+9+11+14}{6} = \frac{48}{6} = 8$$

참고 변량은 키, 몸무게, 점수 등과 같이 자료를 수량으로 나타낸 것

② 중앙값과 최빈값

(1) 중앙값

① 중앙값 : 변량을 작은 값부터 크기순으로 나열할 때, 중앙에 위치하는 값

② 변량의 개수가 홀수이면 중앙에 위치하는 값이 중앙값이고, 변량의 개수가 짝수이면 중앙에 위치하는 두 값의 평균이 중앙값이다.

③ 변량 중에서 매우 크거가 매우 작은 값, 즉 극단적인 값이 있는 경우에는 중앙값이 평균보다 그 자료의 특징을 더 잘 나타낼 수 있다.

참고 중앙값 구하기

❶ n개의 변량을 작은 값부터 크기순으로 나열한다.

❷ n이 홀수이면 중앙값은 $\dfrac{n+1}{2}$번째 변량

n이 짝수이면 중앙값은 $\dfrac{n}{2}$번째 변량과 $\left(\dfrac{n}{2}+1\right)$번째 변량의 평균

예 변량이 1, 3, 6, 8, 9, 13, 17의 7개이면 중앙값은 8 ◀ 4번째 변량의 값

변량이 2, 3, 3, 6, 8, 9, 10, 13의 8개이면 중앙값은 $\dfrac{6+8}{2} = 7$ ◀ 4번째 변량과 5번째 변량의 평균

(2) 최빈값

① 최빈값 : 변량 중에서 가장 많이 나타난 값

② 자료에 따라 최빈값은 두 개 이상일 수 있다.

예 변량이 3, 3, 4, 5, 6, 6, 7, 8인 경우에는 최빈값은 3과 6의 두 개이다.

③ 변량의 개수가 많거나 변량이 중복되어 나타나는 자료는 주로 최빈값을 대푯값으로 이용한다.

예 옷의 치수, 신발의 치수

④ 숫자로 나타나지 않는 자료의 대푯값은 최빈값을 이용한다.

예 좋아하는 동물

주의 5명의 학생이 가장 좋아하는 동물이 '고양이, 사자, 강아지, 고양이, 강아지'일 때, 최빈값은 '고양이'와 '강아지'이다.

이때 최빈값을 2라고 생각하지 않는다.

③ **산포도와 편차**

(1) **산포도**

① 변량들이 대푯값 주위에 흩어져 있는 정도를 하나의 수로 나타낸 값을 산포도라 하고, 산포도의 종류에는 분산과 표준편차 등이 있다.

② 변량들이 대푯값 주위에 모여 있으면 산포도가 작고, 대푯값으로부터 멀리 흩어져 있으면 산포도가 크다.

> 참고 대푯값이 자료의 중심적인 경향을 나타내는 값이라면 산포도는 자료의 흩어져 있는 정도를 나타내는 값이다.
> 두 자료의 평균이 같을 때, 자료의 흩어져 있는 정도를 나타내는 산포도를 알면 두 자료의 분포 상태를 비교할 수 있다.

(2) **편차**

① 편차 : 어떤 자료의 각 변량에서 평균을 뺀 값 ➡ (편차) = (변량) − (평균)

> 예 변량 2, 4, 5, 6, 8의 평균이 5이므로 각 변량의 편차는 차례로 −3, −1, 0, 1, 3이다.

> 참고 평균보다 큰 변량의 편차는 양수이고, 평균보다 작은 변량의 편차는 음수이다.

② 편차의 총합은 항상 0이다.

③ 편차의 절댓값이 클수록 그 변량은 평균으로부터 멀리 떨어져 있고, 편차의 절댓값이 작을수록 그 변량은 평균 가까이에 있다.

④ **분산과 표준편차**

(1) **분산** : 편차의 제곱의 평균 ➡ $(분산) = \dfrac{\{(편차)^2의 \; 총합\}}{(변량의 \; 개수)}$

> 참고 분산은 다음과 같은 방법으로 구할 수도 있다.
>
> $(분산) = \dfrac{\{(변량)^2의 \; 총합\}}{(변량의 \; 개수)} - (평균)^2$

(2) **표준편차** : 분산의 양의 제곱근 ➡ $(표준편차) = \sqrt{(분산)}$

> 참고 ① 분산이 0이면 표준편차는 0이다.
> ② 편차와 표준편차의 단위는 변량의 단위와 같고, 분산은 단위를 쓰지 않는다.
> 이때 분산에서 끝내지 않고 표준편차를 구하는 이유는 산포도의 단위를 변량과 일치시키기 위해서이다.

⑤ **변화된 변량의 평균, 분산, 표준편차** `심화 개념`

n개의 변량 $x_1, x_2, x_3, \cdots, x_n$의 평균이 m이고 표준편차가 s일 때,

변량 $ax_1+b, ax_2+b, ax_3+b, \cdots, ax_n+b(a, b$는 상수$)$에 대하여

(1) $(평균) = am+b$

(2) $(분산) = a^2 s^2$

(3) $(표준편차) = |a|s$

> **쌤의 활용 꿀팁**
> 주어진 변량에 일정한 수를 곱하고 더하여 새롭게 만들어진 변량에서 평균, 분산, 표준편차가 어떻게 변화하는지 기억하면 문제를 좀 더 간단하게 해결할 수 있어요.

⑥ **분산과 표준편차의 해석**

① 분산과 표준편차가 작을수록 자료가 평균 주위에 모여 있다.

➡ 자료의 분포 상태가 고르다.

② 분산과 표준편차가 클수록 자료가 평균으로부터 멀리 흩어져 있다.

➡ 자료의 분포 상태가 고르지 않다.

학교 선생님이

LEVEL 1 시험에 꼭 내는 문제

이것이 진짜 **출제율 100%** 문제

① 대푯값과 평균

01 대표문제

A, B, C 세 학생의 몸무게에 대하여 A와 B의 평균은 61 kg, B와 C의 평균은 66 kg, A와 C의 평균은 68 kg이다. 이때 A, B, C 세 학생의 몸무게의 평균을 구하시오.

02

5개의 변량 $3x_1+1$, $3x_2+1$, $3x_3+1$, $3x_4+1$, $3x_5+1$의 평균이 16일 때, x_1, x_2, x_3, x_4, x_5의 평균을 구하시오.

② 중앙값과 최빈값

03 대표문제

다음은 어느 반 학생 8명의 제기차기 기록을 조사하여 나타낸 것이다. 이 자료의 평균을 a회, 중앙값을 b회, 최빈값을 c회라 할 때, $a+2b-c$의 값을 구하시오.

(단위 : 회)

9, 14, 8, 16, 8, 14, 14, 13

04

다음은 어느 날 A 도시에서 5개 지역의 미세먼지 양을 조사하여 나타낸 것이다. 미세먼지 양의 평균과 최빈값이 서로 같을 때, x의 값을 구하시오.

(단위 : μg/m³)

57, 47, 51, 49, x

05

다음은 한영이네 반 학생들의 2단 줄넘기 기록을 조사하여 나타낸 줄기와 잎 그림이다. 2단 줄넘기 기록의 중앙값이 최빈값보다 3회만큼 클 때, $x+y$의 값은?

(단, $3 \leq x < y \leq 6$이고, 최빈값은 한 개이다.)

(1|3은 13회)

줄기	잎
0	1 6 6 7
1	0 1 3 3 x y 6 8 8
2	2 5 6 6 7 9

① 6 ② 7 ③ 8
④ 9 ⑤ 10

③ 산포도와 편차

06 대표문제

다음은 학생 6명의 수학 성적을 조사하여 나타낸 것이다. 수학 성적의 편차가 될 수 없는 것은?

(단위 : 점)

87, 94, 80, 88, 95, 78

① −9점 ② −7점 ③ 1점
④ 7점 ⑤ 9점

07 실수多

다음은 농구 대결에서 7명의 학생 A, B, C, D, E, F, G가 10회씩 실시한 자유투 성공 횟수의 편차를 나타낸 것이다. 자유투 성공 횟수의 평균이 6회일 때, 학생 C의 자유투 성공 횟수를 구하시오.

학생	A	B	C	D	E	F	G
편차(회)	3	2	x	1	0	-4	-1

✍️ 쌤의 오답 코칭 | (편차)=(변량)−(평균)에서
(변량)=(편차)+(평균)

08

다음 표는 6명의 학생 A, B, C, D, E, F의 한 달 동안 독서 시간에 대한 편차를 나타낸 것이다. 설명 중 옳은 것을 모두 고르면? (정답 2개)

학생	A	B	C	D	E	F
편차(시간)	-3	x	2	-1	-7	4

① 독서 시간이 가장 긴 학생은 E이다.
② 평균보다 독서 시간이 긴 학생은 2명이다.
③ 독서 시간이 평균에 가장 가까운 학생은 D이다.
④ 독서 시간이 평균과 가장 많이 차이나는 학생은 B이다.
⑤ 학생 F는 학생 A보다 독서를 7시간 더 많이 했다.

09

수학 동아리 학생 10명의 수학 성적의 평균을 구하는데 두 학생의 점수를 잘못 보고 구하였더니 편차의 총합이 −2점이 되었다. 잘못 보고 구한 평균이 94점일 때, 바르게 구한 평균은?

① 93.8점　　② 94점　　③ 94.2점
④ 94.8점　　⑤ 95.6점

④ 분산과 표준편차

10 대표문제

다음 5개 변량의 평균이 12이고 분산이 y일 때, $2x-y$의 값을 구하시오.

7,	x,	15,	16,	13

11

학생 6명의 국어 수행평가 성적의 평균이 70점이고, 분산이 10이라 한다. 학생 6명 중에서 점수가 70점인 한 학생을 제외한 나머지 5명의 국어 수행평가 성적의 평균과 분산을 각각 구하시오.

12 실수多

다음 표는 소영이네 반 학생 20명의 수학 수행평가 성적의 편차와 학생 수를 나타낸 것이다. 수학 수행평가 성적의 표준편차를 구하시오.

편차(점)	a	-4	-1	2	3	5	합계
학생 수(명)	1	2	8	4	4	1	20

✍️ 쌤의 오답 코칭 | $a+(-4)+(-1)+2+3+5=0$이 아님에 주의한다.

⑤ 변화된 변량의 평균, 분산, 표준편차 심화

13 대표문제

네 수 a, b, c, d의 평균이 16이고 분산이 9일 때, 네 수 $2a+3$, $2b+3$, $2c+3$, $2d+3$의 평균과 표준편차를 각각 구하시오.

14

n명의 학생들의 영어 성적의 평균을 m점, 표준편차를 s점이라 하자. n명의 학생들의 점수를 각각 3점씩 올려 준다고 할 때, 영어 성적의 평균과 분산을 차례대로 구한 것은?

① m점, s
② m점, s^2
③ $(m+3)$점, s^2
④ $(m+3)$점, $3s$
⑤ $(m+3)$점, $s+3$

⑥ 분산과 표준편차의 해석

15 대표문제

다음 표는 어느 중학교 3학년 세 반 A, B, C의 영어 성적의 평균과 표준편차를 나타낸 것이다. 설명 중 옳지 <u>않은</u> 것을 모두 고르면? (정답 2개)

반	A	B	C
평균(점)	66	64	64
표준편차(점)	25	27	20

① 편차의 합은 세 반이 모두 같다.
② 성적이 가장 우수한 반은 A반이다.
③ 성적이 가장 높은 학생은 A반에 있다.
④ 성적이 가장 고르게 분포된 반은 B반이다.
⑤ C반의 성적은 B반의 성적에 비해 64점 주위에 모여 있다.

16

다음 세 자료 A, B, C의 표준편차를 각각 a, b, c라 할 때, a, b, c의 대소 관계를 부등호나 등호를 사용하여 나타내시오.

> 자료 A : 1부터 100까지의 자연수
> 자료 B : 101부터 200까지의 자연수
> 자료 C : 1부터 200까지의 짝수

📖 이것이 진짜 교과서에서 뽑아온 문제

17 | 미래엔 유사 |

다음 표는 5명의 학생 A, B, C, D, E의 1분당 맥박 수의 편차를 나타낸 것이다. 보기에서 옳은 것을 모두 고르시오.

학생	A	B	C	D	E
편차(회)	-1	3	2	x	-4

◀ 보기 ▶
ㄱ. 학생 D의 맥박 수는 평균과 같다.
ㄴ. 두 학생 A와 C의 맥박 수의 차는 1회이다.
ㄷ. 분산은 6이다.
ㄹ. 표준편차는 $\pm\sqrt{6}$회이다.

18 | 신사고 유사 |

다음 그림은 세 선수 A, B, C가 10회씩 실시한 사격 점수를 조사하여 나타낸 막대 그래프이다. 표준편차가 작은 선수부터 차례로 나열하시오.

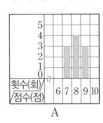  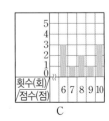

01

어느 반의 남학생과 여학생 전체의 수학 평균 점수는 75점이다. 남학생의 수학 평균 점수는 77점이고 여학생의 수학 평균 점수는 73.5점일 때, 남학생 수와 여학생 수의 비는?

① 1 : 2   ② 2 : 1   ③ 2 : 3

④ 3 : 4   ⑤ 4 : 3

쌤의 출제 Point

$\dfrac{\text{(남학생 점수의 총합)}+\text{(여학생 점수의 총합)}}{\text{(남학생 수)}+\text{(여학생 수)}}$

$=75$

임을 이용한다.

02

다음 보기의 대푯값에 대한 설명 중 옳은 것은 모두 몇 개인지 구하시오.

◀ 보기 ▶

ㄱ. 최빈값은 변량의 개수가 적은 자료의 대푯값으로 적절하다.

ㄴ. 자료의 대푯값은 항상 숫자로만 나타내어진다.

ㄷ. 올해 가장 많이 팔린 책은 최빈값으로 선정한다.

ㄹ. 대푯값으로 분산, 표준편차 등이 있고, 대푯값으로 자료의 분포 상태를 알 수 있다.

ㅁ. 자료가 매우 크거나 매우 작은 값이 있는 경우에는 평균보다 중앙값이 자료 전체의 중심 경향을 더 잘 나타낸다.

ㅂ. 중앙값은 우리 반 학생들의 혈액형 조사, A 중학교 학생들이 많이 입는 옷의 치수 등과 같은 자료의 대푯값으로 주로 이용된다.

03 교과서 **창의사고력** | 교학사 유사 |

다음 표는 학생 10명의 수학 점수, 신발의 치수, 이웃 돕기 성금을 조사하여 나타낸 것이다. 세 가지 자료 각각에 대하여 평균, 중앙값, 최빈값을 구하고, 각 자료의 대푯값으로 어떤 것이 가장 적절한지 말하시오.

학생	혜원	승기	호동	민서	진수	수연	동민	찬수	은송	형민
수학 점수(점)	90	80	75	65	70	85	60	60	85	70
신발의 치수(mm)	250	255	255	235	255	245	265	255	255	275
이웃 돕기 성금(원)	3000	2000	3000	50000	1000	4500	2500	3500	2500	1500

04

자연수 a, b, c에 대하여 다음 자료의 평균이 11이고, 최빈값이 15일 때, 중앙값을 구하시오.

| 7, | a, | 15, | 9, | 14, | b, | 16, | 4, | c, | 9 |

쌤의 출제 Point

05 복합 개념 | 신유형 | 서울 | 강남

1부터 4까지의 숫자가 각각 적힌 정사면체 모양의 주사위를 차례로 두 번 던져 나올 수 있는 모든 경우에 대하여 각 경우의 나온 두 수의 차를 변량으로 하는 자료가 있다. 이 자료의 중앙값을 a, 최빈값을 b라 할 때, $a+b$의 값을 구하시오.

(단, 정사면체가 바닥에 닿는 면에 적힌 수를 읽는다.)

06

경훈이네 반 학생 10명의 티셔츠 치수를 조사하였더니 85호, 90호, 95호, 100호의 네 종류가 나왔다. 95호를 입는 학생이 모두 5명일 때, 다음 보기에서 옳은 것을 모두 고르시오.

┤ 보기 ├
ㄱ. 평균이 될 수 있는 값 중 가장 큰 것은 95호이다.
ㄴ. 평균은 5의 배수이다.
ㄷ. 중앙값은 95호이다.

티셔츠 치수의 최빈값은 95호이고, 95호가 아닌 나머지 치수의 변량의 개수를 생각한다.

07 만점 KILL | 서울 | 목동

자연수 x에 대하여 5개의 변량 7, x, 4, 9, 6의 중앙값을 a, 5개의 변량 6, 10, 3, x, 8의 중앙값을 b, 5개의 변량 3, 10, x, 9, 5의 중앙값을 c라 하면 $a \le b \le c$가 성립한다. 이때 x의 값의 범위를 구하시오.

08 신유형 분당 | 서현

오른쪽 그림과 같이 1에서 8까지의 숫자가 적혀 있는 다트판이 있다. 다음 표는 민영이와 환희가 각각 5회씩 다트판에 화살을 던져 얻은 점수를 조사하여 나타낸 것이다. 민영이가 얻은 점수의 중앙값은 x 점이고, 민영이와 환희가 얻은 점수를 섞은 전체 점수의 중앙값은 5.5점일 때, x, y의 순서쌍 (x, y)의 개수는 모두 몇 개인지 구하시오. (단, 화살이 경계선에 맞거나 다트판을 벗어나는 경우는 없다.)

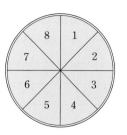

(단위 : 점)

	1회	2회	3회	4회	5회
민영	7	5	x	6	4
환희	7	x	5	8	y

쌤의 출제 Point

09

다음 보기의 산포도에 대한 설명 중 옳은 것은 모두 몇 개인지 구하시오.

◀ 보기 ▶

ㄱ. 산포도가 클수록 평균도 커진다.

ㄴ. 분산이 클수록 표준편차도 커진다.

ㄷ. 편차의 제곱의 평균을 분산이라 한다.

ㄹ. 평균이 변량보다 작으면 편차는 음수이다.

ㅁ. 편차의 절댓값이 작을수록 그 변량은 평균으로부터 멀리 떨어져 있다.

ㅂ. 학생 5명의 수행 평가 점수가 1점씩 감점되면 평균과 표준편차는 1점씩 작아진다.

ㅅ. 표준편차가 클수록 자료의 분포 상태는 고르지 않다.

10 복합 개념 대구 | 수성

다음 표는 5개의 변량 A, B, C, D, E의 편차를 나타낸 것이다. 평균이 60일 때, 변량 C의 값을 모두 구하시오.

변량	A	B	C	D	E
편차	$-x^2+x+3$	-6	$2x^2-x+2$	$x-2$	$2x-1$

편차의 합은 0임을 이용하여 식을 세우면 x에 대한 이차방정식이므로 2개의 x의 값에 대해 각각 생각한다.

11

다음 표는 6명의 학생 A, B, C, D, E, F의 키와 편차를 나타낸 것이다. $a+b-c-d+e$의 값을 구하시오.

학생	A	B	C	D	E	F
키(cm)	165	172	159	b	d	e
편차(cm)	a	4	-9	c	-7	10

12

다음 표는 4명의 학생 A, B, C, D의 몸무게의 편차를 나타낸 것이다. 학생 D보다 몸무게가 7 kg 더 무거운 학생 E를 포함하여 5명의 몸무게의 평균을 구했더니 4명의 몸무게의 평균보다 2 % 증가하였다. A, B, C, D, E 중에서 가장 무거운 학생의 몸무게를 구하시오.

학생	A	B	C	D
편차(kg)	5	2	-6	-1

13 신유형 서울 | 목동

다음 표는 농구 대결에서 7명의 학생 A, B, C, D, E, F, G가 10회씩 실시한 자유투 성공 횟수의 편차를 나타낸 것인데 얼룩이 생겨 학생 A와 학생 C의 편차가 보이지 않는다. 자유투 성공 횟수의 평균과 중앙값이 같을 때, 설명 중 옳지 <u>않은</u> 것을 모두 고르면? (정답 2개)

평균과 중앙값이 같으므로 평균은 7개의 변량 중에 존재한다.

학생	A	B	C	D	E	F	G
편차(회)		3		2	-4	-2	2

① 학생 A의 기록은 평균보다 낮거나 같다.
② 학생 B의 기록은 학생 C의 기록보다 높다.
③ 학생 A의 기록이 최빈값이다.
④ 학생 C의 기록이 중앙값이다.
⑤ 학생 E의 기록은 중앙값보다 4회 낮다.

14 교과서 추론 | 교학사 유사 |

오른쪽 표는 어느 중학교의 A반과 B반의 미술 실기 점수의 평균과 표준편차를 나타낸 것이다. A반과 B반 전체 학생의 미술 실기 점수의 표준편차를 구하시오.

전체 학생의 편차의 제곱의 총합을 구해 본다.

	A반	B반
평균(점)	70	70
표준편차(점)	$\sqrt{10}$	4
학생 수(명)	19	21

15

6개의 변량 x_1, x_2, x_3, x_4, 7, 9의 평균이 8이고, 분산이 7일 때, x_1^2, x_2^2, x_3^2, x_4^2의 평균을 구하시오.

16 만점 KILL 신유형 서울|서초

111개의 변량 x_1, x_2, x_3, $\cdots$, x_{111}의 합이 1332이고 각 변량의 제곱의 합이 16650일 때, x_1, x_2, x_3, $\cdots$, x_{111}의 분산을 구하시오.

17 교과서 추론 📄 | 천재 유사 |

민석이네 반 학생 20명이 일주일 동안 받은 문자 메시지 수의 평균은 80개이고, 표준편차는 10개이었다. 그런데 민석이네 반에 받은 문자 메시지 수가 각각 50개, 90개인 두 학생 A, B가 전학을 가고 60개, 80개인 두 학생 C, D가 전학을 왔다. C, D가 전학 온 이후 20명의 문자 메시지 수의 표준편차를 구하시오.

전학 간 두 학생 A, B와 전학 온 두 학생 C, D의 문자 메시지 수의 합이 같으므로 전체 평균은 변하지 않는다.

18

다음 표는 학생 수가 모두 30명인 A, B, C, D, E 다섯 반의 학생들이 1년 동안 활동한 봉사 시간의 평균과 표준편차를 나타낸 것이다. 보기의 설명 중 옳은 것을 모두 고르시오.

반	A	B	C	D	E
평균(시간)	11	12	8	16	12
표준편차(시간)	1	0	3.5	2.7	4

◀ 보기 ▶

ㄱ. 봉사 시간이 가장 많은 학생은 D반에 있다.

ㄴ. 봉사 시간이 0시간인 학생이 가장 많은 반은 C반이다.

ㄷ. 학생들 간의 봉사 시간의 격차가 가장 큰 반은 E반이다.

ㄹ. B반은 30명의 봉사 시간이 12시간으로 모두 같다.

ㅁ. A반 학생 중 10명이 봉사 활동을 3시간씩 더 하면 A반과 B반의 평균은 같아진다.

ㅂ. C반 학생 전체가 봉사 활동을 2시간씩 더 하면 표준편차는 $(3.5+\sqrt{2})$시간이 된다.

19 신유형 복합 개념 대전 | 둔산

길이가 a cm, b cm, c cm, d cm인 철사 4개가 있다. 철사 4개의 길이의 평균은 5 cm이고, 표준편차는 3 cm이다. 각각의 철사로 정삼각형을 한 개씩 만들 때, 정삼각형 4개의 넓이의 평균을 구하시오.

20

다음 그림은 A, B, C, D 네 모둠 학생들의 일주일 동안 TV 시청 시간을 조사하여 나타낸 막대 그래프이다. 설명 중 옳은 것은?

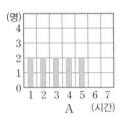 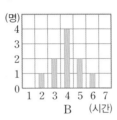 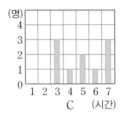 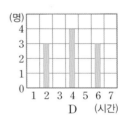

① 모둠 D의 학생 수가 가장 적다.

② 모둠 A의 변량은 모두 같다.

③ TV 시청 시간의 평균이 작은 모둠부터 순서대로 나열하면 A, B, C, D이다.

④ 모둠 A의 분산이 가장 작다.

⑤ 자료가 평균 주위에 많이 모여 있고, 평균으로부터 멀어질수록 자료가 적은 형태와 가장 유사한 모둠은 B이다.

21

오른쪽 그림은 A, B 두 반 학생들의 통학 시간에 대한 분포를 조사하여 나타낸 그래프이다. 두 곡선은 점선에 대하여 각각 좌우대칭일 때, 다음 설명 중 옳은 것을 모두 고르면?

(정답 2개)

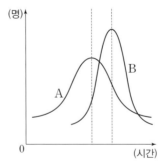

① 통학 시간의 평균은 A반이 B반보다 더 크다.

② 통학 시간의 표준편차는 B반이 A반보다 더 크다.

③ A반 학생들이 B반 학생들보다 통학 시간이 대체로 더 오래 걸린다.

④ B반이 A반보다 학생들 간의 통학 시간의 격차가 더 작다.

⑤ A반과 B반의 통학 시간의 평균과 표준편차의 구체적인 값은 알 수 없다.

01 50개의 수 $x_1, x_2, x_3, \cdots, x_{50}$에 대하여 오른쪽과 같은 순서로 평균을 각각 구하였다. 처음 두 수 x_1과 x_2의 평균이 5이고 수가 하나씩 추가될 때마다 평균이 2씩 증가할 때, x_{50}의 값을 구하시오.

> 처음 두 수 x_1과 x_2의 평균을 구한다.
> x_3을 추가하여 x_1, x_2, x_3의 평균을 구한다.
> x_4를 추가하여 x_1, x_2, x_3, x_4의 평균을 구한다.
> $\vdots$
> x_{50}을 추가하여 $x_1, x_2, x_3, \cdots, x_{50}$의 평균을 구한다.

02 오른쪽 그림과 같이 여섯 개의 수 6, 9, 15, a, b, c가 두 원 위에 나열되어 있고 a와 b, c와 9는 연결되어 있다. a, b, c, 9는 선으로 직접 연결되어 있는 세 수의 평균과 같다. 예를 들어 b는 a, 6, 9의 평균이다. 이때 a, b, c의 표준편차를 구하시오.

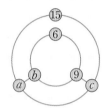

03 네 변량 a, b, c, d의 평균이 5이고, 표준편차가 $\sqrt{10}$이다. 이차함수 $f(x)=(x-a)^2+(x-b)^2+(x-c)^2+(x-d)^2$에 대하여 $f(x)$는 $x=p$일 때, 최솟값 q를 갖는다. 이때 $p+q$의 값을 구하시오.

🌐 Challenge

04 서로 다른 두 학과의 학업 성취도를 알아보기 위하여 각 학과에서 8명씩 학생을 선발하여 통계학과는 지필 평가를, 체육학과는 체력 측정을 통한 평가를 시행하여 오른쪽 표와 같은 결과를 얻었다. 이와 같이 평균의 차이가 큰 두 자료의 분포 상태를 표준편차로 비교하는 것은 무리가 있다. 이 경우에는 자료의 흩어진 정도를 백분율로 나타내는 변동계수가 이용되는데 변동계수는 다음과 같이 계산한다. 또한, 특정한 변량이 주어진 자료에서 어느 정도 위치에 있는지를 알 수 있는 상대적 위치의 측도는 흔히 $z-\text{score}$를 이용하는데 $z-\text{score}$는 다음과 같이 계산한다. 물음에 답하시오.

(단위: 점)

수험번호	통계학과	체육학과
1	78	6.8
2	82	8.2
3	75	8
4	62	7
5	75	6.1
6	92	7
7	75	7
8	61	5.9

$$(\text{변동계수}) = \frac{(\text{표준편차})}{(\text{평균})} \times 100, \qquad (z-\text{score}) = \frac{(\text{변량})-(\text{평균})}{(\text{표준편차})}$$

(1) 통계학과와 체육학과의 학업 성취도의 흩어진 정도를 변동계수를 이용하여 분석하시오.

(2) 통계학과의 1등 학생과 체육학과의 1등 학생의 학업 성취도의 상대적 위치의 측도를 $z-\text{score}$를 이용하여 분석하시오.

07 산점도와 상관관계

① 산점도

두 변량 x, y를 순서쌍으로 하는 점 (x, y)를 좌표평면 위에 나타낸 그림을 두 변량 x, y에 대한 산점도라 한다.

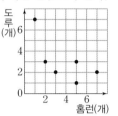

예 다음과 같이 야구 선수 6명의 한 시즌 홈런과 도루의 개수를 나타낸 표를 산점도로 나타내면 오른쪽 그림과 같다.

야구 선수	A	B	C	D	E	F
홈런(개)	2	5	1	3	5	7
도루(개)	3	1	7	2	3	2

② 상관관계

(1) **상관관계** : 두 변량에 대하여 한쪽이 증가함에 따라 다른 한쪽이 대체로 증가 또는 감소하는 경향이 있을 때, 이 두 변량 사이의 관계를 상관관계라 한다.

(2) **상관관계의 종류** : 두 변량 x, y에 대한 산점도에서

① 양의 상관관계

x의 값이 증가함에 따라 y의 값도 대체로 증가하는 경향이 있을 때, x와 y 사이에는 양의 상관관계가 있다고 한다.

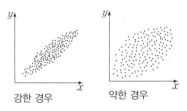

② 음의 상관관계

x의 값이 증가함에 따라 y의 값은 대체로 감소하는 경향이 있을 때, x와 y 사이에는 음의 상관관계가 있다고 한다.

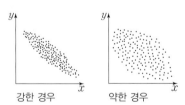

③ 상관관계가 없다

x의 값이 증가함에 따라 y의 값이 증가하는 경향이 있는지 감소하는 경향이 있는지 분명하지 않을 때, x와 y 사이에는 상관관계가 없다고 한다.

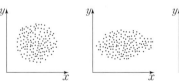

예 ① 양의 상관관계 : 키와 신발의 치수, 여름철 기온과 아이스크림 판매량
　② 음의 상관관계 : 배추의 생산량과 가격, 운동량과 비만도
　③ 상관관계가 없다 : 지능 지수와 머리 둘레, 수학 성적과 통학 시간

참고 ① 산점도에서 점들이 기울기가 양인 직선 주위에 모여 있으면 양의 상관관계가 있고, 기울기가 음인 직선 주위에 모여 있으면 음의 상관관계가 있다.
　　② 산점도에서 점들이 기울기가 양 또는 음인 직선 주위에 가까이 모여 있을수록 상관관계가 강하다. 즉, 경향이 뚜렷하다.

이것이 진짜 출제율 100% 문제

① 산점도

01 대표문제

다음 표는 6명의 학생 A, B, C, D, E, F가 한 농구 경기에서 넣은 2점 슛과 3점 슛의 개수를 조사하여 나타낸 것이다. 넣은 2점 슛을 x개, 3점 슛을 y개라 할 때, 두 변량 x, y에 대한 산점도를 바르게 나타낸 것은?

학생	A	B	C	D	E	F
2점 슛(개)	5	2	4	3	4	5
3점 슛(개)	4	2	3	3	5	5

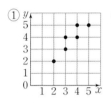 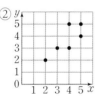 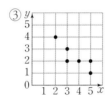
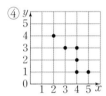 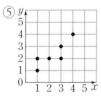

02

오른쪽 그림은 성식이네 반 학생 9명이 1차, 2차에 걸쳐 치른 수학 수행평가 점수를 나타낸 산점도이다. 다음을 구하시오.

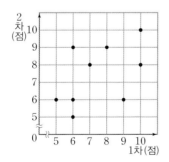

(1) 1차 점수보다 2차 점수가 더 높은 학생 수

(2) 1차와 2차의 점수 차가 2점 이상인 학생 수

② 상관관계

03 대표문제

다음은 5개 집단의 모바일 게임 시간과 성적을 각각 조사하여 나타낸 산점도이다. 게임 시간이 길수록 대체로 성적이 떨어지는 경향이 가장 뚜렷한 산점도는?

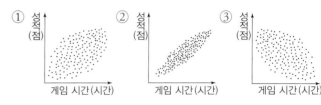
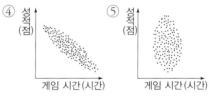

04

오른쪽 그림은 두 변량 x, y에 대한 산점도이다. 다음 중 옳지 <u>않은</u> 것을 모두 고르면? (정답 2개)

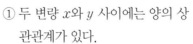

① 두 변량 x와 y 사이에는 양의 상관관계가 있다.

② 가방의 무게와 성적 사이의 상관관계를 나타낸 산점도이다.

③ 산의 높이와 정상에서의 기온 사이의 상관관계를 나타낸 산점도이다.

④ 국어 성적과 독서량 사이의 상관관계를 나타낸 산점도이다.

⑤ x의 값이 커질수록 y의 값이 대체로 커지는 경향이 비교적 뚜렷하다고 할 수 있다.

05

두 변량 x, y에 대한 산점도가 오른쪽 그림과 같이 나타나는 것은?

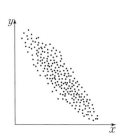

① 키와 몸무게
② 도시의 인구수와 교통량
③ 겨울철 기온과 난방비
④ 과학 성적과 발 크기
⑤ 여름철 기온과 전력 사용량

07

| 동아 유사 |

다음 그림은 주영이네 반 학생 20명의 일주일 동안의 운동 시간과 체질량 지수를 조사하여 나타낸 산점도이다. 물음에 답하시오.

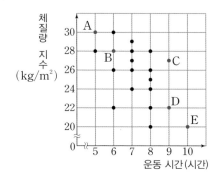

(1) 5명의 학생 A, B, C, D, E 중에서 운동 시간에 비해 체질량 지수가 높은 학생을 말하시오.

(2) 운동 시간이 6시간인 학생들의 체질량 지수의 평균을 구하시오.

📖 이것이 진짜 **교과서에서 뽑아온 문제**

06 실수多

| 신사고 유사 |

오른쪽 그림은 어느 반 학생 16명의 국어 성적과 사회 성적을 조사하여 나타낸 산점도이다. 다음 물음에 답하시오.

(1) 국어 성적과 사회 성적이 모두 70점 이상인 학생은 몇 명인지 구하시오.

(2) 국어 성적이 사회 성적보다 더 높은 학생은 전체의 몇 % 인지 구하시오.

✏️ **쌤의 오답 코칭** | 두 변량의 크기를 비교할 때는 오른쪽 위로 향하는 대각선을 그어 본다.

08

| 교학사 유사 |

다음 표는 창민이네 반 학생 10명의 몸무게와 턱걸이 횟수를 조사하여 나타낸 것이다. 몸무게와 턱걸이 횟수에 대한 산점도를 그리고, 그 상관관계를 조사하시오.

학생	A	B	C	D	E	F	G	H	I	J
몸무게(kg)	45	40	35	52	61	55	37	36	58	42
턱걸이(회)	8	10	11	7	2	7	10	11	3	9

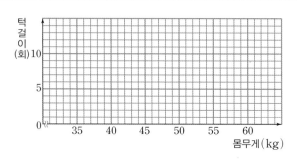

01

오른쪽 그림은 컴퓨터 자격증 시험에 응시한 25명의 학생들의 필기 점수와 실기 점수를 조사하여 나타낸 산점도이다. 필기 점수와 실기 점수가 같은 학생은 전체의 a %이고, 필기 점수가 실기 점수보다 높은 학생은 전체의 b %일 때, $a+b$의 값을 구하시오.

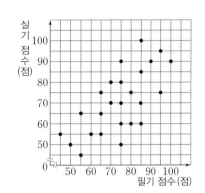

쌤의 출제 Point

오른쪽 위로 향하는 대각선을 그어 본다.

02

오른쪽 그림은 우진이네 반 학생 20명의 국어 성적과 영어 성적을 조사하여 나타낸 산점도이다. 국어 성적과 영어 성적의 차가 15점 이상인 학생은 전체의 몇 %인지 구하시오.

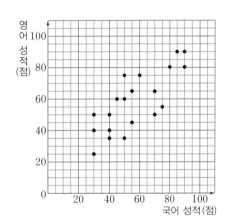

03 교과서 추론 | 동아 유사 |

오른쪽 그림은 소정이네 반 학생 10명이 일주일 동안 휴대 전화를 사용한 시간과 한 학기 동안 도서관에서 대출한 도서 수를 조사하여 나타낸 산점도이다. 다음 물음에 답하시오.

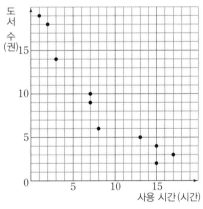

(1) 10명의 학생들이 대출한 도서 수의 평균을 구하시오.

(2) 휴대 전화 사용 시간이 3시간 이하인 학생들이 대출한 도서 수의 평균과 휴대 전화 사용 시간이 15시간 이상인 학생들이 대출한 도서 수의 평균을 각각 구하고, (1)과 비교하여 그 의미를 해석하시오.

04

오른쪽 그림은 수진이네 반 학생 20명의 1학기 중간고사와 기말고사 수학 성적을 조사하여 나타낸 산점도이다. 중간고사보다 기말고사의 수학 성적이 향상된 학생들에 대하여 중간고사와 기말고사의 점수 차의 평균을 구하시오.

(단, 반올림하여 소수점 아래 첫째 자리까지 나타낸다.)

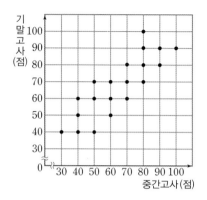

쌤의 출제 Point

05 신유형

오른쪽 그림은 민철이네 반 학생 25명이 2회에 걸쳐 치른 영어 수행평가 성적을 조사하여 나타낸 산점도이다. 다음 조건을 모두 만족시키는 학생은 몇 명인지 구하시오.

⑺ 1회보다 2회의 성적이 향상되었다.

⑼ 1회와 2회의 성적의 차가 2점 이상이다.

⒟ 1회와 2회의 성적의 평균이 6점 이상이다.

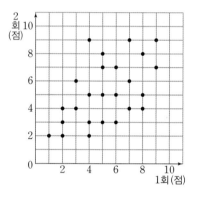

산점도에 세 조건을 만족시키는 영역을 각각 표시한 후, 공통 부분을 찾는다.

06

오른쪽 그림은 어느 반 학생 30명의 영어 성적과 사회 성적을 조사하여 나타낸 산점도이다. 두 과목의 총점이 140점 이상인 학생들의 사회 성적의 평균을 구하시오.

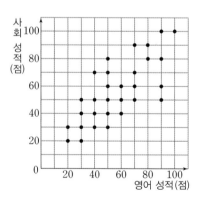

07 만점 KILL

오른쪽 그림은 어느 학급 학생 20명의 1학기 수학 성적과 2학기 수학 성적을 조사하여 나타낸 산점도이다. 다음 물음에 답하시오.

(1) 1학기에 비해 2학기 수학 성적이 가장 많이 올라간 학생의 1학기와 2학기 수학 성적의 평균을 구하시오.

(2) 1학기와 2학기 수학 성적의 총점이 높은 순으로 25 % 이내에 드는 학생들을 뽑아 수학경시대회에 출전시키려고 한다. 수학경시대회에 출전하는 학생들의 총점의 평균을 구하시오.

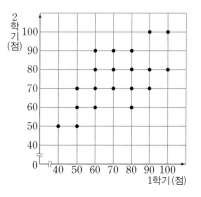

쌤의 출제 Point

오른쪽 위로 향하는 대각선에서 위로 멀리 떨어져 있을수록 2학기의 성적이 많이 오른 학생이다.

08 만점 KILL

오른쪽 그림은 인영이네 반 학생 25명의 2학기 중간고사 성적과 기말고사 성적을 조사하여 나타낸 산점도이다. 중간고사와 기말고사 성적의 평균으로 등수를 정할 때, 3등인 학생의 중간고사 성적을 a점, 9등인 학생의 기말고사 성적을 b점이라 하자. 이때 $a+b$의 값을 구하시오. (단, 평균이 같은 경우는 기말고사 성적이 높은 순으로 등수를 정한다.)

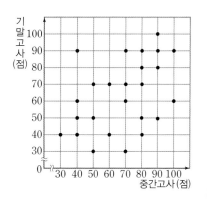

오른쪽 위로 향하는 대각선에 위에서부터 수직인 직선을 그어 등수를 매긴다.

09 교과서 추론 | 비상 유사 |

오른쪽 그림은 두 변량 x, y에 대한 산점도이다. 이 산점도에 대한 보기의 설명 중 옳은 것을 모두 고르시오.

◀ 보기 ▶

ㄱ. 두 변량 x와 y 사이에는 양의 상관관계가 있다.

ㄴ. 산점도에서 두 점 A, B를 지우면 두 변량 x와 y 사이에는 음의 상관관계가 있다.

ㄷ. 산점도에 다섯 개의 점 $(60, 60)$, $(60, 70)$, $(80, 70)$, $(80, 80)$, $(100, 100)$을 추가하면 추가하기 전보다 더 뚜렷한 상관관계를 나타낸다.

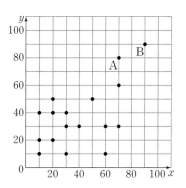

10

다음 보기 중 두 변량에 대한 산점도가 오른쪽 그림과 같이 나타나는 것을 모두 고르시오.

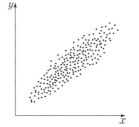

◀ 보기 ▶

ㄱ. 눈의 크기와 시력
ㄴ. 물고기 어획량과 1마리당 가격
ㄷ. 봄철 강수량과 식물의 성장 속도
ㄹ. 과일의 가격과 비타민 함유량
ㅁ. 자동차의 수와 평균 주행 속도
ㅂ. 휴대 전화 데이터 사용량과 휴대 전화 사용 요금
ㅅ. 미세먼지 농도와 호흡기질환 환자 수

11 교과서 창의사고력 | 금성 유사 |

오른쪽 그림은 어느 회사 직원들의 월 수입액과 월 저축액을 조사하여 나타낸 산점도이다. 다음 중 옳지 <u>않은</u> 것을 모두 고르면? (정답 2개)

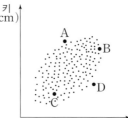

① 월 수입액이 많은 직원이 대체로 월 저축액도 많은 편이다.
② E는 회사 직원 중 월 수입액이 가장 적다.
③ C는 A보다 월 수입액이 많다.
④ A는 월 수입액에 비해 저축을 많이 하는 편이다.
⑤ A~E 5명의 직원 중 월급에 비해 저축을 가장 적게 하는 직원은 C이다.

12

오른쪽 그림은 어느 학교 학생들의 몸무게와 키를 조사하여 나타낸 산점도이다. 네 학생 A, B, C, D에 대한 다음 설명 중 옳지 <u>않은</u> 것은?

① C의 몸무게가 가장 적게 나간다.
② 키에 비해 몸무게가 적게 나가는 학생은 A이다.
③ A와 B는 키가 비슷하고, B와 D는 몸무게가 비슷하다.
④ 네 학생 중 체질량 지수가 가장 비슷할 것으로 예상되는 학생은 B와 C이다.
⑤ 비만도가 가장 높을 것으로 예상되는 학생은 B이다.

01 오른쪽 그림은 신문반 동아리에 지원한 15명의 학생이 1차와 2차에 걸쳐 치른 국어 성적을 조사하여 나타낸 산점도이다. 두 번의 시험에서 모두 평균 이상의 점수를 받아야 합격일 때, 지원자 중 합격생의 비율은 몇 %인지 구하시오.

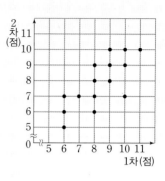

Challenge

02 오른쪽 그림은 어느 반 학생 20명의 수학 성적과 과학 성적을 조사하여 나타낸 산점도이다. 두 과목의 총점이 상위 15 % 이내에 속하는 학생의 그룹을 A, 하위 15 % 이내에 속하는 학생의 그룹을 B라 하자. A와 B의 두 과목의 총점의 평균과 분산을 각각 구하고, 그 의미를 해석하시오.

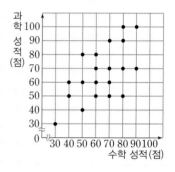

03 오른쪽 그림은 1983년부터 1999년까지 2년 간격으로 총 9번 조사한 우리나라 사람의 연도별 평균 수명과 인구 십만 명당 정신 및 행동 장애로 인한 사망자 수를 조사하여 나타낸 산점도이다. 다음 중 옳은 것을 모두 고르면? (정답 2개)

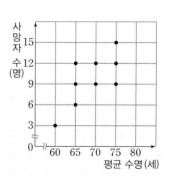

① 평균 수명이 75세이고, 십만 명당 사망자 수가 3명인 연도가 있다.

② 평균 수명이 70세 미만인 연도는 총 4번이다.

③ 십만 명당 사망자 수가 9명인 연도는 조사한 전체 연도의 25 %이다.

④ 사망자 수가 가장 많은 연도의 평균 수명은 75세이다.

⑤ 평균 수명과 사망자 수 사이에는 상관관계가 없다.

같은 문제
선배들의
다른 풀이

본책 76쪽 **21** 번 문제

오른쪽 그림은 A, B 두 반 학생들의 통학 시간에 대한 분포를 조사하여 나타낸 그래프이다. 두 곡선은 점선에 대하여 각각 좌우 대칭일 때, 다음 설명 중 옳은 것을 모두 고르면? (정답 2개)

① 통학 시간의 평균은 A반이 B반보다 더 크다.
② 통학 시간의 표준편차는 B반이 A반보다 더 크다.
③ A반 학생들이 B반 학생들보다 통학 시간이 대체로 더 오래 걸린다.
④ B반이 A반보다 학생들 간의 통학 시간의 격차가 더 작다.
⑤ A반과 B반의 통학 시간의 평균과 표준편차의 구체적인 값은 알 수 없다.

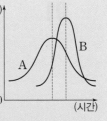

고등학생이 되면 그래프를 좀 더 명확하게 이해할 수 있을까요?

이 문제는 주어진 그래프를 해석하여 A, B 두 반 학생들의 통학 시간의 평균과 표준편차의 대소 관계를 파악하는 것이 중요해. 하지만 그래프를 보고 자료를 직관적으로 해석하기가 쉽진 않아.

고등학교 때 배우는 '확률과 통계'에서 '정규분포'의 성질을 알면 그래프를 해석할 수 있어.

일반적으로 강수량, 키, 몸무게 등과 같이 연속적인 값을 갖는 자료의 개수가 충분히 클 때, 상대도수를 계급의 크기를 작게 하여 히스토그램으로 나타내면 오른쪽 그림과 같이 좌우대칭인 종 모양의 곡선에 가까워지는 경우가 많아. 이러한 분포 상태를 '정규분포'라고 해.

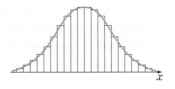

평균이 m이고 표준편차가 σ인 정규분포를 기호로 $N(m, \sigma^2)$으로 나타내는데 정규분포 $N(m, \sigma^2)$의 그래프는 직선 $x=m$에 대하여 대칭이고 m과 σ의 값에 따라 다음 그림과 같이 나타나게 돼.

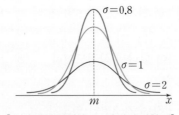

[m의 값이 일정하고 σ의 값이 변할 때]
➡ 곡선의 모양이 변하지만 대칭축의 위치는 일정하다.

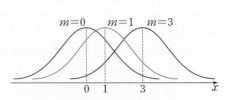

[σ의 값이 일정하고 m의 값이 변할 때]
➡ 대칭축의 위치는 변하지만 곡선의 모양은 일정하다.

그렇다면 위 문제에서 A, B 두 반 학생들의 통학 시간에 대한 분포를 나타낸 그래프가 정규분포의 모양을 띠고 있으니까 정규분포의 평균과 표준편차의 성질을 이용하면 그래프의 해석을 좀 더 명확하게 할 수 있겠지?

삼각비의 표

각도	사인(sin)	코사인(cos)	탄젠트(tan)
0°	0.0000	1.0000	0.0000
1°	0.0175	0.9998	0.0175
2°	0.0349	0.9994	0.0349
3°	0.0523	0.9986	0.0524
4°	0.0698	0.9976	0.0699
5°	0.0872	0.9962	0.0875
6°	0.1045	0.9945	0.1051
7°	0.1219	0.9925	0.1228
8°	0.1392	0.9903	0.1405
9°	0.1564	0.9877	0.1584
10°	0.1736	0.9848	0.1763
11°	0.1908	0.9816	0.1944
12°	0.2079	0.9781	0.2126
13°	0.2250	0.9744	0.2309
14°	0.2419	0.9703	0.2493
15°	0.2588	0.9659	0.2679
16°	0.2756	0.9613	0.2867
17°	0.2924	0.9563	0.3057
18°	0.3090	0.9511	0.3249
19°	0.3256	0.9455	0.3443
20°	0.3420	0.9397	0.3640
21°	0.3584	0.9336	0.3839
22°	0.3746	0.9272	0.4040
23°	0.3907	0.9205	0.4245
24°	0.4067	0.9135	0.4452
25°	0.4226	0.9063	0.4663
26°	0.4384	0.8988	0.4877
27°	0.4540	0.8910	0.5095
28°	0.4695	0.8829	0.5317
29°	0.4848	0.8746	0.5543
30°	0.5000	0.8660	0.5774
31°	0.5150	0.8572	0.6009
32°	0.5299	0.8480	0.6249
33°	0.5446	0.8387	0.6494
34°	0.5592	0.8290	0.6745
35°	0.5736	0.8192	0.7002
36°	0.5878	0.8090	0.7265
37°	0.6018	0.7986	0.7536
38°	0.6157	0.7880	0.7813
39°	0.6293	0.7771	0.8098
40°	0.6428	0.7660	0.8391
41°	0.6561	0.7547	0.8693
42°	0.6691	0.7431	0.9004
43°	0.6820	0.7314	0.9325
44°	0.6947	0.7193	0.9657
45°	0.7071	0.7071	1.0000

각도	사인(sin)	코사인(cos)	탄젠트(tan)
45°	0.7071	0.7071	1.0000
46°	0.7193	0.6947	1.0355
47°	0.7314	0.6820	1.0724
48°	0.7431	0.6691	1.1106
49°	0.7547	0.6561	1.1504
50°	0.7660	0.6428	1.1918
51°	0.7771	0.6293	1.2349
52°	0.7880	0.6157	1.2799
53°	0.7986	0.6018	1.3270
54°	0.8090	0.5878	1.3764
55°	0.8192	0.5736	1.4281
56°	0.8290	0.5592	1.4826
57°	0.8387	0.5446	1.5399
58°	0.8480	0.5299	1.6003
59°	0.8572	0.5150	1.6643
60°	0.8660	0.5000	1.7321
61°	0.8746	0.4848	1.8040
62°	0.8829	0.4695	1.8807
63°	0.8910	0.4540	1.9626
64°	0.8988	0.4384	2.0503
65°	0.9063	0.4226	2.1445
66°	0.9135	0.4067	2.2460
67°	0.9205	0.3907	2.3559
68°	0.9272	0.3746	2.4751
69°	0.9336	0.3584	2.6051
70°	0.9397	0.3420	2.7475
71°	0.9455	0.3256	2.9042
72°	0.9511	0.3090	3.0777
73°	0.9563	0.2924	3.2709
74°	0.9613	0.2756	3.4874
75°	0.9659	0.2588	3.7321
76°	0.9703	0.2419	4.0108
77°	0.9744	0.2250	4.3315
78°	0.9781	0.2079	4.7046
79°	0.9816	0.1908	5.1446
80°	0.9848	0.1736	5.6713
81°	0.9877	0.1564	6.3138
82°	0.9903	0.1392	7.1154
83°	0.9925	0.1219	8.1443
84°	0.9945	0.1045	9.5144
85°	0.9962	0.0872	11.4301
86°	0.9976	0.0698	14.3007
87°	0.9986	0.0523	19.0811
88°	0.9994	0.0349	28.6363
89°	0.9998	0.0175	57.2900
90°	1.0000	0.0000	

Memo

최상위의 절대 기준

절대등급

최상위의 절대 기준

절대등급

나는 수학의 기초를 세운 탈레스

Thales →

피라미드의 높이 측정!

정답과 풀이

중학 수학 3-2

동아출판

최상위의 절대 기준

절대등급 중학 수학 3-2 빠른 정답 안내

[모바일 빠른 정답]
QR 코드를 찍으면 **정답과 풀이**를 쉽고 빠르게 확인할 수 있습니다.

최상위의 절대 기준

절대등급

중학 **수학** 3-2

정답과 풀이

I. 삼각비

01. 삼각비
| 본책 8쪽~17쪽

LEVEL 1 01 ⑤ 02 $\frac{\sqrt{6}}{3}$ 03 $\frac{9\sqrt{3}}{2}$ 04 $\frac{16}{15}$ 05 $\sqrt{7}$ 06 $\frac{7\sqrt{21}}{10}$
07 $\frac{3}{5}$ 08 ② 09 ⑤ 10 $8+4\sqrt{6}$ 11 6 cm 12 ㄱ, ㄷ, ㅁ 13 ③
14 (1) 1.1084 (2) 94° 15 1.1756 16 $\frac{10}{29}$ 17 $\frac{16}{17}$ 18 $\frac{8\sqrt{3}}{3}$

LEVEL 2 01 $\frac{\sqrt{6}}{3}$ 02 $\frac{\sqrt{5}}{3}$ 03 ③ 04 $\frac{2\sqrt{13}}{13}$ 05 3 06 $\frac{2\sqrt{15}}{5}$
07 $\sqrt{3}$ 08 $\frac{16\sqrt{5}}{21}$ 09 $\frac{1}{7}$ 10 8 11 $\frac{2\sqrt{7}}{7}$ 12 $\frac{\sqrt{6}+\sqrt{2}}{4}$ 13 $2-\sqrt{3}$
14 ④ 15 9 cm² 16 $2-\sqrt{3}$ 17 $2-\sqrt{3}$ 18 $\frac{2\sqrt{2}}{3}$ 19 ③, ⑤ 20 $\frac{21}{10}$
21 ③ 22 24 23 1.4332 24 6.2

LEVEL 3 01 $(6+2\sqrt{3})$ cm 02 $\frac{4}{5}$ 03 $\frac{1}{4}$ 04 $\frac{\sqrt{3}}{4}$

02. 삼각비의 활용
| 본책 20쪽~29쪽

LEVEL 1 01 14.1 02 $125\sqrt{3}$ cm³ 03 40초 04 $(50+50\sqrt{3})$ m
05 $2\sqrt{7}$ cm 06 $150\sqrt{6}$ m 07 58.8 m 08 $(27-9\sqrt{3})$ cm²
09 $\frac{8\sqrt{3}}{3}$ cm 10 153.2 cm² 11 $\frac{75}{2}$ cm² 12 14 cm² 13 $4\sqrt{7}$ cm
14 28 cm² 15 $50\sqrt{2}$ cm² 16 $38\sqrt{3}$ m 17 $4\sqrt{5}$ cm
18 $(15+5\sqrt{3})$ m 19 $(36\pi-27\sqrt{3})$ cm²

LEVEL 2 01 (1) $6\sqrt{2}$ cm (2) $36\sqrt{6}$ cm³ 02 $27\sqrt{3}$ cm²
03 $(3\sqrt{2}+3\sqrt{6})$ cm 04 $8\pi+12+4\sqrt{3}$ 05 $\frac{100\sqrt{3}}{3}$ m 06 1.4534 m
07 $4\sqrt{3}$ cm² 08 $2\sqrt{37}$ cm 09 $\frac{5\sqrt{3}}{2}$ km 10 $\overline{AC}=2\sqrt{3}, \overline{BC}=\sqrt{2}+\sqrt{6}$
11 $50\sqrt{6}$ m 12 $\frac{3\sqrt{3}}{2}$ km 13 $\frac{12\sqrt{3}}{5}$ cm 14 ③ 15 $(18-9\sqrt{3})$ cm
16 $(48\pi-72\sqrt{3})$ cm² 17 $(50+50\sqrt{2})$ cm² 18 1 cm² 19 $48\sqrt{2}$ cm²
20 $60\sqrt{3}$ cm² 21 ③ 22 둘레의 길이 : $24\sqrt{6}$ cm, 넓이 : $144\sqrt{3}$ cm²

LEVEL 3 01 $(48-14\sqrt{3})$ cm² 02 32.4 m 03 $\frac{\sqrt{21}}{14}$
04 $(50\sqrt{3}-75)$ cm²

II. 원의 성질

03. 원과 직선
| 본책 34쪽~45쪽

LEVEL 1 01 $\frac{25}{6}$ 02 $9\sqrt{3}$ cm² 03 $4\sqrt{5}$ cm 04 $\frac{169}{4}\pi$ cm² 05 ④
06 12 07 ⑤ 08 48π cm² 09 $4\sqrt{3}$ 10 $\frac{49}{2}\pi$ cm² 11 $\frac{240}{17}$ 12 24
13 $32\sqrt{15}$ cm² 14 $\sqrt{105}$ cm 15 ③ 16 15 17 2 18 10 cm
19 12 cm 20 $6\sqrt{6}$ 21 4 22 30π cm 23 3600π m² 24 6 cm

LEVEL 2 01 48 02 ③ 03 $(16+16\sqrt{2})$ cm² 04 221π
05 $2\sqrt{89}\pi$ 06 108π cm² 07 $9\sqrt{3}+9\pi$ 08 $6\sqrt{3}$ cm² 09 $9\sqrt{3}-3\pi$
10 8 cm 11 2 cm 12 $(20-10\sqrt{3})$ cm 13 14 cm 14 2 cm
15 $\frac{3\sqrt{6}}{5}$ 16 4
17 (1) $\overline{AB}$: $(5-\sqrt{7})$ cm, $\overline{AC}$: $(5+\sqrt{7})$ cm (2) π cm² 18 $2\sqrt{3}$ cm
19 36 cm² 20 18 21 12 22 13π cm²

LEVEL 3 01 10 02 18 03 $6\sqrt{2}$ cm 04 6 cm

04. 원주각
| 본책 48쪽~55쪽

LEVEL 1 01 100° 02 ② 03 ① 04 54° 05 42° 06 $\frac{4}{5}$ 07 $\frac{7}{5}$
08 7 cm 09 22° 10 9 11 ∠A=60°, ∠B=48°, ∠C=72° 12 90°
13 87° 14 95° 15 156° 16 95° 17 22° 18 105°

LEVEL 2 01 (1) 60° (2) $12\sqrt{3}$ cm² 02 $(18\pi+108)$ m² 03 76°
04 $\frac{10}{3}$ cm 05 $2\sqrt{3}$ 06 144π 07 76° 08 100° 09 35° 10 144
11 130° 12 38° 13 44° 14 $3\sqrt{2}$ cm 15 75° 16 104°

LEVEL 3 01 2 cm 02 $\frac{9\sqrt{2}}{2}$ 03 21 cm 04 $(4\sqrt{3}-6)$ cm

05. 원주각의 활용
| 본책 58쪽~63쪽

LEVEL 1 01 ③, ⑤ 02 $\angle x = 25°$, $\angle y = 38°$ 03 54° 04 38°

05 50° 06 ③ 07 8π cm^2 08 $\dfrac{28}{5}$ 09 9 cm 10 4 cm 11 50°

12 40°

LEVEL 2 01 52° 02 80° 03 121° 04 48π cm^2 05 42° 06 $\sqrt{2}$

07 99° 08 $\dfrac{18}{5}$ cm 09 $\dfrac{27}{2}$ 10 2 cm 11 $3\sqrt{5}$ cm

LEVEL 3 01 61° 02 72 cm^2 03 $4\sqrt{3}$ cm 04 6 cm

III. 통계

06. 대푯값과 산포도
| 본책 68쪽~77쪽

LEVEL 1 01 65 kg 02 5 03 25 04 51 05 ④ 06 ⑤ 07 5회

08 ③, ⑤ 09 ③ 10 6 11 평균 : 70점, 분산 : 12 12 $\sqrt{9.9}$점

13 평균 : 35, 표준편차 : 6 14 ③ 15 ③, ④ 16 $a = b < c$ 17 ㄱ, ㄷ

18 A, B, C

LEVEL 2 01 ④ 02 2개

03 (ⅰ) 수학 점수에서 (평균)=74 (점), (중앙값)=72.5 (점), 최빈값은 60
  점, 70점, 85점이고, 대푯값으로 가장 적절한 것은 평균이다.
  (ⅱ) 신발의 치수에서 (평균)=254.5 (mm), (중앙값)=255 (mm), 최
  빈값은 255 mm이고, 대푯값으로 가장 적절한 것은 최빈값이다.
  (ⅲ) 이웃 돕기 성금에서 (평균)=7350 (원), (중앙값)=2750 (원), 최빈
  값은 2500원, 3000원이고, 대푯값으로 가장 적절한 것은 중앙값이다.

04 11.5 05 2 06 ㄱ, ㄷ 07 $x \geq 6$ 08 3개 09 3개 10 63, 98

11 182 12 66 kg 13 ③, ④ 14 $\sqrt{13.15}$점 15 74 16 6 17 $\sqrt{70}$개

18 ㄷ, ㄹ, ㅁ 19 $\dfrac{17\sqrt{3}}{18}$ cm^2 20 ⑤ 21 ④, ⑤

LEVEL 3 01 199 02 $\sqrt{2}$ 03 45

04 (1) 통계학과의 학업 성취도 분포가 체육학과의 학업 성취도 분포보다 더
  흩어져 있다.
  (2) 통계학과 1등 학생이 체육학과 1등 학생보다 학업 성취도의 상대적 위
  치가 더 높다.

07. 산점도와 상관관계
| 본책 79쪽~85쪽

LEVEL 1 01 ② 02 (1) 4 (2) 3 03 ④ 04 ②, ③ 05 ③

06 (1) 5명 (2) 25 % 07 (1) C (2) 26.5 kg/m^2

08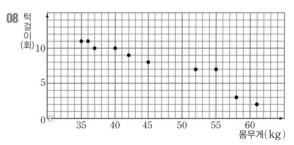

몸무게가 늘어남에 따라 턱걸이 횟수가 대체로 줄어들므로 두 변량 사이에
는 음의 상관관계가 있다.

LEVEL 2 01 72 02 35 %

03 (1) 9권
  (2) 3시간 이하인 학생들이 대출한 도서 수의 평균은 17권
  15시간 이상인 학생들이 대출한 도서 수의 평균은 3권
  따라서 휴대 전화를 적게 사용한 학생이 대체로 대출 도서 수가 많고,
  휴대 전화를 많이 사용한 학생이 대체로 대출 도서 수가 적다고 할 수
  있다.

04 13.3점 05 4명 06 80점 07 (1) 75점 (2) 182점 08 160

09 ㄱ, ㄷ 10 ㄷ, ㅂ, ㅅ 11 ②, ⑤ 12 ⑤

LEVEL 3 01 40 %

02 그룹 A에서 평균은 180점, 분산은 $\dfrac{200}{3}$

그룹 B에서 평균은 80점, 분산은 200
즉, 그룹 A의 분산이 그룹 B의 분산보다 작으므로 그룹 A는 비교적 두 과
목의 총점이 평균 주위에 모여 있고, 그룹 B는 비교적 두 과목의 총점이 평
균으로부터 흩어져 있다고 할 수 있다.
따라서 그룹 A가 그룹 B보다 자료의 분포 상태가 고르다.

03 ②, ④

I. 삼각비

01. 삼각비

LEVEL 1 시험에 꼭 내는 문제 → 8쪽~10쪽

01 ⑤ **02** $\dfrac{\sqrt{6}}{3}$ **03** $\dfrac{9\sqrt{3}}{2}$ **04** $\dfrac{16}{15}$ **05** $\sqrt{7}$ **06** $\dfrac{7\sqrt{21}}{10}$	
07 $\dfrac{3}{5}$ **08** ② **09** ⑤ **10** $8+4\sqrt{6}$ **11** 6 cm	
12 ㄱ, ㄷ, ㅁ **13** ③ **14** (1) 1.1084 (2) 94° **15** 1.1756	
16 $\dfrac{10}{29}$ **17** $\dfrac{16}{17}$ **18** $\dfrac{8\sqrt{3}}{3}$	

01

직각삼각형 ABC에서

$6^2 = \overline{BC}^2 + (3\sqrt{3})^2$이므로

$\overline{BC}^2 = 36 - 27 = 9$

이때 $\overline{BC} > 0$이므로 $\overline{BC} = 3$ (cm)

$\therefore \sin A = \dfrac{3}{6} = \dfrac{1}{2}$, $\cos A = \dfrac{3\sqrt{3}}{6} = \dfrac{\sqrt{3}}{2}$, $\tan A = \dfrac{3}{3\sqrt{3}} = \dfrac{\sqrt{3}}{3}$

$\sin B = \dfrac{3\sqrt{3}}{6} = \dfrac{\sqrt{3}}{2}$, $\cos B = \dfrac{3}{6} = \dfrac{1}{2}$, $\tan B = \dfrac{3\sqrt{3}}{3} = \sqrt{3}$

따라서 옳지 않은 것은 ⑤이다. **답** ⑤

쌤의 특강

오른쪽 그림에서 피타고라스 정리에 의해

$c^2 = a^2 + b^2 \Rightarrow c = \sqrt{a^2 + b^2}$

$a^2 = c^2 - b^2 \Rightarrow a = \sqrt{c^2 - b^2}$

$b^2 = c^2 - a^2 \Rightarrow b = \sqrt{c^2 - a^2}$

02

직각삼각형 ABC에서

$\overline{BC} = \sqrt{(\sqrt{6})^2 - (\sqrt{2})^2} = \sqrt{4} = 2$

$\therefore \overline{BD} = \dfrac{1}{2}\overline{BC} = \dfrac{1}{2} \times 2 = 1$

직각삼각형 ABD에서

$\overline{AD} = \sqrt{1^2 + (\sqrt{2})^2} = \sqrt{3}$

$\therefore \cos x = \dfrac{\overline{AB}}{\overline{AD}} = \dfrac{\sqrt{2}}{\sqrt{3}} = \dfrac{\sqrt{6}}{3}$ **답** $\dfrac{\sqrt{6}}{3}$

03

$\cos A = \dfrac{\overline{AC}}{6} = \dfrac{\sqrt{3}}{2}$에서

$\overline{AC} = 3\sqrt{3}$

$\therefore \overline{BC} = \sqrt{6^2 - (3\sqrt{3})^2} = \sqrt{9} = 3$

$\therefore \triangle ABC = \dfrac{1}{2} \times 3 \times 3\sqrt{3} = \dfrac{9\sqrt{3}}{2}$ **답** $\dfrac{9\sqrt{3}}{2}$

04

$\triangle BDE$와 $\triangle BCA$에서

$\angle BED = \angle BAC = 90°$, $\angle B$는 공통이므로

$\triangle BDE \backsim \triangle BCA$ (AA 닮음)

$\therefore \angle C = \angle BDE = x$

직각삼각형 ABC에서 $\overline{AB} = \sqrt{10^2 - 6^2} = \sqrt{64} = 8$이므로

$\sin x = \sin C = \dfrac{8}{10} = \dfrac{4}{5}$

$\tan x = \tan C = \dfrac{8}{6} = \dfrac{4}{3}$

$\therefore \sin x \times \tan x = \dfrac{4}{5} \times \dfrac{4}{3} = \dfrac{16}{15}$ **답** $\dfrac{16}{15}$

쌤의 특강

두 삼각형은 다음의 각 경우에 서로 닮은 도형이다.

① 세 쌍의 대응변의 길이의 비가 같다. (SSS 닮음)

➡ $a : a' = b : b' = c : c'$

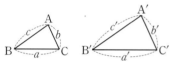

② 두 쌍의 대응변의 길이의 비가 같고, 그 끼인각의 크기가 같다. (SAS 닮음)

➡ $a : a' = c : c'$, $\angle B = \angle B'$

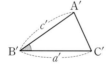

③ 두 쌍의 대응각의 크기가 각각 같다. (AA 닮음)

➡ $\angle B = \angle B'$, $\angle C = \angle C'$

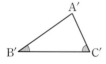

05

$\sin A = \dfrac{\sqrt{2}}{4}$이므로 다음 그림과 같이 $\overline{AC} = 4k$, $\overline{BC} = \sqrt{2}k \ (k > 0)$인 직각삼각형 ABC를 그릴 수 있다.

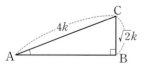

$\overline{AB} = \sqrt{(4k)^2 - (\sqrt{2}k)^2} = \sqrt{14}k$

$\therefore \tan(90° - A) = \tan C = \dfrac{\overline{AB}}{\overline{BC}} = \dfrac{\sqrt{14}k}{\sqrt{2}k} = \sqrt{7}$ **답** $\sqrt{7}$

06

$25x^2-20x+4=0$에서

$(5x-2)^2=0$ $\therefore x=\dfrac{2}{5}$

즉, $\cos A=\dfrac{2}{5}$이므로 오른쪽 그림과 같이

$\angle B=90°$, $\overline{AC}=5k$, $\overline{AB}=2k\,(k>0)$인

직각삼각형 ABC를 그릴 수 있다.

이때 $\overline{BC}=\sqrt{(5k)^2-(2k)^2}=\sqrt{21}k$이므로

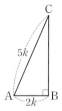

$\sin A=\dfrac{\overline{BC}}{\overline{AC}}=\dfrac{\sqrt{21}k}{5k}=\dfrac{\sqrt{21}}{5}$

$\tan A=\dfrac{\overline{BC}}{\overline{AB}}=\dfrac{\sqrt{21}k}{2k}=\dfrac{\sqrt{21}}{2}$

$\therefore \sin A+\tan A=\dfrac{\sqrt{21}}{5}+\dfrac{\sqrt{21}}{2}=\dfrac{7\sqrt{21}}{10}$ 답 $\dfrac{7\sqrt{21}}{10}$

07

$3x-5y+15=0$에서 $y=\dfrac{3}{5}x+3$

이때 $\tan a$의 값은 주어진 그래프의 기울기와 같으므로

$\tan a=\dfrac{3}{5}$ 답 $\dfrac{3}{5}$

다른 풀이

$3x-5y+15=0$의 그래프의

x절편은 -5, y절편은 3이므로

오른쪽 그림의 직각삼각형 AOB에서

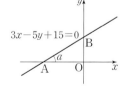

$\tan a=\dfrac{\overline{BO}}{\overline{AO}}=\dfrac{3}{5}$

08

$y=3x+6$의 그래프의 x절편은 -2, y절편은 6이다.

즉, A$(-2,\,0)$, B$(0,\,6)$이므로

$\overline{AO}=2$, $\overline{BO}=6$, $\overline{AB}=\sqrt{2^2+6^2}=\sqrt{40}=2\sqrt{10}$

$\therefore \cos a=\dfrac{\overline{AO}}{\overline{AB}}=\dfrac{2}{2\sqrt{10}}=\dfrac{\sqrt{10}}{10}$ 답 ②

다른 풀이

$\tan a=3$이므로 $\overline{AO}=k$, $\overline{BO}=3k\,(k>0)$라 하면

$\overline{AB}=\sqrt{k^2+(3k)^2}=\sqrt{10}k$

$\therefore \cos a=\dfrac{\overline{AO}}{\overline{AB}}=\dfrac{k}{\sqrt{10}k}=\dfrac{\sqrt{10}}{10}$

09

$0°\leq x-30°\leq90°$일 때

$\cos 30°=\dfrac{\sqrt{3}}{2}$이므로 $x-30°=30°$ $\therefore x=60°$

$\therefore \sin x+\tan x=\sin 60°+\tan 60°$

$=\dfrac{\sqrt{3}}{2}+\sqrt{3}=\dfrac{3\sqrt{3}}{2}$ 답 ⑤

10

$\triangle ABC$에서

$\cos 60°=\dfrac{\overline{AB}}{\overline{AC}}=\dfrac{4}{\overline{AC}}=\dfrac{1}{2}$ $\therefore \overline{AC}=8$

$\tan 60°=\dfrac{\overline{BC}}{\overline{AB}}=\dfrac{\overline{BC}}{4}=\sqrt{3}$ $\therefore \overline{BC}=4\sqrt{3}$

$\triangle BCD$에서

$\sin 45°=\dfrac{\overline{BC}}{\overline{BD}}=\dfrac{4\sqrt{3}}{\overline{BD}}=\dfrac{\sqrt{2}}{2}$, $\sqrt{2}\,\overline{BD}=8\sqrt{3}$

$\therefore \overline{BD}=\dfrac{8\sqrt{3}}{\sqrt{2}}=4\sqrt{6}$

$\therefore \overline{AC}+\overline{BD}=8+4\sqrt{6}$ 답 $8+4\sqrt{6}$

11

$\triangle ADC$에서

$\tan 60°=\dfrac{\overline{AC}}{\overline{DC}}=\dfrac{\overline{AC}}{3}=\sqrt{3}$ $\therefore \overline{AC}=3\sqrt{3}\,(\mathrm{cm})$

$\triangle ABC$에서

$\tan 30°=\dfrac{\overline{AC}}{\overline{BC}}=\dfrac{3\sqrt{3}}{\overline{BC}}=\dfrac{\sqrt{3}}{3}$ $\therefore \overline{BC}=9\,(\mathrm{cm})$

$\therefore \overline{BD}=\overline{BC}-\overline{CD}=9-3=6\,(\mathrm{cm})$ 답 6 cm

12

ㄱ. $\sin x=\dfrac{\overline{AB}}{\overline{OA}}=\dfrac{\overline{AB}}{1}=\overline{AB}$

ㄴ. $\cos x=\dfrac{\overline{OB}}{\overline{OA}}=\dfrac{\overline{OB}}{1}=\overline{OB}$

ㄷ. $\cos y=\dfrac{\overline{AB}}{\overline{OA}}=\dfrac{\overline{AB}}{1}=\overline{AB}$

ㄹ. $\sin z=\sin y=\dfrac{\overline{OB}}{\overline{OA}}=\dfrac{\overline{OB}}{1}=\overline{OB}$

ㅁ. $\tan x=\dfrac{\overline{CD}}{\overline{OD}}=\dfrac{\overline{CD}}{1}=\overline{CD}$, $\tan y=\tan z=\dfrac{\overline{OD}}{\overline{CD}}=\dfrac{1}{\overline{CD}}$

이므로

$\tan x+\tan y+\tan z=\overline{CD}+2\times\dfrac{1}{\overline{CD}}=\overline{CD}+\dfrac{2}{\overline{CD}}$

따라서 옳은 것은 ㄱ, ㄷ, ㅁ이다.　　　　　　　 **답** ㄱ, ㄷ, ㅁ

쌤의 오답 피하기 특강

$\overline{OA}$, $\overline{OD}$는 사분원의 반지름이므로 그 길이가 1이지만, $\overline{CD}$는 반지름이 아니므로 그 길이가 1이 아니다.

또한, $\overline{AB}\,\#\,\overline{CD}$이므로 평행선의 성질에 의해 $\angle y=\angle z$(동위각)이므로 $\angle y$와 $\angle z$의 삼각비의 값은 서로 같다.

13

① $\sin 90°-\cos 0°+\tan 45°=1-1+1=1$

② $\tan 60°\times\cos 0°+\sin 45°\times\tan 0°$

　$=\sqrt{3}\times1+\dfrac{\sqrt{2}}{2}\times0=\sqrt{3}$

③ $(\sin 0°+\cos 60°)(\cos 90°-\sin 30°)$

　$=\left(0+\dfrac{1}{2}\right)\left(0-\dfrac{1}{2}\right)=-\dfrac{1}{4}$

④ $\cos 30°\times\sin 45°-\cos 45°\times\tan 30°$

　$=\dfrac{\sqrt{3}}{2}\times\dfrac{\sqrt{2}}{2}-\dfrac{\sqrt{2}}{2}\times\dfrac{\sqrt{3}}{3}$

　$=\dfrac{\sqrt{6}}{4}-\dfrac{\sqrt{6}}{6}=\dfrac{\sqrt{6}}{12}$

⑤ $\sqrt{3}\sin 60°-\sqrt{2}\cos 45°+\sqrt{3}\tan 30°$

　$=\sqrt{3}\times\dfrac{\sqrt{3}}{2}-\sqrt{2}\times\dfrac{\sqrt{2}}{2}+\sqrt{3}\times\dfrac{\sqrt{3}}{3}$

　$=\dfrac{3}{2}-1+1=\dfrac{3}{2}$

따라서 옳지 않은 것은 ③이다.　　　　　　　　 **답** ③

14

(1) $\sin 48°=0.7431$, $\cos 45°=0.7071$, $\tan 47°=1.0724$

　$\therefore$ (주어진 식)$=0.7431-0.7071+1.0724=1.1084$

(2) $\sin 46°=0.7193$, $\tan 48°=1.1106$이므로

　$x=46°$, $y=48°$

　$\therefore x+y=46°+48°=94°$　　　 **답** (1) 1.1084 (2) $94°$

15

$\triangle AOB$에서 $\angle AOB=x$라 하면

$\sin x=\dfrac{\overline{AB}}{\overline{OA}}=\dfrac{1.618}{2}=0.809$

삼각비의 표에서 $\sin 54°=0.8090$이므로 $x=54°$

따라서 $\cos 54°=\dfrac{\overline{OB}}{\overline{OA}}=\dfrac{\overline{OB}}{2}$이므로

$\overline{OB}=2\cos 54°=2\times0.5878=1.1756$　　 **답** 1.1756

쌤의 오답 피하기 특강

삼각비의 표에서 삼각비의 값을 이용하여 $\angle AOB$의 크기를 먼저 구해야 $\overline{OB}$의 길이를 구할 수 있다. 이때 문제를 꼼꼼히 읽지 않고 사분원의 반지름의 길이를 1로 계산하지 않도록 주의한다.

16

$\angle F=90°$인 직각삼각형 EFG에서

$\overline{EG}=\sqrt{3^2+4^2}=\sqrt{25}=5$ (cm)

$\angle E=90°$인 직각삼각형 AEG에서

$\overline{AG}=\sqrt{2^2+5^2}=\sqrt{29}$ (cm)

오른쪽 그림에서

$\sin x=\dfrac{2}{\sqrt{29}}=\dfrac{2\sqrt{29}}{29}$

$\cos x=\dfrac{5}{\sqrt{29}}=\dfrac{5\sqrt{29}}{29}$

$\therefore \sin x\times\cos x=\dfrac{2\sqrt{29}}{29}\times\dfrac{5\sqrt{29}}{29}=\dfrac{10}{29}$　　 **답** $\dfrac{10}{29}$

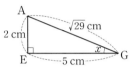

쌤의 만점 특강

세 모서리의 길이가 각각 a, b, c인 직육면체의 대각선의 길이 l은

$l=\sqrt{a^2+b^2+c^2}$

17

$\triangle ABC \backsim \triangle DBA \backsim \triangle DAC$ (AA 닮음)이므로

$\angle C=\angle BAD=x$, $\angle B=\angle CAD=y$

$\triangle ABC$에서 $\overline{BC}=\sqrt{8^2+15^2}=\sqrt{289}=17$이므로

$\sin x=\sin C=\dfrac{8}{17}$, $\cos y=\cos B=\dfrac{8}{17}$

$\therefore \sin x+\cos y=\dfrac{8}{17}+\dfrac{8}{17}=\dfrac{16}{17}$　　 **답** $\dfrac{16}{17}$

18

$\triangle AOB$에서

$\sin 30°=\dfrac{3}{\overline{BO}}=\dfrac{1}{2}$　　$\therefore \overline{BO}=6$

$\triangle BOC$에서

$\cos 30°=\dfrac{\overline{BO}}{\overline{CO}}=\dfrac{6}{\overline{CO}}=\dfrac{\sqrt{3}}{2}$

$\sqrt{3}\,\overline{CO}=12$　　$\therefore \overline{CO}=\dfrac{12}{\sqrt{3}}=4\sqrt{3}$

△COD에서

$$\cos 30° = \frac{\overline{CO}}{\overline{DO}} = \frac{4\sqrt{3}}{\overline{DO}} = \frac{\sqrt{3}}{2}$$

$$\sqrt{3}\,\overline{DO} = 8\sqrt{3} \quad \therefore \overline{DO} = 8$$

따라서 △DOE에서

$$\tan 30° = \frac{\overline{DE}}{\overline{DO}} = \frac{\overline{DE}}{8} = \frac{\sqrt{3}}{3}$$이므로

$$3\overline{DE} = 8\sqrt{3} \quad \therefore \overline{DE} = \frac{8\sqrt{3}}{3}$$ 답 $\dfrac{8\sqrt{3}}{3}$

LEVEL 2 필수 기출 문제 → 11쪽~16쪽

01 $\dfrac{\sqrt{6}}{3}$	02 $\dfrac{\sqrt{5}}{3}$	03 ③	04 $\dfrac{2\sqrt{13}}{13}$	05 3	06 $\dfrac{2\sqrt{15}}{5}$
07 $\sqrt{3}$	08 $\dfrac{16\sqrt{5}}{21}$	09 $\dfrac{1}{7}$	10 8	11 $\dfrac{2\sqrt{7}}{7}$	
12 $\dfrac{\sqrt{6}+\sqrt{2}}{4}$	13 $2-\sqrt{3}$	14 ④	15 $9\,\text{cm}^2$		
16 $2-\sqrt{3}$	17 $2-\sqrt{3}$	18 $\dfrac{2\sqrt{2}}{3}$	19 ③,⑤		
20 $\dfrac{21}{10}$	21 ③	22 24	23 1.4332	24 6.2	

01

[**전략**] 꼭짓점 V에서 $\overline{MN}$에 내린 수선의 발을 H라 하고, 직각삼각형 VMH에서 삼각비의 값을 생각한다.

$\overline{VM} \perp \overline{AB}$이므로 직각삼각형 VAM에서

$$\overline{VM} = \sqrt{4^2 - 2^2} = \sqrt{12} = 2\sqrt{3}$$

$\overline{VN} \perp \overline{DC}$이므로 직각삼각형 VDN에서

$$\overline{VN} = \sqrt{4^2 - 2^2} = \sqrt{12} = 2\sqrt{3}$$

오른쪽 그림과 같이 △VMN의 꼭짓점 V에서 $\overline{MN}$에 내린 수선의 발을 H라 하면 $\overline{MH} = \overline{NH} = 2$이므로

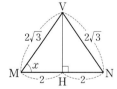

△VMH에서

$$\overline{VH} = \sqrt{(2\sqrt{3})^2 - 2^2}$$
$$= \sqrt{8} = 2\sqrt{2}$$

$$\therefore \sin x = \frac{\overline{VH}}{\overline{VM}} = \frac{2\sqrt{2}}{2\sqrt{3}} = \frac{\sqrt{6}}{3}$$ 답 $\dfrac{\sqrt{6}}{3}$

쌤의 만점 특강

이등변삼각형의 꼭지각의 이등분선은 밑변을 수직이등분한다.

→ ∠BAD = ∠CAD이면
$\overline{BD} = \overline{CD}$, $\overline{AD} \perp \overline{BC}$

02

[**전략**] 직각삼각형에서 빗변의 중점이 외심임을 이용하여 $\overline{BM}$의 길이를 구한다.

점 M은 직각삼각형 ABC의 외심이므로

$$\overline{AM} = \overline{BM} = \overline{CM} = \frac{1}{2} \times 6 = 3$$

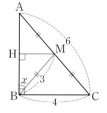

점 M에서 $\overline{AB}$에 내린 수선의 발을 H라 하면 삼각형의 두 변의 중점을 연결한 선분의 성질에 의해

$$\overline{HM} = \frac{1}{2}\overline{BC} = \frac{1}{2} \times 4 = 2$$

따라서 △BMH에서

$$\overline{BH} = \sqrt{3^2 - 2^2} = \sqrt{5}$$

$$\therefore \cos x = \frac{\overline{BH}}{\overline{BM}} = \frac{\sqrt{5}}{3}$$ 답 $\dfrac{\sqrt{5}}{3}$

쌤의 복합 개념 특강

개념1 삼각형의 외심의 위치

① 예각삼각형: 삼각형의 내부

② 직각삼각형: 빗변의 중점

③ 둔각삼각형: 삼각형의 외부

개념2 삼각형의 두 변의 중점을 연결한 선분의 성질

△ABC에서

$\overline{AM} = \overline{BM}$, $\overline{MN} \parallel \overline{BC}$이면

$$\overline{AN} = \overline{NC}, \quad \overline{MN} = \frac{1}{2}\overline{BC}$$

03

[**전략**] 점 F에서 $\overline{AD}$에 내린 수선의 발을 H라 하고, 직각삼각형 HFE에서 삼각비의 값을 생각한다.

△ECD에서

$\overline{EC} = \overline{EA} = 4\,\text{cm}$, $\overline{DC} = \overline{AB} = 3\,\text{cm}$이므로

$$\overline{ED} = \sqrt{4^2 - 3^2} = \sqrt{7}\ (\text{cm})$$

오른쪽 그림에서

∠CEF = ∠AEF = x (접은 각)

∠CFE = ∠AEF = x (엇각)

이므로 ∠CEF = ∠CFE

$$\therefore \overline{CF} = \overline{CE} = 4\,\text{cm}$$

점 F에서 $\overline{AD}$에 내린 수선의 발을 H라 하면

$$\overline{HE} = \overline{HD} - \overline{ED} = \overline{FC} - \overline{ED} = 4 - \sqrt{7}\ (\text{cm})$$

$$\overline{HF} = \overline{AB} = 3\,\text{cm}$$

따라서 △HFE에서

$$\tan x = \frac{\overline{HF}}{\overline{HE}} = \frac{3}{4 - \sqrt{7}} = \frac{4 + \sqrt{7}}{3}$$ 답 ③

04

[**전략**] $\overline{OC}$를 그었을 때, $\triangle AOC$는 직각삼각형임을 이용한다.

오른쪽 그림과 같이 $\overline{OC}$를 그으면

$\overline{OC}=\overline{OB}=4\,cm$ (반지름의 길이)

즉, $\triangle OBC$는 이등변삼각형이므로

$\angle OCB = \angle OBC = 45°$

$\therefore \angle AOC = 45° + 45° = 90°$

따라서 직각삼각형 AOC에서

$\overline{AC}=\sqrt{6^2+4^2}=\sqrt{52}=2\sqrt{13}\,(cm)$

$\therefore \sin A = \dfrac{\overline{CO}}{\overline{AC}}=\dfrac{4}{2\sqrt{13}}=\dfrac{2\sqrt{13}}{13}$

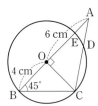

답 $\dfrac{2\sqrt{13}}{13}$

05

[**전략**] 점 C에서 $\overline{AD}$의 연장선에 내린 수선의 발을 E라 하고, 직각삼각형 AEC에서 삼각비의 값을 생각한다.

오른쪽 그림과 같이 점 C에서 $\overline{AD}$의 연장선에 내린 수선의 발을 E라 하자.

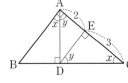

$\triangle ABD$는 직각이등변삼각형이므로

$\angle BAD = \angle BDA = 45°$

$\therefore \overline{AD}=\sqrt{1^2+1^2}=\sqrt{2}$

또, $\angle CDE = \angle BDA = 45°$ (맞꼭지각)이므로 $\triangle CDE$는 직각이등변삼각형이다.

$\overline{DE}=\overline{CE}=a$라 하면

$a^2+a^2=1^2$이므로 $a^2=\dfrac{1}{2}$

이때 $a>0$이므로 $a=\dfrac{\sqrt{2}}{2}$

$\triangle AEC$에서 $\overline{AE}=\overline{AD}+\overline{DE}=\sqrt{2}+\dfrac{\sqrt{2}}{2}=\dfrac{3\sqrt{2}}{2}$이므로

$\tan(90°-x)=\dfrac{\overline{AE}}{\overline{CE}}=\dfrac{3\sqrt{2}}{2}\div\dfrac{\sqrt{2}}{2}=3$

답 3

06

[**전략**] $\angle x$, $\angle y$와 크기가 같은 각을 각각 찾는다.

오른쪽 그림에서

$\triangle CAD \backsim \triangle ABD$ (AA 닮음)

이므로 $\angle ACD = \angle BAD = x$

$\triangle DCE \backsim \triangle ADE$ (AA 닮음)

이므로 $\angle CDE = \angle DAE = y$

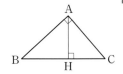

$\triangle ADC$에서

$\overline{DE}^2=\overline{AE}\times\overline{CE}=2\times3=6$

$\overline{DE}>0$이므로 $\overline{DE}=\sqrt{6}$

$\overline{DC}^2=\overline{CE}\times\overline{CA}=3\times5=15$

$\overline{DC}>0$이므로 $\overline{DC}=\sqrt{15}$

$\triangle DCE$에서

$\sin y = \dfrac{\overline{CE}}{\overline{DC}}=\dfrac{3}{\sqrt{15}}=\dfrac{\sqrt{15}}{5}$

$\cos x = \dfrac{\overline{CE}}{\overline{DC}}=\dfrac{3}{\sqrt{15}}=\dfrac{\sqrt{15}}{5}$

$\therefore \sin y + \cos x = \dfrac{\sqrt{15}}{5}+\dfrac{\sqrt{15}}{5}=\dfrac{2\sqrt{15}}{5}$

답 $\dfrac{2\sqrt{15}}{5}$

쌤의 복합 개념 특강

개념1 직각삼각형의 닮음 관계

$\triangle ABC \backsim \triangle HBA \backsim \triangle HAC$ (AA 닮음)

개념2 직각삼각형의 닮음의 활용

① $\overline{AB}^2=\overline{BH}\times\overline{BC}$

② $\overline{AC}^2=\overline{CH}\times\overline{CB}$

③ $\overline{AH}^2=\overline{BH}\times\overline{CH}$

07

[**전략**] 서로 닮음인 두 직각삼각형에서 비례식을 세워 변의 길이를 구한다.

$\overline{AB}=\overline{CE}=a$, $\overline{DE}=b$라 하면

$\overline{AC}+\overline{DE}=2$이므로 $\overline{AC}=2-b$

$\triangle ABC$와 $\triangle EDC$에서

$\angle BAC = \angle DEC = 90°$, $\angle C$는 공통이므로

$\triangle ABC \backsim \triangle EDC$ (AA 닮음)

즉, $\overline{AB}:\overline{ED}=\overline{AC}:\overline{EC}$이므로

$a:b=(2-b):a$, $a^2=b(2-b)$

$\therefore a^2+b^2=2b$ ······ ㉠

또, 직각삼각형 EDC에서

$a^2+b^2=1$ ······ ㉡

㉡을 ㉠에 대입하면

$1=2b$ $\therefore b=\dfrac{1}{2}$

$b=\dfrac{1}{2}$을 ㉡에 대입하면 $a^2=\dfrac{3}{4}$

이때 $a>0$이므로 $a=\dfrac{\sqrt{3}}{2}$

$\angle EDC = \angle B = \angle x$이므로

$\triangle EDC$에서

$\tan x = \dfrac{\overline{EC}}{\overline{DE}}=\dfrac{\sqrt{3}}{2}\times2=\sqrt{3}$

답 $\sqrt{3}$

08

[**전략**] 점 A에서 $\overline{BC}$에 수선을 그어 두 직각삼각형을 만든 후, 삼각비의 값을 생각한다.

오른쪽 그림과 같이 점 A에서 $\overline{BC}$에 내린 수선의 발을 H라 하자.

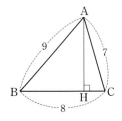

$\overline{BH}=x$, $\overline{CH}=y$라 하면

$x+y=8$ ······ ㉠

$\triangle ABH$에서

$\overline{AH}^2=9^2-x^2=81-x^2$

△AHC에서

$\overline{AH}^2 = 7^2 - y^2 = 49 - y^2$

$81 - x^2 = 49 - y^2$에서

$x^2 - y^2 = 32$

$(x+y)(x-y) = 32$

㉠을 대입하면

$8(x-y) = 32, \; x-y = 4 \quad \cdots\cdots ㉡$

㉠, ㉡을 연립하여 풀면 $x = 6, \; y = 2$

$\therefore \overline{AH} = \sqrt{9^2 - 6^2} = \sqrt{45} = 3\sqrt{5}$

$\sin B = \dfrac{\overline{AH}}{\overline{AB}} = \dfrac{3\sqrt{5}}{9} = \dfrac{\sqrt{5}}{3}$

$\sin C = \dfrac{\overline{AH}}{\overline{AC}} = \dfrac{3\sqrt{5}}{7}$

$\therefore \sin B + \sin C = \dfrac{\sqrt{5}}{3} + \dfrac{3\sqrt{5}}{7} = \dfrac{16\sqrt{5}}{21}$ 　　답 $\dfrac{16\sqrt{5}}{21}$

09

[전략] 주어진 비례식을 이용하여 △ABC의 두 변의 길이의 비를 구한다.

오른쪽 그림과 같이 ∠B = 90°인 직각삼각형 ABC에서

$\sin A = \dfrac{\overline{BC}}{\overline{AC}}, \; \cos A = \dfrac{\overline{AB}}{\overline{AC}}$이고,

$\sin A : \cos A = 4 : 3$이므로

$\overline{BC} : \overline{AB} = 4 : 3$

따라서 $\overline{AB} = 3k, \; \overline{BC} = 4k \; (k > 0)$라 하면

$\tan A = \dfrac{\overline{BC}}{\overline{AB}} = \dfrac{4k}{3k} = \dfrac{4}{3}$

$\therefore \dfrac{\tan A - 1}{\tan A + 1} = \dfrac{\dfrac{4}{3} - 1}{\dfrac{4}{3} + 1} = \dfrac{1}{7}$ 　　답 $\dfrac{1}{7}$

10

[전략] ∠BOH와 크기가 같은 각을 찾은 후, 삼각비의 값을 이용하여 $\overline{AO}, \overline{BO}$의 길이를 구한다.

△AOB ∽ △OHB (AA 닮음)이므로

∠BAO = ∠BOH = a

$\sin a = \dfrac{4}{5}$이므로 △AOB에서

$\overline{AB} = 5k, \; \overline{BO} = 4k \; (k > 0)$라 하면

$\overline{AO} = \sqrt{(5k)^2 - (4k)^2} = \sqrt{9k^2} = 3k$

또, $\overline{AO} \times \overline{BO} = \overline{AB} \times \overline{OH}$이므로

$3k \times 4k = 5k \times 4 \qquad \therefore k = \dfrac{5}{3}$

따라서 $\overline{AO} = 3k = 5, \; \overline{BO} = 4k = \dfrac{20}{3}$이므로

직선 $y = mx + n$에서

$m = (기울기) = \dfrac{\dfrac{20}{3}}{5} = \dfrac{4}{3}, \; n = (y절편) = \dfrac{20}{3}$

$\therefore m + n = \dfrac{4}{3} + \dfrac{20}{3} = 8$ 　　답 8

11

[전략] 30°의 삼각비의 값을 이용하여 $\overline{AC}, \overline{BC}$의 길이를 한 문자에 대한 식으로 각각 나타낸다.

△ABC에서

$\tan 30° = \dfrac{\overline{CA}}{\overline{BC}} = \dfrac{\sqrt{3}}{3}$이므로

$\overline{CA} = \sqrt{3}k, \; \overline{BC} = 3k \; (k > 0)$라 하면

$\overline{DC} = \dfrac{2}{3}\overline{BC} = \dfrac{2}{3} \times 3k = 2k$

△ADC에서

$\overline{AD} = \sqrt{(\sqrt{3}k)^2 + (2k)^2} = \sqrt{7}k$이므로

$\cos x = \dfrac{\overline{DC}}{\overline{AD}} = \dfrac{2k}{\sqrt{7}k} = \dfrac{2\sqrt{7}}{7}$ 　　답 $\dfrac{2\sqrt{7}}{7}$

12

[전략] 한 내각의 크기가 15°인 직각삼각형을 찾아 삼각비의 값을 구하기 위해 알아야 할 변의 길이를 구한다.

△ABC에서 ∠BAC = 45°이고

△ADC에서 ∠DAC = 30°이므로

∠BAD = 45° - 30° = 15°

△ADC에서

$\cos 60° = \dfrac{2}{\overline{AD}} = \dfrac{1}{2} \qquad \therefore \overline{AD} = 4$

$\tan 60° = \dfrac{\overline{AC}}{2} = \sqrt{3} \qquad \therefore \overline{AC} = 2\sqrt{3}$

△ABC는 직각이등변삼각형이므로

$\overline{BC} = \overline{AC} = 2\sqrt{3} \qquad \therefore \overline{BD} = 2\sqrt{3} - 2$

또, $\overline{AB} = \sqrt{(2\sqrt{3})^2 + (2\sqrt{3})^2} = \sqrt{24} = 2\sqrt{6}$

△EBD에서

$\cos 45° = \dfrac{\overline{BE}}{\overline{BD}} = \dfrac{\overline{BE}}{2\sqrt{3} - 2} = \dfrac{\sqrt{2}}{2}$

$2\overline{BE} = 2\sqrt{6} - 2\sqrt{2} \qquad \therefore \overline{BE} = \sqrt{6} - \sqrt{2}$

$\therefore \overline{AE} = \overline{AB} - \overline{BE} = 2\sqrt{6} - (\sqrt{6} - \sqrt{2}) = \sqrt{6} + \sqrt{2}$

따라서 직각삼각형 AED에서

$\cos 15° = \dfrac{\overline{AE}}{\overline{AD}} = \dfrac{\sqrt{6} + \sqrt{2}}{4}$ 　　답 $\dfrac{\sqrt{6} + \sqrt{2}}{4}$

13

[**전략**] 주어진 각과 □ABCD가 직사각형임을 이용해 크기가 15°인 각을 찾는다.

△BQP에서

$\sin 60° = \dfrac{\overline{BP}}{\overline{BQ}} = \dfrac{\overline{BP}}{8} = \dfrac{\sqrt{3}}{2}$

$\therefore \overline{BP} = 4\sqrt{3}$

$\cos 60° = \dfrac{\overline{PQ}}{\overline{BQ}} = \dfrac{\overline{PQ}}{8} = \dfrac{1}{2}$

$\therefore \overline{PQ} = 4$

△ABP는 직각이등변삼각형이므로

$\cos 45° = \dfrac{\overline{AB}}{\overline{BP}} = \dfrac{\overline{AB}}{4\sqrt{3}} = \dfrac{\sqrt{2}}{2}$

$\therefore \overline{AB} = 2\sqrt{6}$

$\therefore \overline{AP} = \overline{AB} = 2\sqrt{6}$

∠DPQ = 180° − (45° + 90°) = 45°이므로

△DPQ는 직각이등변삼각형이고

$\cos 45° = \dfrac{\overline{DP}}{\overline{PQ}} = \dfrac{\overline{DP}}{4} = \dfrac{\sqrt{2}}{2}$

$\therefore \overline{DP} = 2\sqrt{2}$

$\therefore \overline{DQ} = \overline{DP} = 2\sqrt{2}$

∠BQC = 180° − (60° + 45°) = 75°이므로

∠QBC = 180° − (75° + 90°) = 15°

따라서 △BCQ에서

$\tan 15° = \dfrac{\overline{CQ}}{\overline{BC}} = \dfrac{\overline{DC} - \overline{DQ}}{\overline{AP} + \overline{DP}}$

$= \dfrac{2\sqrt{6} - 2\sqrt{2}}{2\sqrt{6} + 2\sqrt{2}}$

$= \dfrac{\sqrt{6} - \sqrt{2}}{\sqrt{6} + \sqrt{2}} = 2 - \sqrt{3}$ **답** $2 - \sqrt{3}$

14

[**전략**] 점 I가 △ABC의 내심이므로 $\overline{AD}$는 ∠A의 이등분선이다.

△ABC에서

$\sin 60° = \dfrac{\overline{AC}}{\overline{AB}} = \dfrac{\overline{AC}}{6\sqrt{3}} = \dfrac{\sqrt{3}}{2}$

$2\overline{AC} = 18$ $\therefore \overline{AC} = 9$

$\cos 60° = \dfrac{\overline{BC}}{\overline{AB}} = \dfrac{\overline{BC}}{6\sqrt{3}} = \dfrac{1}{2}$

$2\overline{BC} = 6\sqrt{3}$ $\therefore \overline{BC} = 3\sqrt{3}$

$\overline{CD} = x$라 하면 점 I가 △ABC의 내심이므로 $\overline{AD}$는 ∠A의 이등분선이고, 삼각형의 내각의 이등분선의 성질에 의해

$\overline{AB} : \overline{AC} = \overline{BD} : \overline{CD}$이므로

$6\sqrt{3} : 9 = (3\sqrt{3} - x) : x$

$6\sqrt{3}x = 9(3\sqrt{3} - x), (3 + 2\sqrt{3})x = 9\sqrt{3}$

$\therefore x = \dfrac{9\sqrt{3}}{3 + 2\sqrt{3}} = \dfrac{9\sqrt{3}(3 - 2\sqrt{3})}{-3} = 18 - 9\sqrt{3}$ **답** ④

개념1 삼각형의 내심

삼각형의 내심 : 삼각형의 세 내각의 이등분선의
교점

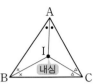

개념2 삼각형의 내각의 이등분선의 성질

△ABC에서 ∠A의 이등분선이 $\overline{BC}$와
만나는 점을 D라 하면
$\overline{AB} : \overline{AC} = \overline{BD} : \overline{CD}$

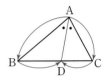

15

[**전략**] 접은 각과 엇각의 크기가 각각 같음을 이용하여 길이가 같은 선분을 모두 찾는다.

∠AEF = ∠IEF = x (접은 각)

∠IFE = ∠AEF = x (엇각)

즉, ∠IEF = ∠IFE이므로 △IEF는 이등변삼각형이다.

$\therefore \overline{IE} = \overline{IF} = 6\,cm$

∠CIJ = ∠MIJ = y (접은 각)

∠MJI = ∠CIJ = y (엇각)

즉, ∠MIJ = ∠MJI이므로 △MIJ는 이등변삼각형이다.

$\therefore \overline{MI} = \overline{MJ} = 6\,cm$

또, △EFI에서

∠EIC = $2x$, ∠MIC = $2y$이므로

∠EIM = $2x - 2y = 2 \times 15° = 30°$

다음 그림과 같이 점 M에서 $\overline{EI}$에 내린 수선의 발을 N이라 하면

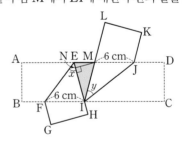

△MNI에서

$\sin 30° = \dfrac{\overline{MN}}{\overline{MI}} = \dfrac{\overline{MN}}{6} = \dfrac{1}{2}$

$\therefore \overline{MN} = 3\,(cm)$

$\therefore \triangle EIM = \dfrac{1}{2} \times \overline{EI} \times \overline{MN} = \dfrac{1}{2} \times 6 \times 3 = 9\,(cm^2)$ **답** $9\,cm^2$

삼각형의 내각과 외각의 크기 사이의 관계

삼각형의 한 외각의 크기는 그와 이웃하지
않는 두 내각의 크기의 합과 같다.

➡ ∠ACD = ∠A + ∠B

16

[전략] $\overline{BD}$의 길이를 구한 후, $\triangle BCD$가 직각이등변삼각형임을 이용한다.

$\triangle ABD$에서

$\tan 30° = \dfrac{\overline{AD}}{\overline{BD}} = \dfrac{4}{\overline{BD}} = \dfrac{\sqrt{3}}{3}$, $\sqrt{3}\,\overline{BD} = 12$

$\therefore \overline{BD} = 4\sqrt{3}$

$\triangle BCD$는 직각이등변삼각형이므로

$\overline{BC} = \overline{CD} = a$라 하면

$a^2 + a^2 = (4\sqrt{3})^2$, $a^2 = 24$

이때 $a > 0$이므로 $a = 2\sqrt{6}$

또, 점 D에서 $\overline{AE}$에 내린 수선의 발을 H라 하면

$\triangle AHD$는 직각이등변삼각형이므로

$\overline{AH} = \overline{HD} = b$라 하면

$b^2 + b^2 = 4^2$, $b^2 = 8$

이때 $b > 0$이므로 $b = 2\sqrt{2}$

따라서

$\overline{BE} = \overline{BC} - \overline{EC} = \overline{BC} - \overline{HD} = 2\sqrt{6} - 2\sqrt{2}$

$\overline{AE} = \overline{AH} + \overline{HE} = \overline{AH} + \overline{DC} = 2\sqrt{2} + 2\sqrt{6}$

이므로 $\triangle ABE$에서

$\tan x = \dfrac{\overline{BE}}{\overline{AE}} = \dfrac{2\sqrt{6} - 2\sqrt{2}}{2\sqrt{2} + 2\sqrt{6}} = \dfrac{(\sqrt{6} - \sqrt{2})^2}{4}$

$\quad = \dfrac{8 - 4\sqrt{3}}{4} = 2 - \sqrt{3}$ 답 $2 - \sqrt{3}$

17

[전략] $\square ABCD = \triangle ABD + \triangle DBE + \triangle DEC$임을 이용하여 점 E에서 $\overline{BD}$에 내린 수선의 길이를 구한다.

$\triangle ABD$에서 $\angle ABD = \angle ADB = 45°$이므로

$\cos 45° = \dfrac{\overline{AB}}{\overline{BD}} = \dfrac{6}{\overline{BD}} = \dfrac{\sqrt{2}}{2}$

$\sqrt{2}\,\overline{BD} = 12$ $\therefore \overline{BD} = 6\sqrt{2}$

$\triangle DEC$에서 $\tan 60° = \dfrac{\overline{CD}}{\overline{EC}} = \dfrac{6}{\overline{EC}} = \sqrt{3}$

$\sqrt{3}\,\overline{EC} = 6$ $\therefore \overline{EC} = 2\sqrt{3}$

다음 그림과 같이 점 E에서 $\overline{BD}$에 내린 수선의 발을 H라 하면

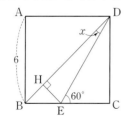

$\square ABCD = \triangle ABD + \triangle DBE + \triangle DEC$이므로

$6 \times 6 = \dfrac{1}{2} \times 6 \times 6 + \dfrac{1}{2} \times 6\sqrt{2} \times \overline{EH} + \dfrac{1}{2} \times 2\sqrt{3} \times 6$

$3\sqrt{2}\,\overline{EH} = 18 - 6\sqrt{3}$ $\therefore \overline{EH} = \dfrac{6 - 2\sqrt{3}}{\sqrt{2}} = 3\sqrt{2} - \sqrt{6}$

이때 $\triangle BEH$는 직각이등변삼각형이므로

$\overline{BH} = \overline{EH} = 3\sqrt{2} - \sqrt{6}$

$\therefore \overline{DH} = \overline{BD} - \overline{BH} = 6\sqrt{2} - (3\sqrt{2} - \sqrt{6}) = 3\sqrt{2} + \sqrt{6}$

따라서 $\triangle DHE$에서

$\tan x = \dfrac{\overline{EH}}{\overline{DH}} = \dfrac{3\sqrt{2} - \sqrt{6}}{3\sqrt{2} + \sqrt{6}} = \dfrac{(3\sqrt{2} - \sqrt{6})^2}{12} = 2 - \sqrt{3}$ 답 $2 - \sqrt{3}$

참고 다음과 같이 $\overline{EH}$의 길이를 구할 수도 있다.

$\triangle DBE = \dfrac{1}{2} \times \overline{BE} \times \overline{DC} = \dfrac{1}{2} \times \overline{DB} \times \overline{EH}$이므로

$\dfrac{1}{2} \times (6 - 2\sqrt{3}) \times 6 = \dfrac{1}{2} \times 6\sqrt{2} \times \overline{EH}$ $\therefore \overline{EH} = \dfrac{6 - 2\sqrt{3}}{\sqrt{2}} = 3\sqrt{2} - \sqrt{6}$

다른 풀이

$\triangle ABD$에서 $\overline{BD} = \sqrt{6^2 + 6^2} = 6\sqrt{2}$

$\triangle DEC$에서

$\sin 60° = \dfrac{\overline{DC}}{\overline{DE}} = \dfrac{6}{\overline{DE}} = \dfrac{\sqrt{3}}{2}$ $\therefore \overline{DE} = 4\sqrt{3}$

$\tan 60° = \dfrac{\overline{CD}}{\overline{EC}} = \dfrac{6}{\overline{EC}} = \sqrt{3}$ $\therefore \overline{EC} = 2\sqrt{3}$

오른쪽 그림과 같이 점 E에서 $\overline{BD}$에 내린 수선의 발을 H라 하면

$\angle HBE = \angle BEH = 45°$

$\overline{HE} = a$라 하면 $\overline{BH} = \overline{HE} = a$이므로

$\overline{DH} = \overline{BD} - \overline{BH} = 6\sqrt{2} - a$

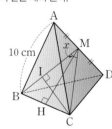

$\triangle DHE$에서

$(6\sqrt{2} - a)^2 + a^2 = (4\sqrt{3})^2$, $a^2 - 6\sqrt{2}a + 12 = 0$

이때 $0 < a < 6$이므로 $a = 3\sqrt{2} - \sqrt{6}$

$\overline{DH} = 6\sqrt{2} - (3\sqrt{2} - \sqrt{6}) = 3\sqrt{2} + \sqrt{6}$

$\therefore \tan x = \dfrac{\overline{HE}}{\overline{DH}} = \dfrac{3\sqrt{2} - \sqrt{6}}{3\sqrt{2} + \sqrt{6}} = 2 - \sqrt{3}$

18

[전략] 점 M에서 $\overline{BC}$에, 점 C에서 $\overline{BM}$에 각각 수선의 발을 내려 본다.

오른쪽 그림과 같이 점 M에서 $\overline{BC}$에 내린 수선의 발을 H, 점 C에서 $\overline{BM}$에 내린 수선의 발을 I라 하자.

정삼각형 BAD에서

$\sin 60° = \dfrac{\overline{BM}}{\overline{AB}} = \dfrac{\overline{BM}}{10} = \dfrac{\sqrt{3}}{2}$

$\therefore \overline{BM} = 5\sqrt{3}$ (cm)

마찬가지 방법으로 $\overline{CM} = 5\sqrt{3}$ cm

이등변삼각형 MBC에서

$\overline{MH} = \sqrt{\overline{MB}^2 - \overline{BH}^2}$

$\quad = \sqrt{(5\sqrt{3})^2 - 5^2}$

$\quad = \sqrt{50} = 5\sqrt{2}$ (cm)

이때 $\triangle MBC$의 넓이에서

$\dfrac{1}{2} \times \overline{BM} \times \overline{CI} = \dfrac{1}{2} \times \overline{BC} \times \overline{MH}$

$\dfrac{1}{2} \times 5\sqrt{3} \times \overline{CI} = \dfrac{1}{2} \times 10 \times 5\sqrt{2}$

$\therefore \overline{CI} = \dfrac{10\sqrt{6}}{3}$ (cm)

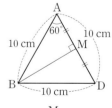

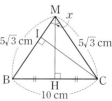

따라서 △CMI에서
$$\sin x = \frac{\overline{CI}}{\overline{CM}} = \frac{10\sqrt{6}}{3} \times \frac{1}{5\sqrt{3}} = \frac{2\sqrt{2}}{3}$$

답 $\dfrac{2\sqrt{2}}{3}$

$$\tan x = \frac{\overline{BC}}{\overline{AB}} = \frac{\sqrt{21}k}{2k} = \frac{\sqrt{21}}{2}$$
$$\therefore \cos(90°-x) \times \tan x = \frac{\sqrt{21}}{5} \times \frac{\sqrt{21}}{2} = \frac{21}{10}$$

답 $\dfrac{21}{10}$

쌤의 만점 특강

삼각비의 값의 대소 관계
① $0° \le x < 45°$일 때, $\sin x < \cos x$
② $x = 45°$일 때, $\sin x = \cos x < \tan x$
③ $45° < x < 90°$일 때, $\cos x < \sin x < \tan x$

19

[전략] 관람차가 1분 동안 회전한 각도를 구하여 A가 탑승 지점의 맞은편에 위치할 때, A, B, C의 위치를 원 O에 나타낸다.

관람차가 12분에 한 바퀴씩 움직이므로 1분에 $\dfrac{360°}{12} = 30°$씩 움직인다.

A가 제일 높은 위치에 도착하면 180°만큼 회전한 것이므로 A는 $\dfrac{180°}{30°} = 6$(분), B는 4분, C는 1분 동안 관람차를 탔다.

즉, B는 $30° \times 4 = 120°$만큼, C는 30°만큼 회전한 것이므로 A, B, C의 위치를 원 O에 나타내면 오른쪽 그림과 같다.

△BOH에서
$$\sin 30° = \frac{\overline{BH}}{\overline{OB}} = \frac{\overline{BH}}{10} = \frac{1}{2}$$
$$\therefore \overline{BH} = 5 \text{ (m)}$$
△COH′에서
$$\cos 30° = \frac{\overline{OH'}}{\overline{OC}} = \frac{\overline{OH'}}{10} = \frac{\sqrt{3}}{2}$$
$$\therefore \overline{OH'} = 5\sqrt{3} \text{ (m)}$$

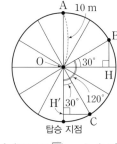

따라서 A가 B보다 $10-5=5$ (m), C보다 $(10+5\sqrt{3})$ m 높은 지점에 있고, B가 C보다 $(5+5\sqrt{3})$ m 높은 지점에 있다.

답 ③, ⑤

20

[전략] $0° < x < 45°$일 때, $\sin x$와 $\cos x$의 대소 관계를 생각해 본다.

$0° < x < 45°$일 때, $0 < \sin x < \cos x$이므로
$\sin x - \cos x < 0$, $\sin x + \cos x > 0$
$$\therefore \sqrt{(\sin x - \cos x)^2} + \sqrt{(\sin x + \cos x)^2}$$
$$= -(\sin x - \cos x) + (\sin x + \cos x)$$
$$= 2\cos x = \frac{4}{5}$$

즉, $\cos x = \dfrac{2}{5}$이므로 오른쪽 그림과 같이
$\angle B = 90°$, $\angle A = x$인 직각삼각형 ABC에서
$\overline{AC} = 5k$, $\overline{AB} = 2k$ ($k>0$)라 하면
$\overline{BC} = \sqrt{(5k)^2 - (2k)^2} = \sqrt{21}k$
$$\cos(90°-x) = \frac{\overline{BC}}{\overline{AC}} = \frac{\sqrt{21}k}{5k} = \frac{\sqrt{21}}{5}$$

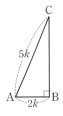

21

[전략] 사분원의 반지름의 길이와 길이가 같은 선분을 찾아본다.

△EOF에서
$$\tan x = \frac{\overline{OF}}{\overline{EF}} = \frac{\overline{OF}}{10}$$
$\overline{AB} /\!/ \overline{EF}$이므로 $\angle OAB = \angle OEF = x$ (동위각)
△AOB에서
$$\sin x = \frac{\overline{OB}}{\overline{OA}} = \frac{\overline{OB}}{10}$$
$$\cos y = \frac{\overline{OB}}{\overline{OA}} = \frac{\overline{OB}}{10}$$
$$\therefore 10(\tan x + \sin x - \cos y)$$
$$= 10\left(\frac{\overline{OF}}{10} + \frac{\overline{OB}}{10} - \frac{\overline{OB}}{10}\right)$$
$$= \overline{OF}$$

답 ③

22

[전략] 주어진 삼각비의 값과 서로 닮음인 두 삼각형을 이용하여 $\overline{AE}$, $\overline{EC}$의 길이를 각각 구한다.

△AOB에서
$$\sin \alpha = \frac{\overline{AB}}{\overline{OA}} = \frac{\overline{AB}}{15} = \frac{4}{5}$$
$5\overline{AB} = 60$ $\therefore \overline{AB} = 12$
$\therefore \overline{OB} = \sqrt{15^2 - 12^2} = \sqrt{81} = 9$
$\overline{BD} = \overline{OD} - \overline{OB} = 15 - 9 = 6$
$\therefore \overline{AE} = \overline{BD} = 6$
또한, △CAE∽△COD (AA 닮음)이므로
$\angle CAE = \angle COD = \alpha$
△AOB에서
$$\tan \alpha = \frac{\overline{AB}}{\overline{OB}} = \frac{12}{9} = \frac{4}{3}$$

△CAE에서

$$\tan \alpha = \frac{\overline{CE}}{\overline{AE}} = \frac{\overline{CE}}{6} = \frac{4}{3}$$

$$3\overline{CE} = 24 \qquad \therefore \overline{CE} = 8$$

$$\therefore \triangle CAE = \frac{1}{2} \times \overline{AE} \times \overline{CE} = \frac{1}{2} \times 6 \times 8 = 24$$

답 24

쌤의 만점 특강

△CAE∽△AOB (AA 닮음)이므로

$\overline{CE} : \overline{AB} = \overline{AE} : \overline{OB}$

즉, $\overline{CE} : 12 = 6 : 9$, $9\overline{CE} = 72$ ∴ $\overline{CE} = 8$

이와 같은 방법으로 $\overline{CE}$의 길이를 구해도 된다.

23

[전략] 주어진 식에서 $\tan x$의 값을 이용하여 $\angle x$의 크기를 구한다.

$\dfrac{0.3956 + \tan x}{0.6172 - \tan x} = 3$에서

$0.3956 + \tan x = 3(0.6172 - \tan x)$

$4 \tan x = 1.456$ ∴ $\tan x = 0.364$

주어진 삼각비의 표에서

$\tan 20° = 0.3640$이므로 $x = 20°$

$\therefore \cos(69° - x) + \sin(x + 31°)$

$\quad = \cos 49° + \sin 51°$

$\quad = 0.6561 + 0.7771 = 1.4332$

답 1.4332

24

[전략] 주어진 삼각비의 표에서 어떤 각의 삼각비의 값을 이용하여 $\overline{DE}$의 길이를 구할 수 있는지 생각한다.

△ABC에서 ∠ABC = 60°이므로

∠ABE = ∠EBC = 30°

즉, ∠EAB = ∠EBA = 30°이므로 △EAB는 이등변삼각형이다.

∴ $\overline{EB} = \overline{EA} = 8$

△EBC에서

$\sin 30° = \dfrac{\overline{EC}}{\overline{BE}} = \dfrac{\overline{EC}}{8} = \dfrac{1}{2}$ ∴ $\overline{EC} = 4$

△ECD에서 ∠CED = 50°이므로

$\cos 50° = \dfrac{\overline{EC}}{\overline{DE}} = \dfrac{4}{\overline{DE}} = 0.6428$

∴ $\overline{DE} = 6.22 \times \times \times$

따라서 반올림하여 소수점 아래 첫째 자리까지 구하면 6.2이다.

답 6.2

LEVEL 3 최고난도 문제 → 17쪽

01 $(6 + 2\sqrt{3})$ cm 02 $\dfrac{4}{5}$ 03 $\dfrac{1}{4}$ 04 $\dfrac{\sqrt{3}}{4}$

01 solution 미리 보기

step ❶	△ABC를 합동인 4개의 직각삼각형으로 나누기
step ❷	$\overline{AB}$의 길이 구하기
step ❸	$\overline{AC}$의 길이 구하기
step ❹	한 직각삼각형의 둘레의 길이 구하기

다음 그림과 같이 직각삼각형 ABC의 세 변의 중점을 각각 D, E, F라 하면

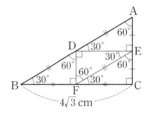

△ADE ≡ △DBF ≡ △EFC ≡ △FED (ASA 합동)이므로

△ABC는 △ABC와 서로 닮음이고 모두 합동인 4개의 직각삼각형으로 나누어진다. ————❶

△ABC에서

$\cos 30° = \dfrac{\overline{BC}}{\overline{AB}} = \dfrac{4\sqrt{3}}{\overline{AB}} = \dfrac{\sqrt{3}}{2}$

$\sqrt{3}\,\overline{AB} = 8\sqrt{3}$ ∴ $\overline{AB} = 8$ (cm) ————❷

$\tan 30° = \dfrac{\overline{AC}}{\overline{BC}} = \dfrac{\overline{AC}}{4\sqrt{3}} = \dfrac{\sqrt{3}}{3}$

$3\overline{AC} = 12$ ∴ $\overline{AC} = 4$ (cm) ————❸

따라서 △ADE에서

$\overline{AD} = \dfrac{1}{2}\overline{AB} = \dfrac{1}{2} \times 8 = 4$ (cm),

$\overline{DE} = \dfrac{1}{2}\overline{BC} = \dfrac{1}{2} \times 4\sqrt{3} = 2\sqrt{3}$ (cm),

$\overline{AE} = \dfrac{1}{2}\overline{AC} = \dfrac{1}{2} \times 4 = 2$ (cm)

이므로 구하는 둘레의 길이는

$\overline{AD} + \overline{DE} + \overline{AE} = 4 + 2\sqrt{3} + 2 = 6 + 2\sqrt{3}$ (cm) ————❹

답 $(6 + 2\sqrt{3})$ cm

쌤의 특강

삼각형의 두 변의 중점을 연결한 선분의 성질

① △ABC에서 $\overline{AM} = \overline{MB}$, $\overline{AN} = \overline{NC}$이면

➡ $\overline{MN} /\!/ \overline{BC}$, $\overline{MN} = \dfrac{1}{2}\overline{BC}$

② △ABC에서 $\overline{AM} = \overline{MB}$, $\overline{MN} /\!/ \overline{BC}$이면

➡ $\overline{AN} = \overline{NC}$, $\overline{MN} = \dfrac{1}{2}\overline{BC}$

02 solution 미리 보기

step ❶	$\overline{DE}$의 길이 구하기
step ❷	합동인 삼각형을 찾아 $\overline{DF}$의 길이 구하기
step ❸	$\square ABCD=\triangle AED+\triangle EBF+\triangle DEF+\triangle CFD$임을 이용하여 $\overline{FH}$의 길이 구하기
step ❹	$\sin x$의 값 구하기

$\triangle AED$에서

$\overline{AE}=\dfrac{4}{3}$, $\overline{AD}=4$이므로

$\overline{DE}=\sqrt{\left(\dfrac{4}{3}\right)^2+4^2}=\sqrt{\dfrac{160}{9}}=\dfrac{4\sqrt{10}}{3}$ ·············· ❶

이때 $\triangle AED\equiv\triangle CFD$ (SAS 합동)이므로

$\overline{DF}=\overline{DE}=\dfrac{4\sqrt{10}}{3}$ ·············· ❷

오른쪽 그림과 같이 점 F에서 $\overline{DE}$에 내린
수선의 발을 H라 하면

$\square ABCD$

$=\triangle AED+\triangle EBF+\triangle DEF+\triangle CFD$

$=2\triangle AED+\triangle EBF+\triangle DEF$

$=2\times\left(\dfrac{1}{2}\times 4\times\dfrac{4}{3}\right)+\dfrac{1}{2}\times\dfrac{8}{3}\times\dfrac{8}{3}+\dfrac{1}{2}\times\dfrac{4\sqrt{10}}{3}\times\overline{FH}$

$4^2=\dfrac{16}{3}+\dfrac{32}{9}+\dfrac{2\sqrt{10}}{3}\times\overline{FH}$

$\dfrac{2\sqrt{10}}{3}\times\overline{FH}=16-\dfrac{16}{3}-\dfrac{32}{9}=\dfrac{64}{9}$

$\therefore \overline{FH}=\dfrac{64}{9}\times\dfrac{3}{2\sqrt{10}}=\dfrac{16\sqrt{10}}{15}$ ·············· ❸

$\therefore \sin x=\dfrac{\overline{FH}}{\overline{DF}}=\dfrac{16\sqrt{10}}{15}\times\dfrac{3}{4\sqrt{10}}=\dfrac{4}{5}$ ·············· ❹

답 $\dfrac{4}{5}$

03 solution 미리 보기

step ❶	이등변삼각형을 찾아 $\overline{BC}$와 길이가 같은 선분 모두 찾기
step ❷	$\overline{CD}$의 길이 구하기
step ❸	점 A에서 $\overline{BC}$에 수선을 그어 $\cos 72°$의 값 구하기
step ❹	점 D에서 $\overline{AB}$에 수선을 그어 $\cos 36°$의 값 구하기
step ❺	$\cos 72°\times\cos 36°$의 값 구하기

$\triangle ABC$에서 $\overline{AB}=\overline{AC}$이므로

$\angle B=\angle C=\dfrac{1}{2}\times(180°-36°)=72°$

$\overline{BD}$가 $\angle B$의 이등분선이므로

$\angle ABD=\angle CBD=\dfrac{1}{2}\times 72°=36°$

또, $\angle BDC=\angle DAB+\angle DBA=36°+36°=72°$이므로

$\triangle ABD$, $\triangle BCD$는 이등변삼각형이다.

$\therefore \overline{AD}=\overline{BD}=\overline{BC}=1$ ·············· ❶

$\triangle ABC\varpropto\triangle BCD$ (AA 닮음)이므로

$\overline{CD}=x$라 하면 $\overline{AB}:\overline{BC}=\overline{BC}:\overline{CD}$에서

$(1+x):1=1:x$, $x(1+x)=1$

$x^2+x-1=0$ $\quad\therefore x=\dfrac{-1\pm\sqrt{5}}{2}$

이때 $x>0$이므로 $x=\dfrac{-1+\sqrt{5}}{2}$

$\therefore \overline{CD}=\dfrac{-1+\sqrt{5}}{2}$ ·············· ❷

오른쪽 그림과 같이 꼭짓점 A에서 $\overline{BC}$에
내린 수선의 발을 E라 하면

$\overline{AC}=\overline{AD}+\overline{CD}=1+\dfrac{-1+\sqrt{5}}{2}=\dfrac{\sqrt{5}+1}{2}$

$\overline{EC}=\dfrac{1}{2}\overline{BC}=\dfrac{1}{2}$

$\triangle AEC$에서

$\cos 72°=\dfrac{\overline{EC}}{\overline{AC}}=\dfrac{1}{2}\times\dfrac{2}{\sqrt{5}+1}=\dfrac{\sqrt{5}-1}{4}$ ·············· ❸

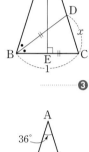

또, 오른쪽 그림과 같이 꼭짓점 D에서
$\overline{AB}$에 내린 수선의 발을 F라 하면

$\overline{AD}=1$, $\overline{AF}=\dfrac{1}{2}\overline{AB}=\dfrac{1}{2}\overline{AC}=\dfrac{\sqrt{5}+1}{4}$

따라서 $\triangle AFD$에서

$\cos 36°=\dfrac{\overline{AF}}{\overline{AD}}=\dfrac{\sqrt{5}+1}{4}$ ·············· ❹

$\therefore \cos 72°\times\cos 36°=\dfrac{\sqrt{5}-1}{4}\times\dfrac{\sqrt{5}+1}{4}$

$=\dfrac{4}{16}=\dfrac{1}{4}$ ·············· ❺

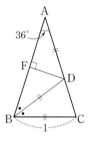

답 $\dfrac{1}{4}$

04 solution 미리 보기

step ❶	$\overline{AB}=a$라 하고 $\overline{AP}$의 길이 구하기
step ❷	$\triangle ABC$와 $\triangle APE$의 한 변의 길이의 비 구하기
step ❸	$\overline{AP'}$의 길이 구하기
step ❹	$\triangle ABC$와 $\triangle AP'G$의 한 변의 길이의 비 구하기
step ❺	$\triangle ABC$와 여섯 번째로 그려지는 정삼각형의 한 변의 길이의 비 구하기

$\triangle ABC$의 한 변의 길이를 a라 하면

$\triangle ABD$에서

$\sin 60°=\dfrac{\overline{AD}}{\overline{AB}}=\dfrac{\overline{AD}}{a}=\dfrac{\sqrt{3}}{2}$

$\therefore \overline{AD}=\dfrac{\sqrt{3}}{2}a$

$\overline{AP}=\dfrac{1}{2}\overline{AD}=\dfrac{\sqrt{3}}{4}a$ ·············· ❶

즉, $\triangle ABC$와 $\triangle APE$의 한 변의 길이의 비는

$a:\dfrac{\sqrt{3}}{4}a=4:\sqrt{3}$ ·············· ❷

$\triangle APF$에서

$$\sin 60° = \frac{\overline{\mathrm{AF}}}{\overline{\mathrm{AP}}} = \overline{\mathrm{AF}} \times \frac{4}{\sqrt{3}a} = \frac{\sqrt{3}}{2}$$

$$\therefore \overline{\mathrm{AF}} = \frac{\sqrt{3}}{2} \times \frac{\sqrt{3}a}{4} = \frac{3}{8}a$$

$$\overline{\mathrm{AP'}} = \frac{1}{2}\overline{\mathrm{AF}} = \frac{3}{16}a \quad \text{.............} ❸$$

즉, $\triangle$ABC와 $\triangle$AP'G의 한 변의 길이의 비는

$$a : \frac{3}{16}a = 16 : 3 = 4^2 : (\sqrt{3})^2 \quad \text{.............} ❹$$

이와 같은 방법으로 하면 정삼각형 ABC와 여섯 번째로 그려지는
정삼각형의 한 변의 길이의 비는

$4^5 : (\sqrt{3})^5$이므로 $x = 4$, $y = \sqrt{3}$

$$\therefore \frac{y}{x} = \frac{\sqrt{3}}{4} \quad \text{.............} ❺$$

답 $\dfrac{\sqrt{3}}{4}$

정삼각형의 높이와 넓이

한 변의 길이가 a인 정삼각형의
높이를 h, 넓이를 S라 하면

$$h = \frac{\sqrt{3}}{2}a, \; S = \frac{\sqrt{3}}{4}a^2$$

참고 $\triangle$ABH에서

$$h = \sqrt{a^2 - \left(\frac{1}{2}a\right)^2} = \frac{\sqrt{3}}{2}a$$

$$S = \frac{1}{2}ah = \frac{1}{2}a \times \frac{\sqrt{3}}{2}a = \frac{\sqrt{3}}{4}a^2$$

LEVEL 1 시험에 꼭 내는 문제 → 20쪽~22쪽

01 14.1	**02** $125\sqrt{3}$ cm³	**03** 40초 **04** $(50 + 50\sqrt{3})$ m
05 $2\sqrt{7}$ cm	**06** $150\sqrt{6}$ m	**07** 58.8 m
08 $(27 - 9\sqrt{3})$ cm²	**09** $\dfrac{8\sqrt{3}}{3}$ cm	**10** 153.2 cm²
11 $\dfrac{75}{2}$ cm²	**12** 14 cm²	**13** $4\sqrt{7}$ cm **14** 28 cm²
15 $50\sqrt{2}$ cm²	**16** $38\sqrt{3}$ m	**17** $4\sqrt{5}$ cm
18 $(15 + 5\sqrt{3})$ m	**19** $(36\pi - 27\sqrt{3})$ cm²	

01

$x = 10\cos 43° = 10 \times 0.73 = 7.3$

$y = 10\sin 43° = 10 \times 0.68 = 6.8$

$\therefore x + y = 7.3 + 6.8 = 14.1$

답 14.1

02

오른쪽 그림의 $\triangle$HFG에서

$\overline{\mathrm{HG}} = 10\sin 30° = 10 \times \dfrac{1}{2} = 5$ (cm)

$\overline{\mathrm{FG}} = 10\cos 30° = 10 \times \dfrac{\sqrt{3}}{2} = 5\sqrt{3}$ (cm)

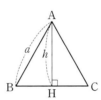

따라서 직육면체의 부피는

$\overline{\mathrm{FG}} \times \overline{\mathrm{GH}} \times \overline{\mathrm{DH}} = 5\sqrt{3} \times 5 \times 5 = 125\sqrt{3}$ (cm³)

답 $125\sqrt{3}$ cm³

03

$\overline{\mathrm{AC}} = \dfrac{300}{\cos 25°} = \dfrac{300}{0.9} = \dfrac{1000}{3}$ (m)

이때 시속 30 km는 분속 $\dfrac{30000}{60} = 500$ (m)이므로

A 지점에서 C 지점까지 가는 데 걸리는 시간은

$\dfrac{1000}{3} \times \dfrac{1}{500} = \dfrac{2}{3}$ (분) $= 40$ (초)

답 40초

04

오른쪽 그림의 $\triangle$ACH에서

$\overline{\mathrm{CH}} = 50$ m이므로

$\overline{\mathrm{AH}} = \dfrac{\overline{\mathrm{CH}}}{\tan 30°} = 50 \times \dfrac{3}{\sqrt{3}}$

$\quad = 50\sqrt{3}$ (m)

$\triangle$AHB에서

$\overline{\mathrm{BH}} = \overline{\mathrm{AH}}\tan 45°$

$\quad = 50\sqrt{3} \times 1 = 50\sqrt{3}$ (m)

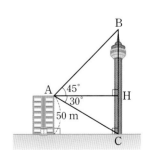

$\therefore \overline{BC} = \overline{CH} + \overline{BH} = 50 + 50\sqrt{3}$ (m)

따라서 타워의 높이는 $(50 + 50\sqrt{3})$ m이다.   답 $(50 + 50\sqrt{3})$ m

05

오른쪽 그림과 같이 점 A에서
$\overline{BC}$에 내린 수선의 발을 H라 하면 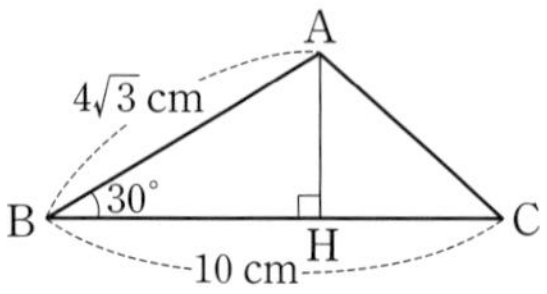
$\triangle ABH$에서

$\overline{AH} = 4\sqrt{3}\sin 30°$

$\quad = 4\sqrt{3} \times \dfrac{1}{2} = 2\sqrt{3}$ (cm)

$\overline{BH} = 4\sqrt{3}\cos 30° = 4\sqrt{3} \times \dfrac{\sqrt{3}}{2} = 6$ (cm)

이때 $\overline{CH} = \overline{BC} - \overline{BH} = 10 - 6 = 4$ (cm)이므로
$\triangle AHC$에서

$\overline{AC} = \sqrt{(2\sqrt{3})^2 + 4^2} = \sqrt{28} = 2\sqrt{7}$ (cm)   답 $2\sqrt{7}$ cm

06

오른쪽 그림과 같이 점 A에서
$\overline{BC}$에 내린 수선의 발을 H라 하면 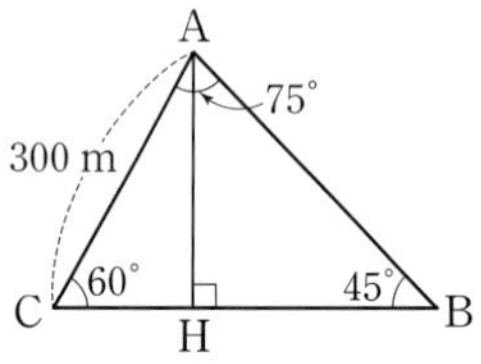
$\triangle ACH$에서

$\overline{AH} = 300\sin 60°$

$\quad = 300 \times \dfrac{\sqrt{3}}{2} = 150\sqrt{3}$ (m)

$\triangle ACB$에서 $\angle B = 180° - (75° + 60°) = 45°$이므로
$\triangle AHB$에서

$\overline{AB} = \dfrac{\overline{AH}}{\sin 45°} = 150\sqrt{3} \times \dfrac{2}{\sqrt{2}} = 150\sqrt{6}$ (m)   답 $150\sqrt{6}$ m

07

오른쪽 그림과 같이 점 C에서
$\overline{AB}$에 내린 수선의 발을 H라 하
고, $\overline{CH} = h$ m라 하면 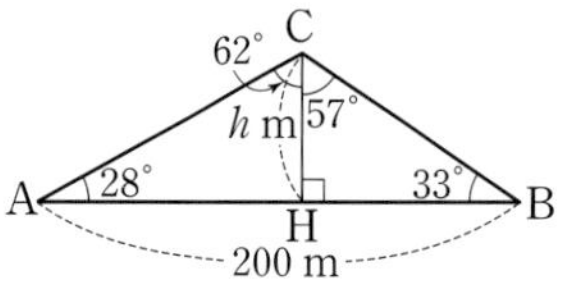
$\angle ACH = 62°$, $\angle BCH = 57°$
이므로

$\triangle AHC$에서 $\overline{AH} = h\tan 62° = 1.9h$ (m)
$\triangle BCH$에서 $\overline{BH} = h\tan 57° = 1.5h$ (m)
$\overline{AB} = \overline{AH} + \overline{BH}$이므로
$200 = 1.9h + 1.5h$, $3.4h = 200$

$\therefore h = \dfrac{200}{3.4} = 58.82\times\times\times$

따라서 헬리콥터의 지면으로부터의 높이를 소수점 아래 둘째 자리
에서 반올림하면 58.8 m이다.   답 58.8 m

08

오른쪽 그림과 같이 점 B에서
$\overline{AC}$에 내린 수선의 발을 H라 하고,
$\overline{BH} = h$ cm라 하면 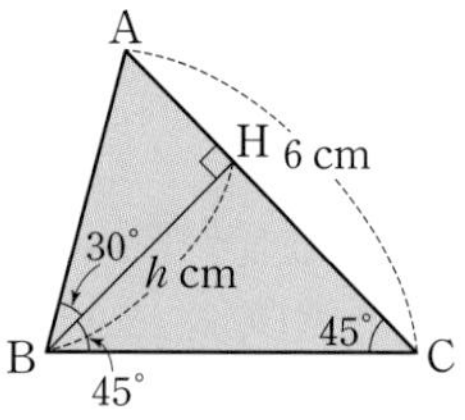
$\angle CBH = 45°$, $\angle ABH = 30°$이므로
$\triangle ABH$에서

$\overline{AH} = h\tan 30° = \dfrac{\sqrt{3}}{3}h$ (cm)

$\overline{CH} = h\tan 45° = h$ (cm)

$\overline{AC} = \overline{AH} + \overline{CH}$이므로

$6 = \dfrac{\sqrt{3}}{3}h + h$, $\dfrac{3 + \sqrt{3}}{3}h = 6$

$\therefore h = \dfrac{18}{3 + \sqrt{3}} = 3(3 - \sqrt{3})$

$\therefore \triangle ABC = \dfrac{1}{2} \times \overline{AC} \times \overline{BH} = \dfrac{1}{2} \times 6 \times 3(3 - \sqrt{3})$

$\quad = 9(3 - \sqrt{3}) = 27 - 9\sqrt{3}$ (cm²)   답 $(27 - 9\sqrt{3})$ cm²

> **쌤의 오답 피하기 특강**
>
> 삼각비는 직각삼각형에서 이용할 수 있음에 주의하여 어떻게 보조선을 그어야
> 특수각의 삼각비를 이용할 수 있는지 생각한다. 이때 $\overline{AC}$의 길이가 주어졌으
> 므로 이를 이용하여 높이를 구하면 $\triangle ABC$의 넓이를 구할 수 있다.

09

오른쪽 그림과 같이 $\angle BAH = 60°$이므로 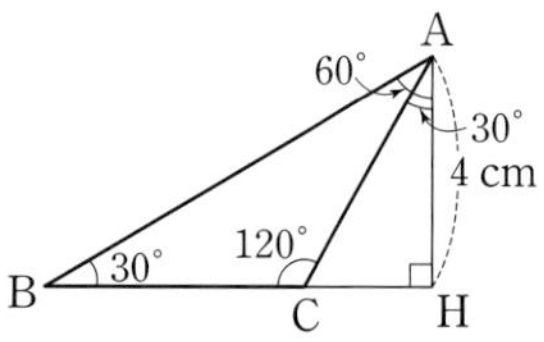
$\triangle ABH$에서

$\overline{BH} = 4\tan 60° = 4\sqrt{3}$ (cm)
$\angle ACH = 60°$이므로
$\angle CAH = 30°$
$\triangle ACH$에서

$\overline{CH} = 4\tan 30° = 4 \times \dfrac{\sqrt{3}}{3} = \dfrac{4\sqrt{3}}{3}$ (cm)

$\therefore \overline{BC} = \overline{BH} - \overline{CH} = 4\sqrt{3} - \dfrac{4\sqrt{3}}{3} = \dfrac{8\sqrt{3}}{3}$ (cm)   답 $\dfrac{8\sqrt{3}}{3}$ cm

다른 풀이

$\triangle ABC$에서 $\angle BAC = 30°$이므로 $\overline{AC} = \overline{BC}$
$\triangle ACH$에서 $\angle CAH = 30°$이므로

$\overline{AC} = \dfrac{\overline{AH}}{\cos 30°} = 4 \times \dfrac{2}{\sqrt{3}} = \dfrac{8\sqrt{3}}{3}$ (cm) $\therefore \overline{BC} = \overline{AC} = \dfrac{8\sqrt{3}}{3}$ cm

10

$\overline{AB} = \overline{AC}$이므로 $\angle C = \angle B = 65°$
$\triangle ABC$에서 $\angle A = 180° - (65° + 65°) = 50°$

$$\therefore \triangle ABC = \frac{1}{2} \times \overline{AB} \times \overline{AC} \times \sin 50°$$
$$= \frac{1}{2} \times 20 \times 20 \times 0.7660$$
$$= 153.2 \, (\text{cm}^2)$$

답 $153.2 \, \text{cm}^2$

11

$\overline{BC} = 10 \, \text{cm}$이므로 $\triangle ABC$에서

$$\overline{AC} = 10 \sin 60° = 10 \times \frac{\sqrt{3}}{2} = 5\sqrt{3} \, (\text{cm})$$

$\angle ACE = \angle ACB + \angle BCE = 30° + 90° = 120°$이므로

$$\triangle AEC = \frac{1}{2} \times \overline{AC} \times \overline{CE} \times \sin(180° - 120°)$$
$$= \frac{1}{2} \times 5\sqrt{3} \times 10 \times \frac{\sqrt{3}}{2} = \frac{75}{2} \, (\text{cm}^2)$$

답 $\dfrac{75}{2} \, \text{cm}^2$

12

$\angle BAD + \angle ABC = 180°$이므로

$\angle ABC = 180° - 150° = 30°$

$$\therefore \square ABCD = 8 \times 14 \times \sin 30° = 8 \times 14 \times \frac{1}{2} = 56 \, (\text{cm}^2)$$

$$\therefore \triangle OCD = \frac{1}{4} \square ABCD = \frac{1}{4} \times 56 = 14 \, (\text{cm}^2)$$

답 $14 \, \text{cm}^2$

쌤의 특강

평행사변형 ABCD에서

① $\angle BAD = \angle BCD$, $\angle ABC = \angle ADC$이므로

$2\angle BAD + 2\angle ABC = 360°$

$\therefore \angle BAD + \angle ABC = 180°$

② 두 대각선의 교점을 O라 하면

$$\triangle OAB = \triangle OBC = \triangle OCD = \triangle ODA = \frac{1}{4}\square ABCD$$

13

등변사다리꼴의 두 대각선의 길이는 같으므로
$\overline{AC} = \overline{BD} = x \, \text{cm}$라 하면

$$\square ABCD = \frac{1}{2} \times x \times x \times \sin(180° - 135°)$$에서

$$28\sqrt{2} = \frac{1}{2} \times x \times x \times \frac{\sqrt{2}}{2} \qquad \therefore x^2 = 112$$

이때 $x > 0$이므로 $x = \sqrt{112} = 4\sqrt{7}$

따라서 $\overline{AC}$의 길이는 $4\sqrt{7} \, \text{cm}$이다.

답 $4\sqrt{7} \, \text{cm}$

쌤의 특강

등변사다리꼴의 뜻과 성질

① 뜻 : 밑변의 양 끝 각의 크기가 같은 사다리꼴

② 성질

· 평행하지 않은 한 쌍의 대변의 길이가 같다.

➡ $\overline{AB} = \overline{DC}$

· 두 대각선의 길이가 같다. ➡ $\overline{AC} = \overline{DB}$

14

$\triangle BCD$에서

$$\overline{BD} = \frac{4\sqrt{2}}{\cos 45°} = 4\sqrt{2} \times \frac{2}{\sqrt{2}} = 8 \, (\text{cm})$$이므로

$$\triangle ABD = \frac{1}{2} \times \overline{AB} \times \overline{BD} \times \sin(180° - 120°)$$
$$= \frac{1}{2} \times 2\sqrt{3} \times 8 \times \frac{\sqrt{3}}{2}$$
$$= 12 \, (\text{cm}^2)$$

$\overline{CD} = 4\sqrt{2} \tan 45° = 4\sqrt{2} \times 1 = 4\sqrt{2} \, (\text{cm})$이므로

$$\triangle BCD = \frac{1}{2} \times 4\sqrt{2} \times 4\sqrt{2} = 16 \, (\text{cm}^2)$$

$$\therefore \square ABCD = \triangle ABD + \triangle BCD$$
$$= 12 + 16 = 28 \, (\text{cm}^2)$$

답 $28 \, \text{cm}^2$

쌤의 특강

$\triangle BCD$의 넓이를 다음과 같이 구할 수도 있다.

$$\triangle BCD = \frac{1}{2} \times \overline{BD} \times \overline{BC} \times \sin 45°$$
$$= \frac{1}{2} \times 8 \times 4\sqrt{2} \times \frac{\sqrt{2}}{2} = 16 \, (\text{cm}^2)$$

15

오른쪽 그림과 같이 정팔각형에 대각선을 그어 합동인 8개의 이등변삼각형으로 나누면

$$\angle AOB = \frac{1}{8} \times 360° = 45°$$

$$\overline{OA} = \overline{OB} = \frac{1}{2} \times 10 = 5 \, (\text{cm})$$

따라서 정팔각형의 넓이는

$$8\triangle AOB = 8 \times \left(\frac{1}{2} \times \overline{OA} \times \overline{OB} \times \sin 45°\right)$$
$$= 8 \times \left(\frac{1}{2} \times 5 \times 5 \times \frac{\sqrt{2}}{2}\right)$$
$$= 50\sqrt{2} \, (\text{cm}^2)$$

답 $50\sqrt{2} \, \text{cm}^2$

16

$\triangle DBE$에서

$$\overline{BE} = 8\sqrt{3} \sin 30° = 8\sqrt{3} \times \frac{1}{2} = 4\sqrt{3} \, (\text{m})$$

$$\overline{DB} = 8\sqrt{3} \cos 30° = 8\sqrt{3} \times \frac{\sqrt{3}}{2} = 12 \, (\text{m})$$

$$\therefore \overline{AB} = \overline{AD} + \overline{DB} = 30 + 12 = 42 \, (\text{m})$$

$\triangle ABC$에서

$$\overline{CB} = 42 \tan 60° = 42\sqrt{3} \, (\text{m})$$

$\therefore \overline{CE}=\overline{CB}-\overline{BE}$
$=42\sqrt{3}-4\sqrt{3}$
$=38\sqrt{3}$ (m)

답 $38\sqrt{3}$ m

17

오른쪽 그림과 같이 점 A에서 $\overline{BC}$의
연장선에 내린 수선의 발을 H라 하면
$\triangle ABH$에서

$\overline{AH}=12\sin 45°=12\times\dfrac{\sqrt{2}}{2}=6\sqrt{2}$ (cm)

$\overline{BH}=12\cos 45°=12\times\dfrac{\sqrt{2}}{2}=6\sqrt{2}$ (cm)

$\therefore \overline{CH}=\overline{BH}-\overline{BC}=6\sqrt{2}-4\sqrt{2}=2\sqrt{2}$ (cm)

$\triangle ACH$에서

$\overline{AC}=\sqrt{\overline{AH}^2+\overline{CH}^2}=\sqrt{(6\sqrt{2})^2+(2\sqrt{2})^2}$
$=\sqrt{80}=4\sqrt{5}$ (cm)

답 $4\sqrt{5}$ cm

다른 풀이

오른쪽 그림과 같이 점 C에서 $\overline{AB}$에 내린
수선의 발을 H라 하면
$\triangle BCH$에서

$\overline{BH}=4\sqrt{2}\cos 45°$
$=4\sqrt{2}\times\dfrac{\sqrt{2}}{2}=4$ (cm)

$\overline{CH}=4\sqrt{2}\sin 45°=4\sqrt{2}\times\dfrac{\sqrt{2}}{2}=4$ (cm)

$\therefore \overline{AH}=\overline{AB}-\overline{BH}=12-4=8$ (cm)

$\triangle AHC$에서

$\overline{AC}=\sqrt{\overline{AH}^2+\overline{CH}^2}=\sqrt{64+16}=\sqrt{80}=4\sqrt{5}$ (cm)

18

$\overline{CD}=h$ m라 하면
$\angle ACD=45°$, $\angle BCD=30°$이므로
$\triangle ADC$에서

$\overline{AD}=h\tan 45°=h$ (m)

$\overline{BD}=h\tan 30°=\dfrac{\sqrt{3}}{3}h$ (m)

$\overline{AB}=\overline{AD}-\overline{BD}$이므로

$10=h-\dfrac{\sqrt{3}}{3}h$, $\dfrac{3-\sqrt{3}}{3}h=10$

$\therefore h=\dfrac{30}{3-\sqrt{3}}=5(3+\sqrt{3})=15+5\sqrt{3}$

따라서 나무의 높이는 $(15+5\sqrt{3})$ m이다.

답 $(15+5\sqrt{3})$ m

19

오른쪽 그림과 같이 $\overline{OC}$를 그으면
$\angle OCA=\angle OAC=30°$
$\therefore \angle AOC=180°-(30°+30°)$
$=120°$

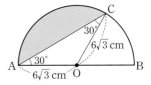

따라서 색칠한 부분의 넓이는
(부채꼴 AOC의 넓이)$-\triangle AOC$

$=\pi\times(6\sqrt{3})^2\times\dfrac{120}{360}-\dfrac{1}{2}\times6\sqrt{3}\times6\sqrt{3}\times\sin(180°-120°)$

$=\pi\times108\times\dfrac{1}{3}-\dfrac{1}{2}\times108\times\dfrac{\sqrt{3}}{2}$

$=36\pi-27\sqrt{3}$ (cm²)

답 $(36\pi-27\sqrt{3})$ cm²

쌤의 오답 피하기 특강

$\overline{OA}$, $\overline{OC}$의 길이와 $\angle AOC$의 크기를 알 수 있으므로 부채꼴 AOC의 넓이와
$\triangle AOC$의 넓이를 각각 구할 수 있다. 이때 반지름의 길이가 r이고, 중심각의
크기가 $x°$인 부채꼴의 넓이 S는

➡ $S=\pi r^2\times\dfrac{x}{360}$

LEVEL 2 필수 기출 문제 →23쪽~28쪽

01 (1) $6\sqrt{2}$ cm (2) $36\sqrt{6}$ cm³	**02** $27\sqrt{3}$ cm²
03 $(3\sqrt{2}+3\sqrt{6})$ cm **04** $8\pi+12+4\sqrt{3}$	**05** $\dfrac{100\sqrt{3}}{3}$ m
06 1.4534 m **07** $4\sqrt{3}$ cm² **08** $2\sqrt{37}$ cm	**09** $\dfrac{5\sqrt{3}}{2}$ km
10 $\overline{AC}=2\sqrt{3}$, $\overline{BC}=\sqrt{2}+\sqrt{6}$ **11** $50\sqrt{6}$ m	**12** $\dfrac{3\sqrt{3}}{2}$ km
13 $\dfrac{12\sqrt{3}}{5}$ cm **14** ③ **15** $(18-9\sqrt{3})$ cm	
16 $(48\pi-72\sqrt{3})$ cm² **17** $(50+50\sqrt{2})$ cm²	**18** 1 cm²
19 $48\sqrt{2}$ cm² **20** $60\sqrt{3}$ cm² **21** ③	
22 둘레의 길이 : $24\sqrt{6}$ cm, 넓이 : $144\sqrt{3}$ cm²	

01

[**전략**] 정사각형의 대각선의 성질을 이용하여 $\overline{BH}$의 길이를 구한다.

(1) $\triangle BCD$에서 $\overline{BD}=\sqrt{6^2+6^2}=\sqrt{72}=6\sqrt{2}$ (cm)

$\therefore \overline{BH}=\dfrac{1}{2}\overline{BD}=\dfrac{1}{2}\times6\sqrt{2}=3\sqrt{2}$ (cm)

△OBH에서

$\overline{\mathrm{OB}}=\dfrac{\overline{\mathrm{BH}}}{\cos 60^\circ}=3\sqrt{2}\times 2=6\sqrt{2}$ (cm)

(2) △OBH에서

$\overline{\mathrm{OH}}=\overline{\mathrm{BH}}\tan 60^\circ=3\sqrt{2}\times\sqrt{3}=3\sqrt{6}$ (cm)

따라서 정사각뿔 O-ABCD의 부피는

$\dfrac{1}{3}\times\square\mathrm{ABCD}\times\overline{\mathrm{OH}}=\dfrac{1}{3}\times 6\times 6\times 3\sqrt{6}=36\sqrt{6}$ (cm³)

目 (1) $6\sqrt{2}$ cm (2) $36\sqrt{6}$ cm³

쌤의 특강

오른쪽 그림과 같이 한 변의 길이가 a인 정사각형
ABCD에서 두 대각선의 교점을 O라 하면
① $\overline{\mathrm{AC}}\perp\overline{\mathrm{BD}}$
② $\overline{\mathrm{OA}}=\overline{\mathrm{OB}}=\overline{\mathrm{OC}}=\overline{\mathrm{OD}}$

02

[**전략**] ∠ABC의 크기를 구한 후, △ABC가 어떤 삼각형인지 파악한다.

다음 그림과 같이 점 A에서 $\overline{\mathrm{BC}}$의 연장선에 내린 수선의 발을 H라 하면

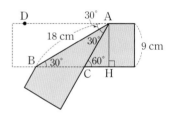

△ABH에서

$\sin(\angle\mathrm{ABH})=\dfrac{\overline{\mathrm{AH}}}{\overline{\mathrm{AB}}}=\dfrac{9}{18}=\dfrac{1}{2}$이므로

$\angle\mathrm{ABH}=30^\circ$

이때 $\angle\mathrm{BAD}=\angle\mathrm{ABC}=30^\circ$(엇각),

$\angle\mathrm{BAC}=\angle\mathrm{BAD}=30^\circ$(접은 각)이므로

$\angle\mathrm{ABC}=\angle\mathrm{BAC}=30^\circ$

즉, △ABC는 $\overline{\mathrm{AC}}=\overline{\mathrm{BC}}$인 이등변삼각형이므로

△ACH에서 $\angle\mathrm{ACH}=30^\circ+30^\circ=60^\circ$

$\therefore\overline{\mathrm{AC}}=\dfrac{\overline{\mathrm{AH}}}{\sin 60^\circ}=9\times\dfrac{2}{\sqrt{3}}=6\sqrt{3}$ (cm)

따라서 $\overline{\mathrm{BC}}=\overline{\mathrm{AC}}=6\sqrt{3}$ cm이므로

$\triangle\mathrm{ABC}=\dfrac{1}{2}\times\overline{\mathrm{BC}}\times\overline{\mathrm{AH}}$

$=\dfrac{1}{2}\times 6\sqrt{3}\times 9=27\sqrt{3}$ (cm²)

目 $27\sqrt{3}$ cm²

참고 다음과 같이 △ABC의 넓이를 구할 수도 있다.

$\triangle\mathrm{ABC}=\dfrac{1}{2}\times\overline{\mathrm{AB}}\times\overline{\mathrm{BC}}\times\sin 30^\circ$

$=\dfrac{1}{2}\times 18\times 6\sqrt{3}\times\dfrac{1}{2}=27\sqrt{3}$ (cm²)

03

[**전략**] $\overline{\mathrm{AD}}$의 길이를 구한 후, 점 D에서 $\overline{\mathrm{BC}}$에 수선을 그어 △ABC와 닮음인 삼각형을 찾는다.

△ABE에서

$\overline{\mathrm{AE}}=\dfrac{3}{\sin 60^\circ}=3\times\dfrac{2}{\sqrt{3}}=2\sqrt{3}$ (cm)

△ABC에서 $\angle\mathrm{BAC}=90^\circ-15^\circ=75^\circ$

△ABE에서 $\angle\mathrm{BAE}=90^\circ-60^\circ=30^\circ$이므로

$\angle\mathrm{EAC}=75^\circ-30^\circ=45^\circ$

△AED에서

$\overline{\mathrm{DE}}=\overline{\mathrm{AE}}\tan 45^\circ=2\sqrt{3}$ (cm)

$\overline{\mathrm{AD}}=\dfrac{\overline{\mathrm{AE}}}{\cos 45^\circ}=2\sqrt{3}\times\dfrac{2}{\sqrt{2}}=2\sqrt{6}$ (cm)

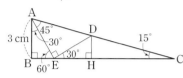

위의 그림과 같이 점 D에서 $\overline{\mathrm{BC}}$에 내린 수선의 발을 H라 하면

△DEH에서 $\angle\mathrm{DEH}=30^\circ$이므로

$\overline{\mathrm{DH}}=\overline{\mathrm{DE}}\sin 30^\circ=2\sqrt{3}\times\dfrac{1}{2}=\sqrt{3}$ (cm)

△CDH와 △CAB에서

∠C는 공통, $\angle\mathrm{CHD}=\angle\mathrm{CBA}$이므로

△CDH∽△CAB (AA 닮음)

따라서 $\overline{\mathrm{CD}}:\overline{\mathrm{CA}}=\overline{\mathrm{DH}}:\overline{\mathrm{AB}}$이므로

$\overline{\mathrm{CD}}:(\overline{\mathrm{CD}}+2\sqrt{6})=\sqrt{3}:3$

$\sqrt{3}(\overline{\mathrm{CD}}+2\sqrt{6})=3\overline{\mathrm{CD}}$, $(3-\sqrt{3})\overline{\mathrm{CD}}=6\sqrt{2}$

$\therefore\overline{\mathrm{CD}}=\dfrac{6\sqrt{2}}{3-\sqrt{3}}=3\sqrt{2}+\sqrt{6}$ (cm)

$\therefore\overline{\mathrm{AC}}=\overline{\mathrm{AD}}+\overline{\mathrm{CD}}=2\sqrt{6}+(3\sqrt{2}+\sqrt{6})$

$=3\sqrt{2}+3\sqrt{6}$ (cm)　　目 $(3\sqrt{2}+3\sqrt{6})$ cm

04

[**전략**] 점 M이 지나는 곡선을 주어진 그림 위에 나타내면 각각의 곡선은 부채꼴의 호가 된다.

△ABC에서

$\overline{\mathrm{AC}}=4\tan 60^\circ=4\sqrt{3}$

$\overline{\mathrm{BC}}=\dfrac{4}{\cos 60^\circ}=4\times 2=8$

빗변의 중점 M은 직각삼각형 ABC의 외심이므로

$\overline{\mathrm{AM}}=\overline{\mathrm{BM}}=\overline{\mathrm{CM}}=\dfrac{1}{2}\times 8=4$

점 M이 지나는 곡선을 다음 그림과 같이 각각 l_1, l_2, l_3라 하면

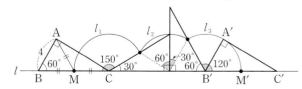

$$l_1 = 2\pi \times 4 \times \frac{150}{360} = \frac{10\pi}{3}$$

$$l_2 = 2\pi \times 4 \times \frac{90}{360} = 2\pi$$

$$l_3 = 2\pi \times 4 \times \frac{120}{360} = \frac{8\pi}{3}$$

$$\overline{MM'} = 4 + 4\sqrt{3} + 4 + 4 = 12 + 4\sqrt{3}$$

따라서 구하는 둘레의 길이는

$$l_1 + l_2 + l_3 + \overline{MM'} = \frac{10\pi}{3} + 2\pi + \frac{8\pi}{3} + (12 + 4\sqrt{3})$$
$$= 8\pi + 12 + 4\sqrt{3}$$

답 $8\pi + 12 + 4\sqrt{3}$

쌤의 복합 개념 특강

개념1 삼각형의 외심의 위치

① 예각삼각형 : 삼각형의 내부

② 직각삼각형 : 빗변의 중점

③ 둔각삼각형 : 삼각형의 외부

개념2 부채꼴의 호의 길이

반지름의 길이가 r, 중심각의 크기가 $x°$인 부채꼴의 호의 길이 l은

➡ $l = 2\pi r \times \dfrac{x}{360}$

05

[전략] $\overline{DB} = x$ m라 하고, tan의 값을 이용하여 $\overline{BC}$, $\overline{BE}$의 길이를 각각 구한다.

$\overline{DB} = x$ m라 하면

$$\overline{BC} = \overline{AB} \tan 45° = (x + 100) \times 1 = x + 100 \ (m)$$

$\triangle ABE$에서 $\angle EAB = 30°$이므로

$$\overline{BE} = \overline{AB} \tan 30° = \frac{\sqrt{3}}{3}(x + 100) \ (m)$$

$\triangle CDB$에서

$\overline{BC} = \overline{DB} \tan 75°$이므로

$$x + 100 = x(2 + \sqrt{3})$$

$$(\sqrt{3} + 1)x = 100$$

$$\therefore x = \frac{100}{\sqrt{3} + 1} = 50(\sqrt{3} - 1) = 50\sqrt{3} - 50$$

따라서 $\overline{BC} = 50\sqrt{3} + 50 \ (m)$이고

$$\overline{BE} = \frac{\sqrt{3}}{3}(50\sqrt{3} + 50) = 50 + \frac{50\sqrt{3}}{3} \ (m)$$이므로

$$\overline{CE} = \overline{BC} - \overline{BE}$$
$$= 50\sqrt{3} + 50 - \left(50 + \frac{50\sqrt{3}}{3}\right)$$
$$= 50\sqrt{3} - \frac{50\sqrt{3}}{3} = \frac{100\sqrt{3}}{3} \ (m)$$

따라서 두 지점 C와 E 사이의 거리는 $\dfrac{100\sqrt{3}}{3}$ m이다.

답 $\dfrac{100\sqrt{3}}{3}$ m

06

[전략] 경사각의 크기가 5.5°일 때와 4°일 때의 직각삼각형을 각각 그려서 경사 거리를 구한다.

오른쪽 그림과 같이 경사각의 크기가 5.5°인 직각삼각형 ABC에서

$$\overline{BC} = 55.9 \times \sin 5.5°$$
$$= 55.9 \times 0.0958$$
$$= 5.35522 \ (m)$$

즉, 경사각의 크기가 5.5°일 때, 경사 거리는 5.35522 m이다.

또한, 경사각의 크기가 4°인 직각삼각형 DEF에서

$$\overline{EF} = 55.9 \times \sin 4°$$
$$= 55.9 \times 0.0698$$
$$= 3.90182 \ (m)$$

즉, 경사각의 크기가 4°일 때, 경사 거리는 3.90182 m이다.

따라서 변화된 경사 거리의 차는

$$5.35522 - 3.90182 = 1.4534 \ (m)$$

답 1.4534 m

07

[전략] □PQRS의 네 내각의 크기를 각각 구하여 □PQRS가 어떤 사각형인지 알아보고, 특수각의 삼각비의 값을 이용하여 □PQRS의 변의 길이를 구한다.

$\angle DAB : \angle ABC = 2 : 1$이므로

$$\angle DAB = 180° \times \frac{2}{1+2} = 120°$$

$$\angle ABC = 180° \times \frac{1}{1+2} = 60°$$

$\triangle ABP$에서

$\angle BAP = \dfrac{1}{2} \times 120° = 60°$, $\angle ABP = \dfrac{1}{2} \times 60° = 30°$이므로

$$\angle APB = 180° - (60° + 30°) = 90°$$

$$\therefore \angle SPQ = \angle APB = 90° (맞꼭지각)$$

마찬가지 방법으로

$$\angle PQR = \angle QRS = \angle RSP = 90°$$

따라서 □PQRS는 직사각형이다.

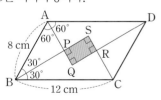

위 그림의 $\triangle ABP$에서

$$\overline{AP} = 8 \cos 60° = 8 \times \frac{1}{2} = 4 \ (cm)$$

$$\overline{BP} = 8 \sin 60° = 8 \times \frac{\sqrt{3}}{2} = 4\sqrt{3} \ (cm)$$

△AQD에서

$\overline{AQ}=12\cos 60°=12\times\dfrac{1}{2}=6$ (cm)

△BCS에서

$\overline{BS}=12\cos 30°=12\times\dfrac{\sqrt{3}}{2}=6\sqrt{3}$ (cm)

따라서

$\overline{PQ}=\overline{AQ}-\overline{AP}=6-4=2$ (cm)

$\overline{PS}=\overline{BS}-\overline{BP}=6\sqrt{3}-4\sqrt{3}=2\sqrt{3}$ (cm)

이므로

$\square PQRS=2\times 2\sqrt{3}=4\sqrt{3}$ (cm^2)

🔲 $4\sqrt{3}$ cm^2

쌤의 만점 특강

평행사변형의 이웃하는 두 내각의 크기의 합이 $180°$임을 이용하여 $\angle A$, $\angle B$의 크기를 각각 구하면 $\square PQRS$에서 $\angle P=\angle Q=\angle R=\angle S=90°$임을 알 수 있다. 즉, 네 내각의 크기가 모두 같으므로 $\square PQRS$는 직사각형이다. 따라서 $\overline{PS}$, $\overline{PQ}$의 길이를 알면 $\square PQRS$의 넓이를 구할 수 있다.

08

[전략] 점 D에서 $\overline{BC}$의 연장선에 수선을 그어 $\overline{BD}$를 빗변으로 하는 직각삼각형을 만든다.

오른쪽 그림과 같이 점 D에서 $\overline{BC}$의 연장선에 내린 수선의 발을 H라 하면 $\angle BCD=\angle A=120°$이므로 $\angle DCH=60°$

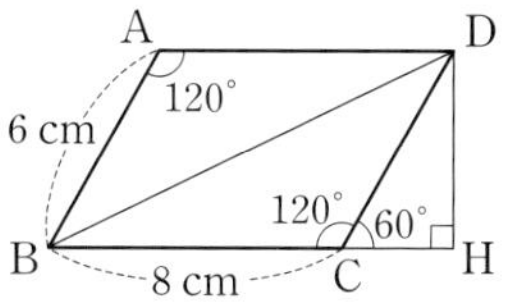

△DCH에서

$\overline{DH}=\overline{DC}\sin 60°=6\times\dfrac{\sqrt{3}}{2}=3\sqrt{3}$ (cm)

$\overline{CH}=\overline{DC}\cos 60°=6\times\dfrac{1}{2}=3$ (cm)

$\therefore \overline{BH}=\overline{BC}+\overline{CH}=8+3=11$ (cm)

따라서 △DBH에서

$\overline{BD}=\sqrt{\overline{BH}^2+\overline{DH}^2}=\sqrt{11^2+(3\sqrt{3})^2}$

$=\sqrt{148}=2\sqrt{37}$ (cm)

🔲 $2\sqrt{37}$ cm

09

[전략] 형과 동생이 50분 동안 이동한 거리를 각각 구한다.

형이 시속 6 km로 50분 동안 이동한 거리는

$6\times\dfrac{50}{60}=5$ (km)

동생이 시속 3 km로 50분 동안 이동한 거리는

$3\times\dfrac{50}{60}=\dfrac{5}{2}$ (km)

$\therefore \overline{OA}=\dfrac{5}{2}$ km, $\overline{OB}=5$ km

오른쪽 그림과 같이 점 A에서 $\overline{OB}$에 내린 수선의 발을 H라 하면

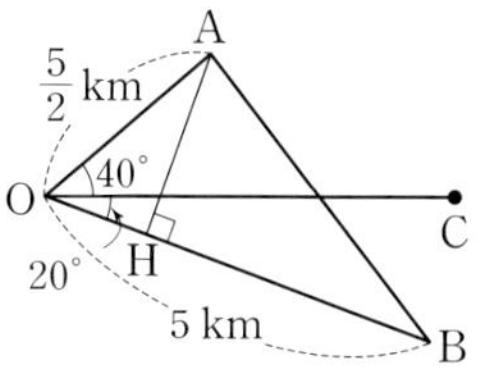

△AOH에서

$\overline{AH}=\overline{OA}\sin 60°$

$=\dfrac{5}{2}\times\dfrac{\sqrt{3}}{2}=\dfrac{5\sqrt{3}}{4}$ (km)

$\overline{OH}=\overline{OA}\cos 60°=\dfrac{5}{2}\times\dfrac{1}{2}=\dfrac{5}{4}$ (km)

$\overline{BH}=\overline{OB}-\overline{OH}=5-\dfrac{5}{4}=\dfrac{15}{4}$ (km)

$\therefore \overline{AB}=\sqrt{\overline{AH}^2+\overline{BH}^2}$

$=\sqrt{\left(\dfrac{5\sqrt{3}}{4}\right)^2+\left(\dfrac{15}{4}\right)^2}$

$=\sqrt{\dfrac{300}{16}}=\dfrac{10\sqrt{3}}{4}=\dfrac{5\sqrt{3}}{2}$ (km)

따라서 농구장과 도서관 사이의 거리는 $\dfrac{5\sqrt{3}}{2}$ km이다.

🔲 $\dfrac{5\sqrt{3}}{2}$ km

10

[전략] 특수각의 삼각비의 값을 이용할 수 있도록 적절한 수선을 그어 변의 길이를 각각 구한다.

오른쪽 그림과 같이 점 A에서 $\overline{BC}$에 내린 수선의 발을 H라 하면

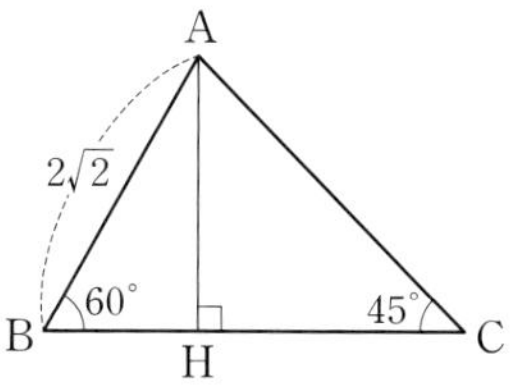

△ABH에서

$\overline{AH}=2\sqrt{2}\sin 60°=2\sqrt{2}\times\dfrac{\sqrt{3}}{2}=\sqrt{6}$

$\overline{BH}=2\sqrt{2}\cos 60°=2\sqrt{2}\times\dfrac{1}{2}=\sqrt{2}$

△AHC에서

$\overline{AC}=\dfrac{\overline{AH}}{\sin 45°}=\sqrt{6}\times\dfrac{2}{\sqrt{2}}=2\sqrt{3}$

$\overline{CH}=\dfrac{\overline{AH}}{\tan 45°}=\dfrac{\sqrt{6}}{1}=\sqrt{6}$

$\therefore \overline{BC}=\overline{BH}+\overline{CH}=\sqrt{2}+\sqrt{6}$

🔲 $\overline{AC}=2\sqrt{3}$, $\overline{BC}=\sqrt{2}+\sqrt{6}$

11

[전략] △ABH에서 $\overline{AH}$의 길이를 구한 후, △PAH에서 $\overline{PH}$의 길이를 구한다.

△ABH에서 $\angle H=180°-(30°+105°)=45°$

오른쪽 그림과 같이 점 A에서 $\overline{BH}$에 내린 수선의 발을 Q라 하면

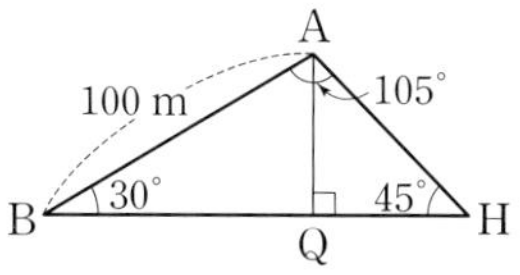

△ABQ에서

$\overline{AQ}=100\sin 30°=10\times\dfrac{1}{2}=50$ (m)

$$\overline{AH} = \frac{\overline{AQ}}{\sin 45°} = 50 \times \frac{2}{\sqrt{2}} = 50\sqrt{2} \text{ (m)}$$

직각삼각형 PAH는 오른쪽 그림과 같으므로

$$\begin{aligned}\overline{PH} &= 50\sqrt{2} \tan 60° \\ &= 50\sqrt{2} \times \sqrt{3} \\ &= 50\sqrt{6} \text{ (m)}\end{aligned}$$

따라서 건물의 높이는 $50\sqrt{6}$ m이다.

답 $50\sqrt{6}$ m

$$\begin{aligned}\triangle DBC &= \frac{1}{2} \times \overline{BD} \times 6\sqrt{3} \times \sin(180° - 120°) \\ &= \frac{1}{2} \times \overline{BD} \times 6\sqrt{3} \times \frac{\sqrt{3}}{2} \\ &= \frac{9}{2}\overline{BD} \text{ (cm}^2)\end{aligned}$$

$\triangle ABC = \triangle ABD + \triangle DBC$이므로

$$18\sqrt{3} = 3\overline{BD} + \frac{9}{2}\overline{BD}, \ \frac{15}{2}\overline{BD} = 18\sqrt{3}$$

$$\therefore \overline{BD} = 18\sqrt{3} \times \frac{2}{15} = \frac{12\sqrt{3}}{5} \text{ (cm)}$$

답 $\dfrac{12\sqrt{3}}{5}$ cm

12

[전략] $\tan$의 값을 이용하여 $\triangle ABC$의 높이를 구해 본다.

다음 그림과 같이 점 A에서 $\overline{BC}$의 연장선에 내린 수선의 발을 H라 하고, $\overline{AH} = h$ km라 하자.

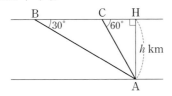

헬리콥터가 시속 180 km로 B 지점에서 C 지점까지 가는 데 1분이 걸렸으므로

$$\overline{BC} = 180 \times \frac{1}{60} = 3 \text{ (km)}$$

$\angle BAH = 60°$, $\angle CAH = 30°$이므로

$\triangle BAH$에서

$$\overline{BH} = h \tan 60° = \sqrt{3}h \text{ (km)}$$

$\triangle CAH$에서

$$\overline{CH} = h \tan 30° = \frac{\sqrt{3}}{3}h \text{ (km)}$$

$\overline{BC} = \overline{BH} - \overline{CH}$이므로

$$3 = \sqrt{3}h - \frac{\sqrt{3}}{3}h, \ \frac{2\sqrt{3}}{3}h = 3$$

$$\therefore h = 3 \times \frac{3}{2\sqrt{3}} = \frac{3\sqrt{3}}{2}$$

따라서 헬리콥터의 수면으로부터의 높이는 $\dfrac{3\sqrt{3}}{2}$ km이다.

답 $\dfrac{3\sqrt{3}}{2}$ km

13

[전략] $\triangle ABC = \triangle ABD + \triangle DBC$임을 이용한다.

$$\begin{aligned}\triangle ABC &= \frac{1}{2} \times 12 \times 6\sqrt{3} \times \sin(180° - 150°) \\ &= \frac{1}{2} \times 12 \times 6\sqrt{3} \times \frac{1}{2} = 18\sqrt{3} \text{ (cm}^2)\end{aligned}$$

$$\begin{aligned}\triangle ABD &= \frac{1}{2} \times 12 \times \overline{BD} \times \sin 30° \\ &= \frac{1}{2} \times 12 \times \overline{BD} \times \frac{1}{2} = 3\overline{BD} \text{ (cm}^2)\end{aligned}$$

14

[전략] $\triangle A'BC'$의 넓이와 $\triangle ABC$의 넓이 사이의 관계식을 구한다.

$\triangle ABC = \dfrac{1}{2} \times \overline{AB} \times \overline{BC} \times \sin B$이고

$$\overline{A'B} = 0.8\overline{AB}$$

$$\overline{BC'} = 1.1\overline{BC}$$

$$\begin{aligned}\therefore \triangle A'BC' &= \frac{1}{2} \times \overline{A'B} \times \overline{BC'} \times \sin B \\ &= \frac{1}{2} \times 0.8\overline{AB} \times 1.1\overline{BC} \times \sin B \\ &= 0.88 \times \left(\frac{1}{2} \times \overline{AB} \times \overline{BC} \times \sin B\right) \\ &= 0.88\triangle ABC\end{aligned}$$

따라서 $\triangle A'BC' = \left(1 - \dfrac{12}{100}\right)\triangle ABC$이므로 삼각형의 넓이는 12 % 감소한다.

답 ③

쌤의 특강

증가와 감소

① a에 대하여 x %만큼 증가

$$\Rightarrow a\left(1 + \frac{x}{100}\right)$$

② a에 대하여 x %만큼 감소

$$\Rightarrow a\left(1 - \frac{x}{100}\right)$$

15

[전략] 삼각형의 넓이와 둘레의 길이를 이용하여 내접원의 반지름의 길이를 구한다.

오른쪽 그림과 같이 점 A에서 $\overline{BC}$에 내린 수선의 발을 H라 하면

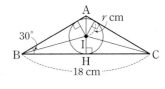

$$\begin{aligned}\overline{BH} &= \frac{1}{2}\overline{BC} \\ &= \frac{1}{2} \times 18 = 9 \text{ (cm)}\end{aligned}$$

△ABH에서

$$\overline{AB}=\dfrac{\overline{BH}}{\cos 30°}=9\times\dfrac{2}{\sqrt3}=6\sqrt3\,(\text{cm})$$

$$\therefore \triangle ABC=\dfrac{1}{2}\times\overline{AB}\times\overline{BC}\times\sin 30°$$

$$=\dfrac{1}{2}\times 6\sqrt3\times 18\times\dfrac{1}{2}$$

$$=27\sqrt3\,(\text{cm}^2)$$

내접원 I의 반지름의 길이를 r cm라 하면

$$\triangle ABC=\dfrac{r}{2}(\overline{AB}+\overline{BC}+\overline{CA})\text{이므로}$$

$$27\sqrt3=\dfrac{r}{2}(6\sqrt3+18+6\sqrt3),\ (9+6\sqrt3)r=27\sqrt3$$

$$\therefore r=\dfrac{27\sqrt3}{9+6\sqrt3}=\dfrac{9\sqrt3}{3+2\sqrt3}=-3\sqrt3(3-2\sqrt3)=18-9\sqrt3$$

따라서 내접원 I의 반지름의 길이는 $(18-9\sqrt3)$ cm이다.

📋 $(18-9\sqrt3)$ cm

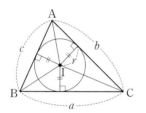
16

[전략] 색칠한 부분의 넓이는 부채꼴 AOB의 넓이에서 △AHO의 넓이를 빼서 구한다.

부채꼴의 반지름의 길이를 r cm라 하면 부채꼴의 호의 길이가
4π cm이므로

$$2\pi r\times\dfrac{30}{360}=4\pi$$

$$\therefore r=24$$

$$\therefore (\text{부채꼴 AOB의 넓이})=\pi\times 24^2\times\dfrac{30}{360}=48\pi\,(\text{cm}^2)$$

△AHO에서

$$\overline{OH}=\overline{OA}\cos 30°=24\times\dfrac{\sqrt3}{2}=12\sqrt3\,(\text{cm})$$

$$\therefore \triangle AHO=\dfrac{1}{2}\times\overline{OA}\times\overline{OH}\times\sin 30°$$

$$=\dfrac{1}{2}\times 24\times 12\sqrt3\times\dfrac{1}{2}$$

$$=72\sqrt3\,(\text{cm}^2)$$

따라서 색칠한 부분의 넓이는

(부채꼴 AOB의 넓이)$-\triangle AHO=48\pi-72\sqrt3\,(\text{cm}^2)$

📋 $(48\pi-72\sqrt3)$ cm²

17

[전략] $\overline{OA}$, $\overline{OC}$를 그은 후, △OAB, △OBC, △OCA의 넓이를 각각 구한다.

오른쪽 그림과 같이 $\overline{OA}$, $\overline{OC}$를 그으면

$\overparen{AB}:\overparen{BC}:\overparen{CA}=2:3:3$이므로

$$\angle AOB=360°\times\dfrac{2}{2+3+3}=90°$$

$$\angle BOC=\angle COA$$

$$=360°\times\dfrac{3}{2+3+3}=135°$$

$$\therefore \triangle ABC$$

$$=\triangle OAB+\triangle OBC+\triangle OCA$$

$$=\dfrac{1}{2}\times 10\times 10\times\sin 90°$$

$$\qquad +2\times\left\{\dfrac{1}{2}\times 10\times 10\times\sin(180°-135°)\right\}$$

$$=\dfrac{1}{2}\times 10\times 10\times 1+2\times\left(\dfrac{1}{2}\times 10\times 10\times\dfrac{\sqrt2}{2}\right)$$

$$=50+50\sqrt2\,(\text{cm}^2)$$

📋 $(50+50\sqrt2)$ cm²

18

[전략] 합동인 두 직각삼각형을 찾아 $\overline{BH}$, $\overline{BG}$, $\overline{BI}$, $\overline{BJ}$의 길이를 각각 구한다.

△ABH와 △CBG에서

$\angle BAH=\angle BCG=90°$, $\overline{BH}=\overline{BG}$, $\overline{BA}=\overline{BC}$이므로

$$\triangle ABH\equiv\triangle CBG\,(\text{RHS 합동})$$

$$\therefore \angle ABH=\angle CBG=\dfrac{1}{2}\times(90°-30°)=30°$$

△ABH에서

$$\overline{BH}=\dfrac{\overline{AB}}{\cos 30°}=3\times\dfrac{2}{\sqrt3}=2\sqrt3\,(\text{cm})$$

$$\therefore \overline{BG}=\overline{BH}=2\sqrt3\text{ cm}$$

$$\therefore \triangle BGH=\dfrac{1}{2}\times 2\sqrt3\times 2\sqrt3\times\sin 30°$$

$$=\dfrac{1}{2}\times 2\sqrt3\times 2\sqrt3\times\dfrac{1}{2}=3\,(\text{cm}^2)$$

마찬가지로

$\triangle BGI \equiv \triangle BEJ$ (RHS 합동)이므로

$\angle GBI = \angle EBJ = 30°$

$\triangle GBI$에서

$\overline{BI} = \dfrac{\overline{BG}}{\cos 30°} = 2\sqrt{3} \times \dfrac{2}{\sqrt{3}} = 4 \,(cm)$

$\therefore \overline{BJ} = \overline{BI} = 4 \,cm$

$\therefore \triangle BJI = \dfrac{1}{2} \times 4 \times 4 \times \sin 30°$

$= \dfrac{1}{2} \times 4 \times 4 \times \dfrac{1}{2}$

$= 4 \,(cm^2)$

따라서 두 삼각형 BGH와 BJI의 넓이의 차는

$4 - 3 = 1 \,(cm^2)$ **답** $1 \,cm^2$

19

[**전략**] 두 종이 테이프의 폭이 일정하므로 겹쳐진 부분은 평행사변형이다.

다음 그림과 같이 점 A에서 $\overline{CB}$의 연장선에 내린 수선의 발을 P, 점 C에서 $\overline{AB}$의 연장선에 내린 수선의 발을 Q라 하자.

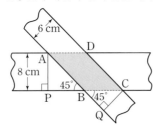

$\triangle APB$에서 $\overline{AP} = 8 \,cm$이므로

$\overline{AB} = \dfrac{\overline{AP}}{\sin 45°} = 8 \times \dfrac{2}{\sqrt{2}} = 8\sqrt{2} \,(cm)$

$\triangle BQC$에서

$\angle CBQ = \angle ABP = 45°$ (맞꼭지각), $\overline{CQ} = 6 \,cm$이므로

$\overline{BC} = \dfrac{\overline{CQ}}{\sin 45°} = 6 \times \dfrac{2}{\sqrt{2}} = 6\sqrt{2} \,(cm)$

이때 □ABCD는 두 쌍의 대변이 각각 평행하므로 평행사변형이다.

즉, $\angle ABC = 180° - 45° = 135°$이므로

$□ABCD = \overline{AB} \times \overline{BC} \times \sin(180° - 135°)$

$= 8\sqrt{2} \times 6\sqrt{2} \times \dfrac{\sqrt{2}}{2}$

$= 48\sqrt{2} \,(cm^2)$ **답** $48\sqrt{2} \,cm^2$

쌤의 특강

다음과 같이 □ABCD의 넓이를 구할 수도 있다.

□ABCD의 밑변을 $\overline{AB}$, 높이를 $\overline{CQ}$라 하면

$□ABCD = \overline{AB} \times \overline{CQ} = 8\sqrt{2} \times 6 = 48\sqrt{2} \,(cm^2)$

20

[**전략**] 점 D에서 $\overline{BC}$에 수선을 그은 후, $\overline{BD}$의 길이를 구한다.

오른쪽 그림과 같이 점 D에서 $\overline{BC}$에 내린 수선의 발을 H라 하면

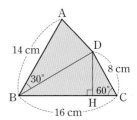

$\triangle DHC$에서

$\overline{DH} = 8 \sin 60°$

$= 8 \times \dfrac{\sqrt{3}}{2} = 4\sqrt{3} \,(cm)$

$\overline{CH} = 8 \cos 60° = 8 \times \dfrac{1}{2} = 4 \,(cm)$

이때 $\overline{BH} = \overline{BC} - \overline{CH} = 16 - 4 = 12 \,(cm)$이므로

$\triangle DBH$에서 $\overline{DB} = \sqrt{12^2 + (4\sqrt{3})^2} = \sqrt{192} = 8\sqrt{3} \,(cm)$

$\therefore □ABCD = \triangle ABD + \triangle DBC$

$= \dfrac{1}{2} \times \overline{AB} \times \overline{BD} \times \sin 30° + \dfrac{1}{2} \times \overline{BC} \times \overline{DH}$

$= \dfrac{1}{2} \times 14 \times 8\sqrt{3} \times \dfrac{1}{2} + \dfrac{1}{2} \times 16 \times 4\sqrt{3}$

$= 28\sqrt{3} + 32\sqrt{3} = 60\sqrt{3} \,(cm^2)$ **답** $60\sqrt{3} \,cm^2$

21

[**전략**] 두 점 A, D에서 $\overline{BC}$에 각각 수선을 그은 후, $\overline{BC}$의 길이를 구한다.

다음 그림과 같이 두 점 A, D에서 $\overline{BC}$에 내린 수선의 발을 각각 H, H′이라 하면

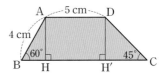

$\triangle ABH$에서

$\overline{AH} = 4 \sin 60° = 4 \times \dfrac{\sqrt{3}}{2} = 2\sqrt{3} \,(cm)$

$\overline{BH} = 4 \cos 60° = 4 \times \dfrac{1}{2} = 2 \,(cm)$

$\triangle DH'C$에서 $\overline{DH'} = \overline{AH} = 2\sqrt{3} \,cm$이므로

$\overline{CH'} = \dfrac{\overline{DH'}}{\tan 45°} = 2\sqrt{3} \,(cm)$

$\therefore \overline{BC} = \overline{BH} + \overline{HH'} + \overline{CH'}$

$= 2 + 5 + 2\sqrt{3} = 7 + 2\sqrt{3} \,(cm)$

$\therefore □ABCD = \dfrac{1}{2} \times \{5 + (7 + 2\sqrt{3})\} \times 2\sqrt{3}$

$= \dfrac{1}{2} \times (12 + 2\sqrt{3}) \times 2\sqrt{3}$

$= 6 + 12\sqrt{3} \,(cm^2)$ **답** ③

22

[**전략**] 작은 정육각형의 한 변의 길이를 구한 후, 6개의 합동인 정삼각형으로 나누어 넓이를 구한다.

정육각형의 한 내각의 크기는 $\dfrac{180° \times (6-2)}{6} = 120°$

오른쪽 그림과 같이 큰 정육각형의
한 꼭짓점을 A, 이웃하는 두 변의 중
점을 각각 B, C라 하고, △ABC의
점 A에서 $\overline{BC}$에 내린 수선의 발을 H라 하면

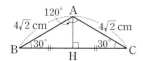

$\overline{AB}=\overline{AC}=\dfrac{1}{2}\times 8\sqrt{2}=4\sqrt{2}$ (cm)이고

$\angle BAC=120°$이므로

$\angle ABC=\angle ACB=\dfrac{1}{2}\times(180°-120°)=30°$

△AHC에서

$\overline{CH}=4\sqrt{2}\cos 30°=4\sqrt{2}\times\dfrac{\sqrt{3}}{2}=2\sqrt{6}$ (cm)

이때 $\overline{BH}=\overline{CH}$이므로 $\overline{BC}=2\times 2\sqrt{6}=4\sqrt{6}$ (cm)

따라서 구하는 둘레의 길이는

$6\times 4\sqrt{6}=24\sqrt{6}$ (cm)

또한, 오른쪽 그림과 같이 한 변의 길이가
$4\sqrt{6}$ cm인 정육각형에 대각선을 그으면 6개
의 합동인 정삼각형으로 나누어지므로 구하
는 넓이는

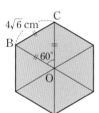

$6\triangle BOC=6\times\left(\dfrac{1}{2}\times\overline{OB}\times\overline{OC}\times\sin 60°\right)$

$=6\times\left(\dfrac{1}{2}\times 4\sqrt{6}\times 4\sqrt{6}\times\dfrac{\sqrt{3}}{2}\right)$

$=144\sqrt{3}$ (cm²)

답 둘레의 길이 : $24\sqrt{6}$ cm, 넓이 : $144\sqrt{3}$ cm²

정n각형의 한 내각의 크기

정n각형의 내각의 크기의 합은 $180°\times(n-2)$이므로 정n각형의 한 내각의
크기는

➡ $\dfrac{180°\times(n-2)}{n}$

작은 정육각형의 넓이는 큰 정육각형의 넓이에서 색칠하지 않은 6개의 삼각형
의 넓이를 빼서 구할 수도 있다.

오른쪽 그림과 같이 큰 정육각형에 대각선을 그으면
6개의 합동인 정삼각형으로 나누어지므로 그 넓이는

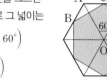

$6\triangle AOD=6\times\left(\dfrac{1}{2}\times\overline{OA}\times\overline{OD}\times\sin 60°\right)$

$=6\times\left(\dfrac{1}{2}\times 8\sqrt{2}\times 8\sqrt{2}\times\dfrac{\sqrt{3}}{2}\right)$

$=192\sqrt{3}$ (cm²)

이때

$\triangle ABC=\dfrac{1}{2}\times\overline{AB}\times\overline{AC}\times\sin(180°-120°)$

$=\dfrac{1}{2}\times 4\sqrt{2}\times 4\sqrt{2}\times\dfrac{\sqrt{3}}{2}$

$=8\sqrt{3}$ (cm²)

따라서 구하는 작은 정육각형의 넓이는

$192\sqrt{3}-6\triangle ABC$

$=192\sqrt{3}-48\sqrt{3}$

$=144\sqrt{3}$ (cm²)

LEVEL 3 최고난도 문제 → 29쪽

01 $(48-14\sqrt{3})$ cm² **02** 32.4 m **03** $\dfrac{\sqrt{21}}{14}$

04 $(50\sqrt{3}-75)$ cm²

01 solution (미리 보기)

step ❶	$\overline{CE}$의 길이 구하기
step ❷	$\overline{DE}$의 길이 구하기
step ❸	$\overline{AD}$와 $\overline{EF}$의 교점을 H라 하고, $\overline{DH}$의 길이 구하기
step ❹	□ABEH의 넓이 구하기

△BCE에서

$\angle EBC=90°-60°=30°$이므로

$\overline{CE}=6\tan 30°=6\times\dfrac{\sqrt{3}}{3}=2\sqrt{3}$ (cm) ⋯⋯ ❶

$\therefore \overline{DE}=\overline{CD}-\overline{CE}=6-2\sqrt{3}$ (cm) ⋯⋯ ❷

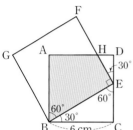

위의 그림과 같이 $\overline{AD}$와 $\overline{EF}$의 교점을 H라 하면

△EDH에서

$\angle DEH=180°-(60°+90°)$

$=30°$

이므로

$\overline{DH}=\overline{DE}\tan 30°$

$=(6-2\sqrt{3})\times\dfrac{\sqrt{3}}{3}$

$=2\sqrt{3}-2$ (cm) ⋯⋯ ❸

따라서 두 정사각형의 겹쳐진 부분의 넓이는

$\square ABEH=\square ABCD-(\triangle BCE+\triangle EDH)$

$=6\times 6-\left\{\dfrac{1}{2}\times 6\times 2\sqrt{3}+\dfrac{1}{2}\times(6-2\sqrt{3})\times(2\sqrt{3}-2)\right\}$

$=36-\left\{6\sqrt{3}+\dfrac{1}{2}\times(16\sqrt{3}-24)\right\}$

$=48-14\sqrt{3}$ (cm²) ⋯⋯ ❹

답 $(48-14\sqrt{3})$ cm²

02 solution (미리 보기)

step ❶	바이킹이 왼쪽으로 60°만큼 올라갔을 때를 그림으로 나타낸 후 사각형의 성질이나 삼각비를 이용할 수 있도록 보조선 긋기
step ❷	지면으로부터 A′ 지점까지의 높이 구하기
step ❸	지면으로부터 B′ 지점까지의 높이 구하기
step ❹	A′ 지점과 B′ 지점의 지면으로부터의 높이의 합 구하기

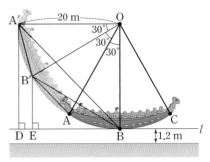

위의 그림과 같이 지면에 평행하고 B 지점을 지나는 직선을 l이라 하고, 두 지점 A′, B′에서 직선 l 위에 내린 수선의 발을 각각 D, E라 하자. ...... ❶

□A′DBO는 정사각형이므로 $\overline{A'D}=20$ m

즉, 지면으로부터 A′ 지점까지의 높이는

$20+1.2=21.2$ (m) ...... ❷

△OB′B는 한 변의 길이가 20 m인 정삼각형이므로 $\overline{B'B}=20$ m

△B′EB에서 ∠B′BE$=90°-60°=30°$이므로

$\overline{B'E}=20\sin 30°=20×\dfrac{1}{2}=10$ (m)

즉, 지면으로부터 B′ 지점까지의 높이는

$10+1.2=11.2$ (m) ...... ❸

따라서 구하는 높이의 합은 $21.2+11.2=32.4$ (m) ...... ❹

🔲 32.4 m

03 solution 미리 보기

step ❶	정삼각형 ABC의 한 변의 길이를 a라 하고, $\overline{BD}$의 길이를 a로 나타내기
step ❷	$\overline{EC}$의 길이를 a로 나타내기
step ❸	△BCE의 넓이를 이용하여 $\sin x$의 값 구하기

$\overline{AD}=\overline{CD}$이므로

∠ABD$=$∠CBD$=\dfrac{1}{2}×60°=30°$이고 $\overline{AC}\perp\overline{BD}$

정삼각형 ABC의 한 변의 길이를 a라 하면 △BCD에서

$\overline{BD}=\overline{BC}\sin 60°=a×\dfrac{\sqrt{3}}{2}=\dfrac{\sqrt{3}a}{2}$ ...... ❶

$\therefore \overline{BE}=\overline{ED}=\dfrac{1}{2}\overline{BD}=\dfrac{1}{2}×\dfrac{\sqrt{3}a}{2}=\dfrac{\sqrt{3}a}{4}$

△ECD에서

$\overline{EC}=\sqrt{\overline{ED}^2+\overline{DC}^2}=\sqrt{\left(\dfrac{\sqrt{3}a}{4}\right)^2+\left(\dfrac{a}{2}\right)^2}$

$=\sqrt{\dfrac{7a^2}{16}}=\dfrac{\sqrt{7}a}{4}$ ...... ❷

따라서 △BCE의 넓이는

$\dfrac{1}{2}×\overline{BC}×\overline{EC}×\sin x=\dfrac{1}{2}×\overline{BC}×\overline{BE}×\sin 30°$

이므로 $\dfrac{1}{2}×a×\dfrac{\sqrt{7}a}{4}×\sin x=\dfrac{1}{2}×a×\dfrac{\sqrt{3}a}{4}×\dfrac{1}{2}$

$\therefore \sin x=\dfrac{\sqrt{3}}{2\sqrt{7}}=\dfrac{\sqrt{21}}{14}$ ...... ❸

🔲 $\dfrac{\sqrt{21}}{14}$

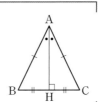
04 solution 미리 보기

step ❶	점 F에서 $\overline{CD}$에 내린 수선의 발을 H라 하고, $\overline{CH}=x$ cm라 할 때, $\overline{FH}$의 길이를 x로 나타내기
step ❷	$\overline{CH}$의 길이 구하기
step ❸	△EBF의 넓이 구하기

오른쪽 그림과 같이 점 F에서 $\overline{CD}$에 내린 수선의 발을 H라 하자.

$\overline{CH}=x$ cm라 하면

$\overline{DH}=10-x$ (cm)

△DFH에서 ∠FDH$=45°$이므로

$\overline{FH}=\overline{DH}\tan 45°=10-x$ (cm) ...... ❶

△FCH에서 ∠FCH$=90°-60°=30°$

즉, $\overline{FH}=\overline{CH}\tan 30°$이므로 $10-x=\dfrac{\sqrt{3}}{3}x$, $\dfrac{3+\sqrt{3}}{3}x=10$

$\therefore x=\dfrac{30}{3+\sqrt{3}}=5(3-\sqrt{3})=15-5\sqrt{3}$

따라서 $\overline{CH}$의 길이는 $(15-5\sqrt{3})$ cm이다. ...... ❷

$\therefore$ △EBF$=$△EBC$-$△FBC

$=\dfrac{1}{2}×\overline{BE}×\overline{BC}×\sin 60°-\dfrac{1}{2}×\overline{BC}×\overline{CH}$

$=\dfrac{1}{2}×10×10×\dfrac{\sqrt{3}}{2}-\dfrac{1}{2}×10×(15-5\sqrt{3})$

$=25\sqrt{3}-75+25\sqrt{3}$

$=50\sqrt{3}-75$ (cm²) ...... ❸

🔲 $(50\sqrt{3}-75)$ cm²

II. 원의 성질

03. 원과 직선

→ 34쪽~37쪽

LEVEL 1 시험에 꼭 내는 문제

01 $\dfrac{25}{6}$	02 $9\sqrt{3}$ cm²	03 $4\sqrt{5}$ cm	04 $\dfrac{169}{4}\pi$ cm²	05 ④
06 12	07 ⑤	08 48π cm²	09 $4\sqrt{3}$	10 $\dfrac{49}{2}\pi$ cm²
11 $\dfrac{240}{17}$	12 24	13 $32\sqrt{15}$ cm²	14 $\sqrt{105}$ cm	15 ③ 16 15
17 2	18 10 cm	19 12 cm	20 $6\sqrt{6}$	21 4
22 30π cm	23 3600π m²	24 6 cm		

01

오른쪽 그림과 같이 $\overline{OA}$ 를 긋고, 원 O 의 반지름의 길이를 r라 하면 △OAH에서

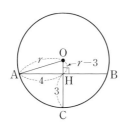

$r^2=4^2+(r-3)^2$

$r^2=16+r^2-6r+9$

$6r=25$　　∴ $r=\dfrac{25}{6}$

따라서 원 O의 반지름의 길이는 $\dfrac{25}{6}$이다.　　🖉 $\dfrac{25}{6}$

02

오른쪽 그림과 같이 원 O의 중심에서 현 AB에 수선을 그어 현 AB와 만나는 점을 H라 하면

$\overline{OH}=\dfrac{1}{2}\times6=3\,(\text{cm})$

△OAH에서

$\overline{AH}=\sqrt{6^2-3^2}=\sqrt{27}=3\sqrt{3}\,(\text{cm})$

∴ $\overline{AB}=2\overline{AH}=2\times3\sqrt{3}=6\sqrt{3}\,(\text{cm})$

∴ △ABO$=\dfrac{1}{2}\times\overline{AB}\times\overline{OH}=\dfrac{1}{2}\times6\sqrt{3}\times3=9\sqrt{3}\,(\text{cm}^2)$

🖉 $9\sqrt{3}$ cm²

03

오른쪽 그림과 같이 $\overline{AO}$, $\overline{DO}$ 를 그으면

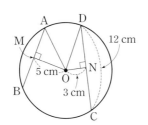

$\overline{DN}=\overline{CN}=\dfrac{1}{2}\overline{DC}$

　　　$=\dfrac{1}{2}\times12=6\,(\text{cm})$

△DON에서

$\overline{DO}=\sqrt{3^2+6^2}=\sqrt{45}=3\sqrt{5}\,(\text{cm})$

∴ $\overline{AO}=\overline{DO}=3\sqrt{5}$ cm

△AMO에서 $\overline{AM}=\sqrt{(3\sqrt{5})^2-5^2}=\sqrt{20}=2\sqrt{5}\,(\text{cm})$

∴ $\overline{AB}=2\overline{AM}=4\sqrt{5}\,(\text{cm})$　　🖉 $4\sqrt{5}$ cm

04

오른쪽 그림과 같이 $\overline{CD}$의 연장선은 원의 중심을 지나므로 원의 중심을 O, 반지름의 길이를 r cm라 하면 △AOD에서

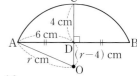

$r^2=6^2+(r-4)^2$, $r^2=36+r^2-8r+16$

$8r=52$　　∴ $r=\dfrac{13}{2}$

따라서 구하는 원의 넓이는

$\pi\times\left(\dfrac{13}{2}\right)^2=\dfrac{169}{4}\pi\,(\text{cm}^2)$　　🖉 $\dfrac{169}{4}\pi$ cm²

05

△AMO에서

$\overline{AM}=\sqrt{9^2-5^2}=\sqrt{56}=2\sqrt{14}\,(\text{cm})$

∴ $\overline{AB}=2\overline{AM}=4\sqrt{14}\,(\text{cm})$

이때 $\overline{OM}=\overline{ON}$이므로

$\overline{CD}=\overline{AB}=4\sqrt{14}$ cm　　🖉 ④

06

오른쪽 그림과 같이 점 O에서 $\overline{CD}$에 내린 수선의 발을 N이라 하면

$\overline{AB}=\overline{CD}$이므로 $\overline{ON}=\overline{OM}=3$

△ODN에서

$\overline{DN}=\sqrt{5^2-3^2}=\sqrt{16}=4$

∴ $\overline{CD}=2\overline{DN}=8$

∴ △COD$=\dfrac{1}{2}\times\overline{CD}\times\overline{ON}$

　　　　$=\dfrac{1}{2}\times8\times3=12$　　🖉 12

07

$\overline{OM}=\overline{ON}$이므로 $\overline{AB}=\overline{AC}$이다.

즉, △ABC는 $\overline{AB}=\overline{AC}$인 이등변삼각형이므로

$\angle C=\angle B=52°$

∴ $\angle A=180°-(52°+52°)=76°$

이때 □AMON의 내각의 크기의 합은 360°이므로

$\angle MON=360°-(90°+90°+76°)=104°$　　🖉 ⑤

08

$\overline{OM}=\overline{ON}$이므로 $\overline{AB}=\overline{CD}$이고

$\overline{AM}=\overline{MB}=\overline{CN}=\overline{ND}=6$ cm

△ODN에서

$\overline{OD}=\dfrac{\overline{DN}}{\sin 60°}=6\times\dfrac{2}{\sqrt{3}}=4\sqrt{3}$ (cm)

따라서 원 O의 넓이는

$\pi\times(4\sqrt{3})^2=48\pi$ (cm²) **답** 48π cm²

쌤의 특강

오른쪽 그림과 같이 ∠C=90°인

직각삼각형 ABC에서

① ∠B의 크기와 $\overline{AB}$의 길이를 알 때

　➡ $a=c\cos B$, $b=c\sin B$

② ∠B의 크기와 $\overline{BC}$의 길이를 알 때

　➡ $b=a\tan B$, $c=\dfrac{a}{\cos B}$

③ ∠B의 크기와 $\overline{AC}$의 길이를 알 때

　➡ $a=\dfrac{b}{\tan B}$, $c=\dfrac{b}{\sin B}$

09

오른쪽 그림과 같이 $\overline{PO}$를 그으면

△PAO≡△PBO (RHS 합동)

이므로

∠APO=∠BPO=$\dfrac{1}{2}\times 60°=30°$

△APO에서

$\overline{AO}=\overline{PA}\tan 30°=12\times\dfrac{\sqrt{3}}{3}=4\sqrt{3}$

따라서 원 O의 반지름의 길이는 $4\sqrt{3}$이다. **답** $4\sqrt{3}$

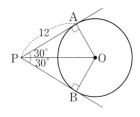

쌤의 특강

△PAO와 △PBO에서

∠PAO=∠PBO=90°, $\overline{OA}=\overline{OB}$ (원의 반지름), $\overline{PO}$는 공통이므로

△PAO≡△PBO (RHS 합동)

10

∠PAO=∠PBO=90°이므로 □APBO에서

∠AOB=360°−(90°+65°+90°)=115°

따라서 색칠한 부분인 부채꼴의 중심각의 크기는

360°−115°=245°이므로 구하는 넓이는

$\pi\times 6^2\times\dfrac{245}{360}=\dfrac{49}{2}\pi$ (cm²) **답** $\dfrac{49}{2}\pi$ cm²

11

오른쪽 그림과 같이 $\overline{PO}$를 그으면

△APO에서

$\overline{PO}=\sqrt{15^2+8^2}=\sqrt{289}=17$

$\overline{PO}$와 $\overline{AB}$의 교점을 H라 하면

$\overline{AB}\perp\overline{PO}$이고, $\overline{AH}=\overline{BH}$

$\triangle APO=\dfrac{1}{2}\times\overline{AP}\times\overline{AO}$

$\qquad\quad=\dfrac{1}{2}\times\overline{PO}\times\overline{AH}$

이므로 $\dfrac{1}{2}\times 15\times 8=\dfrac{1}{2}\times 17\times\overline{AH}$　∴ $\overline{AH}=\dfrac{120}{17}$

∴ $\overline{AB}=2\overline{AH}=2\times\dfrac{120}{17}=\dfrac{240}{17}$ **답** $\dfrac{240}{17}$

쌤의 만점 특강

△PAO≡△PBO이므로 ∠POA=∠POB

$\overline{OA}=\overline{OB}$, $\overline{OH}$는 공통

∴ △OAH≡△OBH (SAS 합동)

따라서 ∠OHA=∠OHB=90°이고, $\overline{AH}=\overline{BH}$이다.

12

∠AEO=90°이므로 △AOE에서

$\overline{AE}=\sqrt{13^2-5^2}=\sqrt{144}=12$

$\overline{AD}=\overline{AE}$, $\overline{BD}=\overline{BF}$, $\overline{CE}=\overline{CF}$이므로

(△ABC의 둘레의 길이)

$=\overline{AB}+\overline{BC}+\overline{CA}$

$=\overline{AB}+(\overline{BF}+\overline{CF})+\overline{CA}$

$=(\overline{AB}+\overline{BD})+(\overline{CE}+\overline{CA})$

$=\overline{AD}+\overline{AE}=2\overline{AE}$

$=2\times 12=24$ **답** 24

13

오른쪽 그림에서

$\overline{DE}=\overline{DA}=6$ cm,

$\overline{CE}=\overline{CB}=10$ cm이므로

$\overline{DC}=\overline{DE}+\overline{CE}$

$\qquad=6+10=16$ (cm)

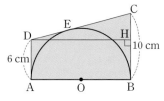

점 D에서 $\overline{BC}$에 내린 수선의 발을 H라 하면

$\overline{BH}=\overline{AD}=6$ cm이므로 $\overline{CH}=10-6=4$ (cm)

△CDH에서

$\overline{DH}=\sqrt{16^2-4^2}=\sqrt{240}=4\sqrt{15}$ (cm)

∴ □ABCD$=\dfrac{1}{2}\times(\overline{AD}+\overline{BC})\times\overline{DH}$

$\qquad\qquad=\dfrac{1}{2}\times(6+10)\times 4\sqrt{15}$

$\qquad\qquad=32\sqrt{15}$ (cm²) **답** $32\sqrt{15}$ cm²

14

오른쪽 그림에서
$\overline{DP}=\overline{DA}=3$ cm,
$\overline{CP}=\overline{CB}=8$ cm이므로
$\overline{DC}=\overline{DP}+\overline{CP}$
$\qquad =3+8$
$\qquad =11$ (cm)
점 D에서 $\overline{BC}$에 내린 수선의 발을 H라 하면
$\overline{BH}=\overline{AD}=3$ cm이므로 $\overline{CH}=8-3=5$ (cm)
$\triangle CDH$에서 $\overline{DH}^2=\overline{DC}^2-\overline{CH}^2=11^2-5^2=96$
따라서 $\triangle DBH$에서
$\overline{BD}=\sqrt{\overline{DH}^2+\overline{BH}^2}=\sqrt{96+3^2}=\sqrt{105}$ (cm)   답 $\sqrt{105}$ cm

15

$\overline{AD}=\overline{AF}=x$ cm라 하면
$\overline{BE}=\overline{BD}=(18-x)$ cm
$\overline{CE}=\overline{CF}=(20-x)$ cm
이때 $\overline{BC}=\overline{BE}+\overline{CE}$이므로
$24=(18-x)+(20-x),\ 2x=14$ $\therefore x=7$
따라서 $\overline{AD}$의 길이는 7 cm이다.   답 ③

16

$\overline{BD}=\overline{BE}=x$라 하면
$\overline{AF}=\overline{AD}=4, \overline{CE}=\overline{CF}=7$이므로
$(\triangle ABC$의 둘레의 길이$)=\overline{AB}+\overline{BC}+\overline{CA}$
$\qquad\qquad\qquad\qquad =2\times(4+7+x)$
$\qquad\qquad\qquad\qquad =2x+22$
즉, $2x+22=38$이므로
$2x=16$ $\therefore x=8$
$\therefore \overline{BC}=\overline{BE}+\overline{CE}=8+7=15$ 답 15

17

$\triangle ABC$에서 $\overline{BC}=\sqrt{10^2-8^2}=\sqrt{36}=6$
오른쪽 그림과 같이 $\overline{OE}, \overline{OF}$를 긋고,
원 O의 반지름의 길이를 r라 하면
$\square OECF$는 정사각형이므로
$\overline{AD}=\overline{AF}=8-r, \overline{BD}=\overline{BE}=6-r$
이때 $\overline{AB}=\overline{AD}+\overline{BD}$이므로
$10=(8-r)+(6-r)$
$2r=4$ $\therefore r=2$
따라서 원 O의 반지름의 길이는 2이다.   답 2

18

$\overline{CE}=\overline{CF}=x$ cm라 하면
$\overline{AD}=\overline{AF}=(9-x)$ cm
$\overline{BD}=\overline{BE}=(12-x)$ cm
이때 $\overline{AB}=\overline{AD}+\overline{BD}$이므로
$11=(9-x)+(12-x),\ 2x=10$ $\therefore x=5$
$\overline{HF}=\overline{HG}, \overline{IE}=\overline{IG}$이므로
$(\triangle HIC$의 둘레의 길이$)$
$=\overline{CH}+(\overline{HG}+\overline{IG})+\overline{IC}$
$=(\overline{CH}+\overline{HF})+(\overline{IE}+\overline{IC})$
$=\overline{CF}+\overline{CE}$
$=5+5$
$=10$ (cm)   답 10 cm

19

$\overline{AB}+\overline{DC}=\overline{AD}+\overline{BC}$이므로
$\overline{AD}+\overline{BC}=11+9=20$ (cm)
$\therefore \overline{BC}=20\times\dfrac{3}{2+3}=12$ (cm)   답 12 cm

20

$\overline{AB}+\overline{DC}=\overline{AD}+\overline{BC}$이고 $\overline{AB}=\overline{DC}$이므로
$2\overline{AB}=12+18=30$ $\therefore \overline{AB}=15$
오른쪽 그림과 같이 두 점 A, D에서
$\overline{BC}$에 내린 수선의 발을 각각 E, F라
하면
$\triangle ABE$와 $\triangle DCF$에서
$\angle AEB=\angle DFC=90°$,
$\overline{AB}=\overline{DC}, \angle B=\angle C$이므로
$\triangle ABE\equiv\triangle DCF$ (RHA 합동)
$\therefore \overline{BE}=\overline{CF}=\dfrac{1}{2}\times(18-12)=3$
$\triangle ABE$에서 $\overline{AE}=\sqrt{15^2-3^2}=\sqrt{216}=6\sqrt{6}$
따라서 원 O의 지름의 길이는 $6\sqrt{6}$이다.   답 $6\sqrt{6}$

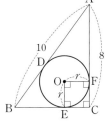

쌤의 오답 피하기 특강

등변사다리꼴의 성질과 원에 외접하는 사각형의 성질을 이용하면 $\overline{AB}, \overline{DC}$의
길이를 구할 수 있다. 또, 원의 지름의 길이는 등변사다리꼴의 높이와 같으므로
두 점 A, D에서 $\overline{BC}$에 수선을 그어 문제를 해결할 수 있다.

등변사다리꼴

① 뜻 : 밑변의 양 끝 각의 크기가 같은 사다리꼴
　➡ $\angle B = \angle C$
② 성질
　• 평행하지 않은 한 쌍의 대변의 길이가 같다.
　　➡ $\overline{AB} = \overline{DC}$
　• 두 대각선의 길이가 같다.
　　➡ $\overline{AC} = \overline{BD}$

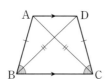

산책로의 넓이는 큰 원의 넓이에서 작은 원의 넓이를 뺀 것이므로 반지름의 길이를 각각 구하지 않고, 원의 접선의 성질과 피타고라스 정리를 이용하여 반지름의 길이의 제곱의 차를 구하면 된다.

21

□ABDC에서
$\overline{AB} + \overline{CD} = \overline{AC} + \overline{BD} = 8 + 5 = 13$ ……㉠
□CDFE에서
$\overline{CD} + \overline{EF} = \overline{CE} + \overline{DF} = 8 + 9 = 17$ ……㉡
㉡－㉠을 하면 $\overline{EF} - \overline{AB} = 17 - 13 = 4$
　　　　　　　　　　　　　　　　　　　　　　🔲 4

22

원에서 현의 수직이등분선은 그 원의 중심을 지나므로 오른쪽 그림과 같이 원의 중심을 O, 원의 중심 O에서 현 AB에 수선을 그어 현 AB와 만나는 점을 H, 원 O의 반지름의 길이를 r cm라 하면 △AOH에서 $r^2 = (r-3)^2 + 9^2$
$r^2 = r^2 - 6r + 9 + 81$, $6r = 90$　∴ $r = 15$
따라서 원래 접시의 둘레의 길이는
$2\pi \times 15 = 30\pi$ (cm)
　　　　　　　　　　　　　　　　🔲 30π cm

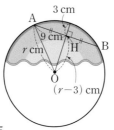

23

오른쪽 그림과 같이 $\overline{OA}$, $\overline{OM}$을 그으면
$\overline{OM} \perp \overline{AB}$이므로
$\overline{AM} = \dfrac{1}{2}\overline{AB} = \dfrac{1}{2} \times 120 = 60$ (m)
큰 원의 반지름의 길이를 R m, 작은 원의 반지름의 길이를 r m라 하면
△OAM에서
$R^2 = r^2 + 60^2$, $R^2 - r^2 = 3600$
따라서 산책로의 넓이는
$\pi R^2 - \pi r^2 = \pi(R^2 - r^2) = 3600\pi$ (m²)
　　　　　　　　　　　　　🔲 3600π m²

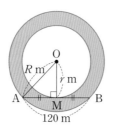

24

$\overline{BE} = x$ cm라 하면 $\overline{EC} = (12 - x)$ cm
□AECD에서 $\overline{AE} + \overline{DC} = \overline{AD} + \overline{EC}$이므로
$\overline{AE} + 8 = 12 + (12 - x)$　∴ $\overline{AE} = 16 - x$ (cm)
△ABE에서 $(16 - x)^2 = 8^2 + x^2$
$256 - 32x + x^2 = 64 + x^2$, $32x = 192$　∴ $x = 6$
따라서 $\overline{BE}$의 길이는 6 cm이다.
　　　　　　　　　　　　　　　　　　🔲 6 cm

LEVEL 2 필수 기출 문제　　　➡ 38쪽~44쪽

01 48　**02** ③　**03** $(16 + 16\sqrt{2})$ cm²　**04** 221π	
05 $2\sqrt{89}\pi$　**06** 108π cm²　**07** $9\sqrt{3} + 9\pi$　**08** $6\sqrt{3}$ cm²	
09 $9\sqrt{3} - 3\pi$　**10** 8 cm　**11** 2 cm	
12 $(20 - 10\sqrt{3})$ cm　**13** 14 cm　**14** 2 cm	
15 $\dfrac{3\sqrt{6}}{5}$　**16** 4	
17 (1) $\overline{AB}$: $(5 - \sqrt{7})$ cm, $\overline{AC}$: $(5 + \sqrt{7})$ cm　(2) π cm²	
18 $2\sqrt{3}$ cm　**19** 36 cm²　**20** 18　**21** 12　**22** 13π cm²	

01

[**전략**] 원 O의 중심에서 $\overline{O'N}$에 수선의 발을 내려 그 길이를 구한다.

오른쪽 그림과 같이 점 O에서 $\overline{O'N}$에 내린 수선의 발을 H라 하면
$\overline{O'H} = \overline{O'N} - \overline{HN}$
　　　$= \overline{O'N} - \overline{OM}$
　　　$= 20 - 10 = 10$
△O'OH에서
$\overline{OH} = \sqrt{26^2 - 10^2} = \sqrt{576} = 24$
∴ $\overline{MN} = \overline{OH} = 24$
원 O에서 $\overline{AM} = \overline{MP}$

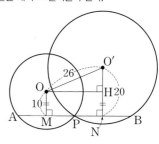

원 O'에서 $\overline{PN}=\overline{NB}$

$$\therefore \overline{AB}=\overline{AP}+\overline{PB}=2\overline{MP}+2\overline{PN}$$
$$=2(\overline{MP}+\overline{PN})=2\overline{MN}$$
$$=2\times24=48$$

답 48

개념1 부채꼴의 중심각의 크기와 호의 길이

한 원에서

① 중심각의 크기가 같은 두 부채꼴의 호의 길이는 같다.

② 부채꼴의 호의 길이는 중심각의 크기에 정비례한다.

개념2 삼각형의 넓이

삼각형의 두 변의 길이 a, b와 그 끼인각의 크기 C를 알 때 삼각형의 넓이 S는

① $\angle C$가 예각이면 $S=\dfrac{1}{2}ab\sin C$

② $\angle C$가 둔각이면 $S=\dfrac{1}{2}ab\sin(180°-C)$

02

[전략] $\overline{O_1O_2}$를 그으면 $\overline{AB}\perp\overline{O_1O_2}$이다.

오른쪽 그림과 같이 $\overline{O_1O_2}$를 그으면

$\triangle AO_1O_2$에서

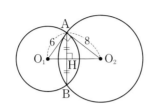

$\overline{O_1O_2}=\sqrt{6^2+8^2}=\sqrt{100}=10$

$\overline{O_1O_2}$와 $\overline{AB}$의 교점을 H라 하면

$\overline{O_1O_2}\perp\overline{AB}$, $\overline{AH}=\overline{BH}$이고

$\overline{AO_1}\times\overline{AO_2}=\overline{AH}\times\overline{O_1O_2}$이므로

$6\times8=\overline{AH}\times10$ $\therefore \overline{AH}=\dfrac{24}{5}$

$\therefore \overline{AB}=2\overline{AH}=2\times\dfrac{24}{5}=\dfrac{48}{5}$

답 ③

$\triangle AO_1O_2\equiv\triangle BO_1O_2$ (SSS 합동)이므로

$\angle AO_1H=\angle BO_1H$

따라서 $\triangle AO_1H\equiv\triangle BO_1H$ (SAS 합동)이므로

$\angle AHO_1=\angle BHO_1=90°$, $\overline{AH}=\overline{BH}$임을 알 수 있다.

03

[전략] 호의 길이와 중심각의 크기 사이의 관계를 이용하여 $\angle DOA$와 $\angle CBO$의 크기를 구한 후, $\triangle AOD$와 $\square DOBC$의 넓이를 구하는 방법을 각각 생각한다.

$\overparen{AD}:\overparen{DB}=1:3$이므로 $\angle AOD=\dfrac{1}{1+3}\times180°=45°$

$\overline{CB}/\!/\overline{DO}$이므로

$\angle CBO=\angle DOA=45°$ (동위각)

오른쪽 그림과 같이 점 O에서 $\overline{BC}$에 내린 수선의 발을 H라 하면

$\overline{BH}=\overline{CH}=\dfrac{1}{2}\overline{BC}=\dfrac{1}{2}\times8=4\,(\mathrm{cm})$

이때 $\triangle OBH$는 직각이등변삼각형이므로 $\overline{OH}=\overline{BH}=4$ cm

$\overline{OB}=\sqrt{4^2+4^2}=\sqrt{32}=4\sqrt{2}\,(\mathrm{cm})$

즉, 원 O의 반지름의 길이는 $4\sqrt{2}$ cm이다.

$\therefore \square ABCD$
$=\triangle AOD+\square DOBC$
$=\dfrac{1}{2}\times4\sqrt{2}\times4\sqrt{2}\times\sin45°+\dfrac{1}{2}\times(4\sqrt{2}+8)\times4$
$=\dfrac{1}{2}\times4\sqrt{2}\times4\sqrt{2}\times\dfrac{\sqrt{2}}{2}+8\sqrt{2}+16$
$=8\sqrt{2}+8\sqrt{2}+16=16+16\sqrt{2}\,(\mathrm{cm}^2)$

답 $(16+16\sqrt{2})$ cm²

04

[전략] 원 O의 중심에서 $\overline{AB}$, $\overline{CD}$에 수선을 긋고, 현의 수직이등분선의 성질을 이용한다.

오른쪽 그림과 같이 점 O에서 $\overline{AB}$, $\overline{CD}$에 내린 수선의 발을 각각 M, N이라 하면

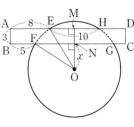

$\overline{AM}=\overline{MB}=\dfrac{1}{2}\overline{AB}$
$=\dfrac{1}{2}\times(6+16)=11$

$\overline{CN}=\overline{ND}=\dfrac{1}{2}\overline{CD}$
$=\dfrac{1}{2}\times(4+24)=14$

$\overline{MO}=\overline{PN}=\overline{CN}-\overline{CP}$
$=14-4=10$

$\triangle MOB$에서
$\overline{OB}=\sqrt{\overline{MO}^2+\overline{MB}^2}=\sqrt{10^2+11^2}=\sqrt{221}$

따라서 원 O의 반지름의 길이가 $\sqrt{221}$이므로 원 O의 넓이는

$\pi\times(\sqrt{221})^2=221\pi$

답 221π

05

[전략] 원의 중심에서 $\overline{AD}$, $\overline{BC}$에 수선의 발을 내리고, 현의 수직이등분선의 성질을 이용한다.

오른쪽 그림과 같이 원의 중심을 O라 하고, 점 O에서 $\overline{AD}$, $\overline{BC}$에 내린 수선의 발을 각각 M, N이라 하면

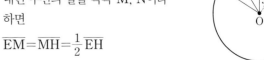

$\overline{EM}=\overline{MH}=\dfrac{1}{2}\overline{EH}$
$=\dfrac{1}{2}\times10=5$

이때 $\overline{BN}=\overline{AM}=8+5=13$이므로

$\overline{FN}=13-5=8$, $\overline{MN}=\overline{AB}=3$

$\overline{OE}$, $\overline{OF}$를 긋고, $\overline{ON}=x$라 하면

$\triangle$EOM에서 $\overline{OE}^2 = \overline{EM}^2 + \overline{MO}^2 = 5^2 + (x+3)^2$ ······ ㉠

$\triangle$FON에서 $\overline{OF}^2 = \overline{FN}^2 + \overline{NO}^2 = 8^2 + x^2$

$\overline{OE} = \overline{OF}$이므로

$5^2 + (x+3)^2 = 8^2 + x^2$, $25 + x^2 + 6x + 9 = 64 + x^2$

$6x = 30$ $\therefore x = 5$

$x = 5$를 ㉠에 대입하면

$\overline{OE}^2 = 5^2 + 8^2 = 89$

$\therefore \overline{OE} = \sqrt{89}$

따라서 원 O의 반지름의 길이는 $\sqrt{89}$이므로 둘레의 길이는

$2\pi \times \sqrt{89} = 2\sqrt{89}\pi$ 　　답 $2\sqrt{89}\pi$

06

[전략] $\overline{OD} = \overline{OE} = \overline{OF}$임을 이용하여 $\triangle$ABC가 어떤 삼각형인지부터 파악한다.

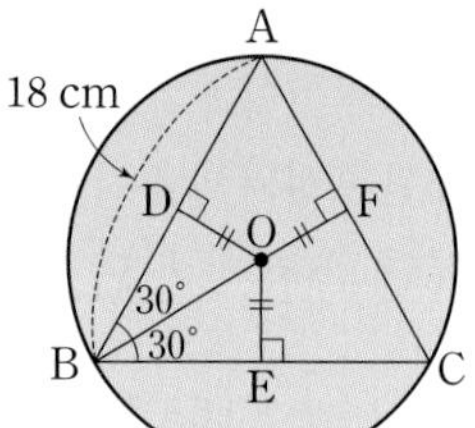

$\overline{OD} = \overline{OE} = \overline{OF}$이므로

$\overline{AB} = \overline{BC} = \overline{CA}$

즉, $\triangle$ABC는 정삼각형이므로

$\angle B = 60°$

$\overline{OB}$를 그으면

$\triangle$OBD $\equiv$ $\triangle$OBE (RHS 합동)이므로

$\angle OBD = \angle OBE = \dfrac{1}{2} \times 60° = 30°$

$\triangle$OBD에서

$\overline{BD} = \overline{DA} = \dfrac{1}{2} \times 18 = 9$ (cm)이므로

$\overline{OB} = \dfrac{\overline{BD}}{\cos 30°} = 9 \times \dfrac{2}{\sqrt{3}} = 6\sqrt{3}$ (cm)

따라서 원 O의 반지름의 길이는 $6\sqrt{3}$ cm이므로 원 O의 넓이는

$\pi \times (6\sqrt{3})^2 = 108\pi$ (cm^2) 　　답 108π cm^2

07

[전략] $\overline{OM} = \overline{ON}$이므로 $\overline{AB} = \overline{CD}$이고

$\overline{OM} \perp \overline{AB}$, $\overline{ON} \perp \overline{CD}$이므로 $\overline{AM} = \overline{BM} = \overline{CN} = \overline{DN}$

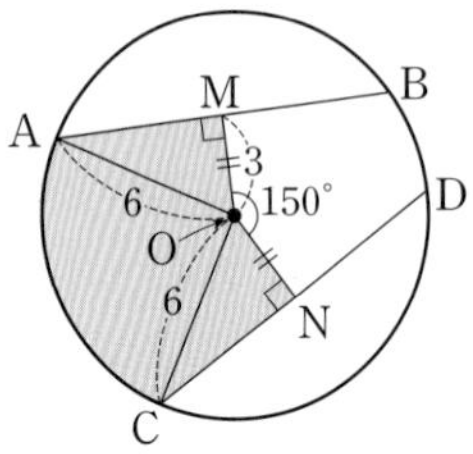

오른쪽 그림과 같이 $\overline{OA}$, $\overline{OC}$를 그으면

$\triangle$AOM에서 $\overline{AM} = \sqrt{6^2 - 3^2} = 3\sqrt{3}$

$\overline{OM} = \overline{ON}$이므로

$\overline{AM} = \overline{BM} = \overline{CN} = \overline{DN} = 3\sqrt{3}$

$\triangle$AOM에서

$\cos(\angle AOM) = \dfrac{3}{6} = \dfrac{1}{2}$

$\therefore \angle AOM = 60°$

$\triangle$CON에서

$\cos(\angle CON) = \dfrac{3}{6} = \dfrac{1}{2}$

$\therefore \angle CON = 60°$

$\therefore \angle AOC = 360° - (150° + 60° + 60°) = 90°$

따라서 색칠한 부분의 넓이는

$\triangle$AOM $+$ $\triangle$CON $+$ (부채꼴 AOC의 넓이)

$= \dfrac{1}{2} \times 3\sqrt{3} \times 3 + \dfrac{1}{2} \times 3\sqrt{3} \times 3 + \pi \times 6^2 \times \dfrac{90}{360}$

$= 9\sqrt{3} + 9\pi$ 　　답 $9\sqrt{3} + 9\pi$

참고 $\triangle$AOM $\equiv$ $\triangle$CON (RHS 합동)이므로

$\overline{AM} = \overline{CN}$, $\angle AOM = \angle CON$임을 이용할 수도 있다.

08

[전략] 구하는 도형의 넓이는 $\triangle$ABC의 넓이에서 $\triangle$BDM과 $\triangle$CEN의 넓이를 빼서 구할 수 있다.

$\overline{OM} = \overline{ON}$이므로 $\overline{AB} = \overline{AC}$

즉, $\triangle$ABC는 이등변삼각형이므로

$\angle B = \angle C = \dfrac{1}{2} \times (180° - 120°) = 30°$

$\overline{BM} = \overline{MA} = \overline{AN} = \overline{NC} = \dfrac{1}{2} \times 6 = 3$ (cm)이므로

$\triangle$BMD $\equiv$ $\triangle$CNE (ASA 합동)

또, $\triangle$BDM에서

$\overline{MD} = \overline{BM} \tan 30° = 3 \times \dfrac{\sqrt{3}}{3} = \sqrt{3}$ (cm)

$\therefore$ (색칠한 부분의 넓이)

$= \triangle ABC - 2\triangle BDM$

$= \dfrac{1}{2} \times 6 \times 6 \times \sin(180° - 120°) - 2 \times \left(\dfrac{1}{2} \times 3 \times \sqrt{3} \right)$

$= \dfrac{1}{2} \times 6 \times 6 \times \dfrac{\sqrt{3}}{2} - 3\sqrt{3}$

$= 9\sqrt{3} - 3\sqrt{3} = 6\sqrt{3}$ (cm^2) 　　답 $6\sqrt{3}$ cm^2

09

[전략] 색칠한 부분의 넓이는 □PBOA의 넓이에서 부채꼴 AOB의 넓이를 빼서 구할 수 있다.

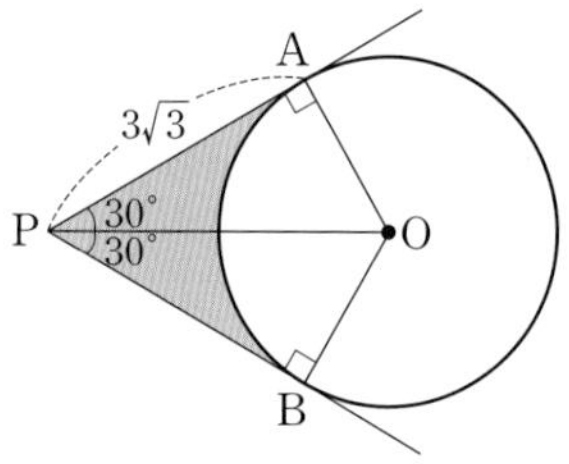

오른쪽 그림과 같이

$\overline{PO}$, $\overline{OA}$, $\overline{OB}$를 그으면

$\angle PAO = \angle PBO = 90°$이므로

$\angle AOB = 360° - (60° + 90° + 90°)$
$= 120°$

$\triangle$PAO $\equiv$ $\triangle$PBO (RHS 합동)

이므로

$\angle APO = \angle BPO = \dfrac{1}{2} \times 60° = 30°$

$\triangle$PAO에서 $\overline{AO} = \overline{PA} \tan 30° = 3\sqrt{3} \times \dfrac{\sqrt{3}}{3} = 3$

$\therefore$ (색칠한 부분의 넓이)

$= 2\triangle PAO - $ (부채꼴 AOB의 넓이)

$= 2 \times \left(\dfrac{1}{2} \times 3\sqrt{3} \times 3 \right) - \pi \times 3^2 \times \dfrac{120}{360}$

$= 9\sqrt{3} - 3\pi$ 　　답 $9\sqrt{3} - 3\pi$

10

[전략] 점 O_2에서 $\overline{BC}$에 내린 수선의 발을 H라 하면

➡ $\triangle PO_2H \backsim \triangle PO_3A$, $\overline{BH}=\overline{HC}$

다음 그림과 같이 $\overline{O_3A}$를 긋고, 점 O_2에서 $\overline{BC}$에 내린 수선의 발을 H라 하면

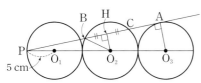

$\triangle PO_2H \backsim \triangle PO_3A$ (AA 닮음)이므로

$\overline{PO_2} : \overline{PO_3} = \overline{O_2H} : \overline{O_3A}$

$15 : 25 = \overline{O_2H} : 5$, $25\overline{O_2H}=75$ ∴ $\overline{O_2H}=3$ (cm)

$\overline{BO_2}$를 그으면 $\triangle BO_2H$에서

$\overline{BH} = \sqrt{\overline{BO_2}^2 - \overline{O_2H}^2} = \sqrt{5^2-3^2} = \sqrt{16} = 4$ (cm)

이때 $\overline{BH} = \overline{CH}$이므로

$\overline{BC} = 2\overline{BH} = 2 \times 4 = 8$ (cm)   **탑** 8 cm

참고 $\triangle PO_2H$와 $\triangle PO_3A$에서

∠P는 공통, $\angle PHO_2 = \angle PAO_3 = 90°$이므로

$\triangle PO_2H \backsim \triangle PO_3A$ (AA 닮음)

쌤의 특강

두 원의 위치 관계

두 원이 한 점에서 만날 때, 두 원은 접한다고 한다. 이때 접하는 경우는 다음과 같이 외부에서 접하는 경우(외접)와 내부에서 접하는 경우(내접)가 있다.

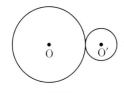

외접한다.   내접한다.

11

[전략] 점 O를 지나고 $\overline{AB}$, $\overline{BC}$에 평행한 직선을 각각 그은 후, 현의 수직이등분선의 성질을 이용한다.

오른쪽 그림과 같이 $\overline{OE}$의 연장선이 $\overline{AD}$와 만나는 점을 P, $\overline{OF}$의 연장선이 $\overline{AB}$와 만나는 점을 Q라 하면

$\overline{OP} \perp \overline{AH}$이므로 $\overline{AP}=\overline{PH}$

$\overline{OQ} \perp \overline{AG}$이므로 $\overline{AQ}=\overline{QG}$

$\overline{AG}=13-3=10$ (cm)이므로

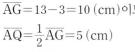

$\overline{AQ} = \dfrac{1}{2}\overline{AG} = 5$ (cm)

$\overline{DF} = \overline{AQ} = 5$ cm이므로 $\overline{CF} = 13-5=8$ (cm)

∴ $\overline{CE} = \overline{CF} = 8$ cm

$\overline{BE} = 14-8=6$ (cm), $\overline{AP}=\overline{BE}=6$ cm

$\overline{AH} = 2\overline{AP} = 12$ (cm)

∴ $\overline{DH} = 14-12=2$ (cm)   **탑** 2 cm

12

[전략] $\overline{OO'}$을 빗변으로 하는 직각삼각형을 그린 후, 피타고라스 정리를 이용하여 식을 세워 본다.

다음 그림과 같이 두 원 O, O'과 $\overline{BC}$의 접점을 각각 E, F라 하고, 점 O'에서 $\overline{OE}$에 내린 수선의 발을 H라 하자.

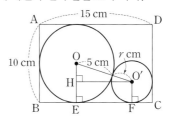

원 O의 반지름의 길이는

$\dfrac{1}{2}\overline{AB} = \dfrac{1}{2} \times 10 = 5$ (cm)

원 O'의 반지름의 길이를 r cm라 하면

$\overline{OO'} = (5+r)$ cm

$\overline{OH} = \overline{OE}-\overline{HE} = 5-r$ (cm)

$\overline{HO'} = \overline{EF} = 15-(5+r)=10-r$ (cm)

$\triangle OHO'$에서

$\overline{OO'}^2 = \overline{OH}^2 + \overline{HO'}^2$이므로

$(5+r)^2 = (5-r)^2 + (10-r)^2$

$25+10r+r^2 = 25-10r+r^2+100-20r+r^2$

$r^2-40r+100=0$

∴ $r = -(-20) \pm \sqrt{(-20)^2 - 1 \times 100} = 20 \pm 10\sqrt{3}$

이때 $0 < r < 5$이므로

$r = 20-10\sqrt{3}$

따라서 원 O'의 반지름의 길이는 $(20-10\sqrt{3})$ cm이다.

탑 $(20-10\sqrt{3})$ cm

13

[전략] $\overline{FE}=\overline{FH}$, $\overline{GA}=\overline{GH}$임을 이용하여 $\triangle DFG$의 둘레의 길이를 구한다.

$\overline{DA}=\overline{DE}=x$ cm라 하면

$\overline{CB}=\overline{CE}=(11-x)$ cm

$\overline{PA}=\overline{PB}$이므로

$12+x = 15+(11-x)$, $2x=14$ ∴ $x=7$

따라서 $\triangle DFG$의 둘레의 길이는

$\overline{DF}+\overline{FG}+\overline{GD}$

$= \overline{DF}+(\overline{FH}+\overline{HG})+\overline{GD}$

$= (\overline{DF}+\overline{FE})+(\overline{GA}+\overline{GD})$

$= \overline{DE}+\overline{DA}=7+7$

$= 14$ (cm)   **탑** 14 cm

14

[전략] $\overline{BF}$를 긋고, 직각삼각형에서 피타고라스 정리를 이용하여 식을 세운다.

다음 그림과 같이 $\overline{BF}$를 긋고, $\overline{AE}=x$ cm라 하면

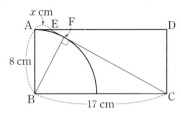

$\overline{EF}=\overline{AE}=x$ cm, $\overline{BF}=8$ cm

$\overline{BF}\perp\overline{CE}$이므로 $\triangle BCF$에서

$\overline{CF}=\sqrt{17^2-8^2}=\sqrt{225}=15\,(\text{cm})$

$\triangle CDE$에서

$\overline{EC}=(x+15)$ cm, $\overline{CD}=8$ cm, $\overline{DE}=(17-x)$ cm이므로

$(x+15)^2=8^2+(17-x)^2$

$x^2+30x+225=64+289-34x+x^2$

$64x=128$ $\therefore x=2$

따라서 $\overline{AE}$의 길이는 2 cm이다. 답 2 cm

15

[전략] 서로 평행한 세 선분을 찾아 평행선 사이의 선분의 길이의 비를 이용한다.

$\overline{DE}=\overline{DA}=6$, $\overline{CE}=\overline{CB}=9$

$\overline{AD}\,/\!/\,\overline{BC}$이므로

$\triangle FDA\backsim\triangle FBC$ (AA 닮음)

$\therefore \overline{FA}:\overline{FC}=\overline{DA}:\overline{BC}=6:9=2:3$

즉, $\triangle CDA$에서

$\overline{CE}:\overline{ED}=\overline{CF}:\overline{FA}=3:2$이므로 $\overline{EF}\,/\!/\,\overline{DA}$

$\therefore \overline{DA}\,/\!/\,\overline{EG}\,/\!/\,\overline{CB}$

이때 평행선 사이의 선분의 길이의 비에 의하여

$\overline{AG}:\overline{GB}=\overline{DE}:\overline{EC}=2:3$

다음 그림과 같이 점 D에서 $\overline{BC}$에 내린 수선의 발을 H라 하면

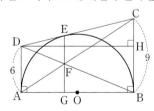

$\triangle CDH$에서 $\overline{CD}=6+9=15$, $\overline{CH}=9-6=3$이므로

$\overline{DH}=\sqrt{15^2-3^2}=\sqrt{216}=6\sqrt{6}$ $\therefore \overline{AB}=\overline{DH}=6\sqrt{6}$

$\overline{AG}=\dfrac{2}{2+3}\times\overline{AB}=\dfrac{2}{5}\times 6\sqrt{6}=\dfrac{12\sqrt{6}}{5}$

$\therefore \overline{OG}=\overline{OA}-\overline{AG}=\dfrac{1}{2}\times 6\sqrt{6}-\dfrac{12\sqrt{6}}{5}=\dfrac{3\sqrt{6}}{5}$ 답 $\dfrac{3\sqrt{6}}{5}$

반원의 지름의 길이, 즉 $\overline{AB}$의 길이를 알면 이를 이용하여 $\overline{AG}$와 $\overline{OA}$의 길이를 모두 구할 수 있다.

개념1 삼각형에서 평행선과 선분의 길이의 비

① $\overline{BC}\,/\!/\,\overline{DE}$이면 $\overline{AD}:\overline{DB}=\overline{AE}:\overline{EC}$

② $\overline{AD}:\overline{DB}=\overline{AE}:\overline{EC}$이면 $\overline{BC}\,/\!/\,\overline{DE}$

개념2 평행선 사이의 선분의 길이의 비

세 개 이상의 평행선이 다른 두 직선과 만나서 생기는 선분의 길이의 비는 같다.

즉, $l\,/\!/\,m\,/\!/\,n$이면 $a:b=c:d$

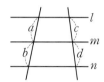

16

[전략] 원 O에서 접선의 길이를 이용하여 $\overline{CF}$의 길이를, 원 O′에서 접선의 길이를 이용하여 $\overline{CR}$의 길이를 구한다.

$\overline{AE}=\overline{AD}$, $\overline{CE}=\overline{CF}$, $\overline{BD}=\overline{BF}$이므로

$\overline{AE}+\overline{AD}=\overline{AB}+\overline{BC}+\overline{CA}=11+12+15=38$

$\therefore \overline{AE}=\dfrac{1}{2}\times 38=19$

$\overline{CE}=\overline{AE}-\overline{AC}=19-15=4$ $\therefore \overline{CF}=\overline{CE}=4$

$\triangle ABC$에서 $\overline{CP}=\overline{CR}=x$라 하면

$\overline{AQ}=\overline{AP}=15-x$, $\overline{BQ}=\overline{BR}=12-x$

이때 $\overline{AB}=\overline{AQ}+\overline{BQ}$이므로

$11=(15-x)+(12-x)$, $2x=16$ $\therefore x=8$

$\therefore \overline{FR}=\overline{CR}-\overline{CF}=8-4=4$ 답 4

17

[전략] 원 O의 반지름의 길이와 $\triangle ABC$의 넓이가 주어졌으므로 이를 이용하여 $\overline{AB}$, $\overline{AC}$의 길이를 각각 구해 본다.

(1) $\overline{AB}=a$ cm, $\overline{AC}=b$ cm라 하면

$a^2+b^2=8^2$, $ab=18$

$(a+b)^2=a^2+2ab+b^2=64+36=100$

이때 $a+b>0$이므로 $a+b=10$

$b=10-a$를 $ab=18$에 대입하면

$a(10-a)=18$, $a^2-10a+18=0$

$\therefore a=5\pm\sqrt{25-18}=5\pm\sqrt{7}$

$a=5+\sqrt{7}$이면 $b=10-(5+\sqrt{7})=5-\sqrt{7}$

$a=5-\sqrt{7}$이면 $b=10-(5-\sqrt{7})=5+\sqrt{7}$

이때 $a<b$이므로 $a=5-\sqrt{7}$, $b=5+\sqrt{7}$

따라서 $\overline{AB}$의 길이는 $(5-\sqrt{7})$ cm, $\overline{AC}$의 길이는 $(5+\sqrt{7})$ cm이다.

(2) 오른쪽 그림과 같이 $\triangle ABC$의 세 변과 원 O′의 접점을 D, E, F라 하고, 원 O′의 반지름의 길이를 r cm라 하면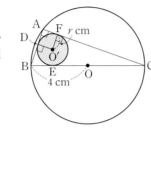

□ADO′F는 정사각형이므로

$\overline{AD}=\overline{AF}=r$ cm

$\overline{BE}=\overline{BD}=(5-\sqrt{7}-r)$ cm

$\overline{CE}=\overline{CF}=(5+\sqrt{7}-r)$ cm

$\overline{BC}=\overline{BE}+\overline{CE}$이므로

$8=(5-\sqrt{7}-r)+(5+\sqrt{7}-r)$, $8=10-2r$ $\therefore r=1$

따라서 원 O′의 넓이는 $\pi\times1^2=\pi$ (cm^2)이다.

🅰 (1) $\overline{AB}$: $(5-\sqrt{7})$ cm, $\overline{AC}$: $(5+\sqrt{7})$ cm (2) π cm^2

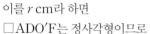

다음과 같이 원 O′의 반지름의 길이를 구할 수도 있다.

$\triangle ABC=\dfrac{r}{2}(\overline{AB}+\overline{BC}+\overline{CA})$에서

$9=\dfrac{r}{2}\{(5-\sqrt{7})+8+(5+\sqrt{7})\}$

$9r=9$

$\therefore r=1$

18

[전략] $\triangle ABC$의 높이를 구한 후, $\triangle ABC=\dfrac{1}{2}r(\overline{AB}+\overline{BC}+\overline{CA})$임을 이용한다.

$\overline{AR}=\overline{AP}=4$ cm

$\overline{BQ}=\overline{BP}=14-4=10$ (cm)

$\overline{CQ}=\overline{CR}=10-4=6$ (cm)

$\therefore \overline{BC}=10+6=16$ (cm)

다음 그림과 같이 점 A에서 $\overline{BC}$에 내린 수선의 발을 H라 하자.

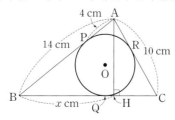

$\overline{BH}=x$ cm라 하면 $\overline{CH}=(16-x)$ cm

$\triangle ABH$에서 $\overline{AH}^2=14^2-x^2$

$\triangle ACH$에서 $\overline{AH}^2=10^2-(16-x)^2$

$14^2-x^2=10^2-(16-x)^2$에서

$196-x^2=100-256+32x-x^2$

$32x=352$ $\therefore x=11$

$\therefore \overline{AH}=\sqrt{14^2-x^2}=\sqrt{196-121}=\sqrt{75}=5\sqrt{3}$ (cm)

$\therefore \triangle ABC=\dfrac{1}{2}\times\overline{BC}\times\overline{AH}=\dfrac{1}{2}\times16\times5\sqrt{3}=40\sqrt{3}$ (cm^2)

원 O의 반지름의 길이를 r cm라 하면

$\triangle ABC=\dfrac{1}{2}r(\overline{AB}+\overline{BC}+\overline{CA})$이므로

$40\sqrt{3}=\dfrac{1}{2}r(14+16+10)$

$20r=40\sqrt{3}$ $\therefore r=2\sqrt{3}$

따라서 원 O의 반지름의 길이는 $2\sqrt{3}$ cm이다. 🅰 $2\sqrt{3}$ cm

19

[전략] $\overline{AB}$의 길이를 x cm라 하고, $\triangle ABC$에서 각 선분의 길이를 x로 나타낸 후, 피타고라스 정리를 이용하여 식을 세운다.

직사각형 ABCD의 둘레의 길이가 84 cm이므로

$\overline{AB}=x$ cm라 하면 $\overline{BC}=(42-x)$ cm

다음 그림과 같이 원 O와 $\overline{AB}$, $\overline{BC}$의 접점을 각각 P, Q라 하면

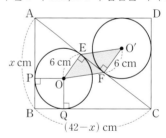

□PBQO는 정사각형이므로

$\overline{BP}=\overline{BQ}=6$ cm, $\overline{AE}=\overline{AP}=(x-6)$ cm

$\overline{CE}=\overline{CQ}=42-x-6=36-x$ (cm)

$\therefore \overline{AC}=\overline{AE}+\overline{CE}=(x-6)+(36-x)=30$ (cm)

$\triangle ABC$에서 $\overline{AC}^2=\overline{AB}^2+\overline{BC}^2$이므로

$30^2=x^2+(42-x)^2$, $900=x^2+1764-84x+x^2$

$x^2-42x+432=0$, $(x-18)(x-24)=0$

$\therefore x=18$ 또는 $x=24$

이때 $\overline{AB}<\overline{BC}$이므로 $x=18$

따라서 $\overline{AE}=18-6=12$ (cm)이고

마찬가지 방법으로 $\overline{CF}=12$ cm이므로

$\overline{EF}=\overline{AC}-(\overline{AE}+\overline{CF})=30-(12+12)=6$ (cm)

이때 $\triangle OFE\equiv\triangle O'EF$ (SAS 합동)이므로

□EOFO′$=2\triangle OFE=2\times\left(\dfrac{1}{2}\times6\times6\right)$

$\qquad=36$ (cm^2) 🅰 36 cm^2

20

[**전략**] $\overline{AC}$는 두 원의 공통인 접선이므로 $\overline{CH}=\overline{CI}=\overline{CJ}$이다. 나머지 공통인 접선에서도 같은 원리를 적용한다.

오른쪽 그림과 같이 네 원과 삼각형의 접점을 각각 G, H, I, J, K, L, M, N, O라 하고
$\overline{BG}=\overline{BH}=x$라 하면
$\overline{CJ}=\overline{CI}=\overline{CH}=10-x$
$\overline{DL}=\overline{DK}=\overline{DJ}$
$\quad=8-(10-x)=x-2$
$\overline{EN}=\overline{EM}=\overline{EL}$
$\quad=6-(x-2)=8-x$
$\overline{FO}=\overline{FN}=5-(8-x)=x-3$
또, $\overline{AO}=\overline{AM}=\overline{AK}=\overline{AI}=\overline{AG}=21-x$
$\therefore \overline{AF}=\overline{AO}+\overline{OF}=(21-x)+(x-3)=18$ 답 18

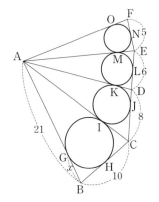

21

[**전략**] 직각삼각형 ABC에서 $\overline{AH}$, $\overline{BH}$, $\overline{CH}$의 길이를 각각 구한 후, 세 직각삼각형에서 내접원의 반지름의 길이를 각각 구한다.

$\triangle ABC$에서
$\overline{AB}\times\overline{CH}=\overline{AC}\times\overline{BC}$이므로
$25\times\overline{CH}=20\times15$ $\therefore \overline{CH}=12$
$\overline{BC}^2=\overline{BH}\times\overline{BA}$이므로
$15^2=\overline{BH}\times25$
$\therefore \overline{BH}=9, \overline{AH}=25-9=16$
오른쪽 그림과 같이 $\triangle ABC$와 원 O_1의
세 접점을 D, E, F라 하고, 원 O_1의
반지름의 길이를 r_1이라 하면
$\square O_1DCE$는 정사각형이므로
$\overline{CD}=\overline{CE}=r_1$
$\overline{AF}=\overline{AE}=20-r_1$
$\overline{BF}=\overline{BD}=15-r_1$
이때 $\overline{AB}=\overline{AF}+\overline{BF}$이므로
$25=(20-r_1)+(15-r_1)$
$\therefore r_1=5$
마찬가지 방법으로
원 O_2, O_3의 반지름의 길이를 각각 r_2, r_3이라 하면
$\triangle AHC$에서 $(16-r_2)+(12-r_2)=20$ $\therefore r_2=4$
$\triangle BCH$에서 $(9-r_3)+(12-r_3)=15$ $\therefore r_3=3$
따라서 세 원 O_1, O_2, O_3의 반지름의 길이의 합은
$r_1+r_2+r_3=5+4+3=12$ 답 12

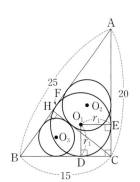

다른 풀이

$\triangle ABC$에서 $\overline{CH}=12$, $\overline{AH}=16$, $\overline{BH}=9$
세 원 O_1, O_2, O_3의 반지름의 길이를 각각 r_1, r_2, r_3이라 하면
$\triangle ABC$에서
$\dfrac{1}{2}r_1(\overline{AB}+\overline{BC}+\overline{CA})=\dfrac{1}{2}\times\overline{BC}\times\overline{CA}$

$\dfrac{1}{2}r_1(25+15+20)=\dfrac{1}{2}\times15\times20$ $\therefore r_1=5$
$\triangle AHC$에서
$\dfrac{1}{2}r_2(\overline{AH}+\overline{HC}+\overline{CA})=\dfrac{1}{2}\times\overline{AH}\times\overline{CH}$
$\dfrac{1}{2}r_2(16+12+20)=\dfrac{1}{2}\times16\times12$ $\therefore r_2=4$
$\triangle BCH$에서
$\dfrac{1}{2}r_3(\overline{BH}+\overline{BC}+\overline{CH})=\dfrac{1}{2}\times\overline{BH}\times\overline{CH}$
$\dfrac{1}{2}r_3(9+15+12)=\dfrac{1}{2}\times9\times12$ $\therefore r_3=3$
따라서 세 원 O_1, O_2, O_3의 반지름의 길이의 합은
$5+4+3=12$

쌤의 만점 특강

$\triangle ABC\backsim\triangle CBH\backsim\triangle ACH$ (AA 닮음)이고
닮음비는 $\overline{AB}:\overline{CB}:\overline{AC}=25:15:20=5:3:4$
이때 세 원의 반지름의 길이의 비는 세 삼각형의 닮음비와 같음을 이용하여 한 반지름의 길이를 구한 후, 나머지 반지름의 길이를 구할 수도 있다.

22

[**전략**] 외접사각형의 성질을 이용하여 원 O의 반지름의 길이를 구하고, 삼각형의 내접원의 성질을 이용하여 원 O′의 반지름의 길이를 구한다.

다음 그림과 같이 원 O의 반지름의 길이를 r cm라 하면

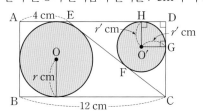

$\square ABCE$에서 $\overline{AE}+\overline{BC}=\overline{AB}+\overline{EC}$이므로
$4+12=2r+\overline{EC}$ $\therefore \overline{EC}=16-2r$ (cm)
$\triangle ECD$에서 $\overline{EC}^2=\overline{CD}^2+\overline{DE}^2$이므로
$(16-2r)^2=(2r)^2+8^2$
$256-64r+4r^2=4r^2+64$
$64r=192$ $\therefore r=3$
$\therefore \overline{EC}=16-2\times3=10$ (cm)
$\overline{CD}=2\times3=6$ (cm)
$\triangle ECD$와 원 O′의 세 접점을 F, G, H라 하고, 원 O′의 반지름의 길이를 r' cm라 하면
$\square HO'GD$는 정사각형이므로
$\overline{DH}=\overline{DG}=r'$ cm, $\overline{EF}=\overline{EH}=8-r'$ (cm),
$\overline{CF}=\overline{CG}=6-r'$ (cm)
이때 $\overline{EC}=\overline{EF}+\overline{CF}$이므로
$10=(8-r')+(6-r')$ $\therefore r'=2$
따라서 두 원 O, O′의 넓이의 합은
$\pi\times3^2+\pi\times2^2=13\pi$ (cm^2)   답 13π cm^2

01 solution 미리 보기

step ❶	점 O에서 $\overline{AB}$, $\overline{CD}$에 내린 수선의 발을 각각 M, N이라 하기
step ❷	△AOM에서 피타고라스 정리를 이용하여 식 세우기
step ❸	△CON에서 피타고라스 정리를 이용하여 식 세우기
step ❹	$\overline{ON}$의 길이 구하기
step ❺	$\overline{AM}$의 길이 구하기
step ❻	$\overline{AE}$의 길이 구하기

점 O에서 $\overline{AB}$, $\overline{CD}$에 내린 수선의 발을 각각 M, N이라 하고,
.... ❶

$\overline{AM}=a$, $\overline{ON}=b$라 하면
$\overline{AB}=2\overline{AM}=2a$
이때 $\overline{AB} : \overline{CD}=1 : 2$이므로 $\overline{CD}=2\overline{AB}=4a$
$\therefore \overline{CN}=\overline{DN}=\dfrac{1}{2}\overline{CD}=2a$

오른쪽 그림과 같이 $\overline{OA}$, $\overline{OC}$를
그으면
△AOM에서
$\overline{AO}^2=\overline{AM}^2+\overline{MO}^2$
$(\sqrt{65})^2=a^2+(6+b)^2$ ······ ㉠
.... ❷

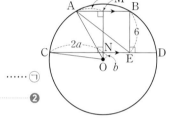

△CON에서
$\overline{CO}^2=\overline{CN}^2+\overline{NO}^2$
$(\sqrt{65})^2=(2a)^2+b^2$ ······ ㉡
.... ❸
㉠에서 $a^2=-b^2-12b+29$ ······ ㉢
㉢을 ㉡에 대입하면
$65=4(-b^2-12b+29)+b^2$
$b^2+16b-17=0$, $(b-1)(b+17)=0$
이때 $b>0$이므로 $b=1$
.... ❹
$b=1$을 ㉢에 대입하면 $a^2=16$
$a>0$이므로 $a=4$
.... ❺
따라서 △AEB에서
$\overline{AE}=\sqrt{\overline{AB}^2+\overline{BE}^2}=\sqrt{8^2+6^2}=\sqrt{100}=10$
.... ❻
답 10

반원 O_2의 반지름의 길이를 a, 반원 O_3의 반지름의 길이를 b라 하면
$\overline{AB}=2(a+b)$
즉, 반원 O_1의 반지름의 길이는 $\dfrac{\overline{AB}}{2}=a+b$ ❶
색칠한 부분의 넓이가 18π이므로
$\dfrac{1}{2}\pi(a+b)^2-\dfrac{1}{2}\pi a^2-\dfrac{1}{2}\pi b^2=18\pi$
$\dfrac{1}{2}\pi(a^2+2ab+b^2-a^2-b^2)=18\pi$
$\therefore ab=18$ ······ ㉠ ❷
다음 그림과 같이 점 O에서 $\overline{AB}$에 내린 수선의 발을 H라 하고
$\overline{OO_2}$, $\overline{PO_1}$을 그으면

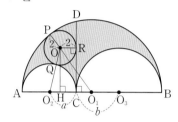

△OO_2H에서
$\overline{OO_2}=\overline{O_2Q}+\overline{QO}=a+2$
$\overline{O_2H}=\overline{O_2C}-\overline{CH}=a-2$
$\therefore \overline{OH}^2=(a+2)^2-(a-2)^2$
$=(a^2+4a+4)-(a^2-4a+4)$
$=8a$ ······ ㉡
△OO_1H에서
$\overline{OO_1}=\overline{O_1P}-\overline{PO}=a+b-2$
$\overline{O_1H}=\overline{O_1A}-(\overline{AO_2}+\overline{O_2H})$
$=a+b-(a+a-2)$
$=b-a+2$
$\therefore \overline{OH}^2=(a+b-2)^2-(b-a+2)^2$ ⎫ $a-2=X$로 치환하기
$=(b+X)^2-(b-X)^2$ ⎬
$=b^2+2bX+X^2-b^2+2bX-X^2$ ⎭
$=4bX=4b(a-2)$
$=4ab-8b$ ······ ㉢
㉡과 ㉢에서 $8a=4ab-8b$ ❸
이 식에 ㉠을 대입하면
$8a=4\times18-8b$, $8(a+b)=72$ $\therefore a+b=9$
$\therefore \overline{AB}=2(a+b)=2\times9=18$ ❹
답 18

02 solution 미리 보기

step ❶	두 반원 O_2, O_3의 반지름의 길이를 각각 a, b라 하고 반원 O_1의 반지름의 길이를 a, b로 나타내기
step ❷	색칠한 부분의 넓이를 이용하여 ab의 값 구하기
step ❸	점 O에서 $\overline{AB}$에 수선을 긋고, 피타고라스 정리를 이용하여 a와 b 사이의 관계식 구하기
step ❹	$\overline{AB}$의 길이 구하기

03 solution 미리 보기

step ❶	△ABC의 내접원의 중심 I가 $\overline{AD}$ 위에 있음을 알기
step ❷	△ABC의 내접원의 반지름의 길이 구하기
step ❸	$\overline{AI}$의 길이 구하기
step ❹	$\overline{BD}$의 길이 구하기
step ❺	$\overline{DI}$의 길이 구하기
step ❻	$\overline{AD}$의 길이 구하기

오른쪽 그림과 같이 △ABC의
내접원을 I라 하면 점 I는
△ABC의 내심이므로 $\overline{AD}$ 위에
있다. ·················· ❶

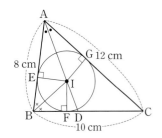

△ABC와 원 I의 접점을 E, F,
G라 하고, $\overline{AE}=\overline{AG}=x$ cm라
하면
$\overline{BF}=\overline{BE}=(8-x)$ cm, $\overline{CF}=\overline{CG}=(12-x)$ cm
이때 $\overline{BC}=\overline{BF}+\overline{CF}$이므로
$10=(8-x)+(12-x)$ ∴ $x=5$

오른쪽 그림과 같이 점 A에서
$\overline{BC}$에 내린 수선의 발을 H라
하고, $\overline{BH}=a$ cm라 하면
$\overline{AH}^2=8^2-a^2=12^2-(10-a)^2$
$64-a^2=144-(100-20a+a^2)$
∴ $a=1$
∴ $\overline{AH}=\sqrt{8^2-1^2}=\sqrt{63}=3\sqrt{7}$ (cm)
원 I의 반지름의 길이를 r cm라 하면
$\frac{1}{2}r(\overline{AB}+\overline{BC}+\overline{CA})=\frac{1}{2}\times\overline{BC}\times\overline{AH}$
$\frac{1}{2}r(8+10+12)=\frac{1}{2}\times10\times3\sqrt{7}$ ∴ $r=\sqrt{7}$ ······ ❷
△AIG에서
$\overline{AI}=\sqrt{\overline{AG}^2+\overline{IG}^2}=\sqrt{5^2+(\sqrt{7})^2}=4\sqrt{2}$ (cm) ·········· ❸
또한, $\overline{AD}$는 ∠A의 이등분선이므로
$\overline{BD}:\overline{CD}=\overline{AB}:\overline{AC}=8:12=2:3$
∴ $\overline{BD}=\frac{2}{2+3}\times\overline{BC}=\frac{2}{5}\times10=4$ (cm) ·········· ❹
$\overline{BI}$는 ∠B의 이등분선이므로
$\overline{DI}:\overline{AI}=\overline{BD}:\overline{BA}=4:8=1:2$
∴ $\overline{DI}=\frac{1}{2}\overline{AI}=\frac{1}{2}\times4\sqrt{2}=2\sqrt{2}$ (cm) ·········· ❺
∴ $\overline{AD}=\overline{AI}+\overline{DI}=4\sqrt{2}+2\sqrt{2}=6\sqrt{2}$ (cm) ·········· ❻

目 $6\sqrt{2}$ cm

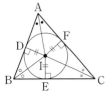
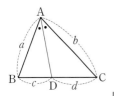
04 **solution** 미리 보기

step ❶	$\overline{AS}=x$ cm, $\overline{SD}=y$ cm라 하고 $x+y$의 값 구하기
step ❷	원 O의 반지름의 길이를 r cm라 하고 닮음인 두 삼각형을 이용하여 r와 x의 관계식 구하기
step ❸	마찬가지 방법으로 r와 y의 관계식 구하기
step ❹	$\overline{AS}$의 길이 구하기

오른쪽 그림과 같이 $\overline{AS}=x$ cm,
$\overline{SD}=y$ cm라 하면
$\overline{AB}+\overline{DC}=\overline{AD}+\overline{BC}$ 이고,
□ABCD의 둘레의 길이가
90 cm이므로
$(x+y)+(18+12)=\frac{1}{2}\times90$
∴ $x+y=15$ ·········· ㉠ ❶

△APO≡△ASO (RHS 합동),
△BPO≡△BQO (RHS 합동)이므로
∠AOP=∠AOS, ∠BOP=∠BOQ
이때 $\overline{SQ}$가 원 O의 지름이므로
∠AOP+∠BOP=90°
∴ △AOS∽△OBQ (AA 닮음)
원 O의 반지름의 길이를 r cm라 하면
$\overline{AS}:\overline{OQ}=\overline{OS}:\overline{BQ}$
$x:r=r:18$ ∴ $r^2=18x$ ······ ㉡ ❷
마찬가지 방법으로
△DOS∽△OCQ (AA 닮음)이므로
$\overline{DS}:\overline{OQ}=\overline{OS}:\overline{CQ}$
$y:r=r:12$ ∴ $r^2=12y$ ······ ㉢ ❸
㉡, ㉢에서 $18x=12y$ ∴ $y=\frac{3}{2}x$
$y=\frac{3}{2}x$를 ㉠에 대입하면 $x+\frac{3}{2}x=15$ ∴ $x=6$
따라서 $\overline{AS}$의 길이는 6 cm이다. ·········· ❹

目 6 cm

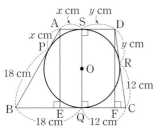

04. 원주각

LEVEL 1 시험에 꼭 내는 문제 →48쪽~50쪽

01 $100°$ **02** ② **03** ① **04** $54°$ **05** $42°$ **06** $\dfrac{4}{5}$ **07** $\dfrac{7}{5}$

08 7 cm **09** $22°$ **10** 9

11 $\angle A = 60°$, $\angle B = 48°$, $\angle C = 72°$ **12** $90°$ **13** $87°$ **14** $95°$

15 $156°$ **16** $95°$ **17** $22°$ **18** $105°$

01

오른쪽 그림과 같이 $\overline{OB}$를 그으면

$\angle AOB = 2\angle APB = 2 \times 20° = 40°$

$\angle BOC = 2\angle BQC = 2 \times 30° = 60°$

$\therefore \angle AOC = \angle AOB + \angle BOC$

$\qquad = 40° + 60° = 100°$

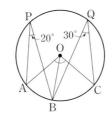

답 $100°$

02

오른쪽 그림과 같이 $\overline{OA}$, $\overline{OB}$를 그으면

$\angle AOB = 2\angle ACB$

$\qquad = 2 \times 65° = 130°$

$\angle PAO = \angle PBO = 90°$이므로

$\square APBO$에서

$\angle APB = 360° - (90° + 130° + 90°) = 50°$

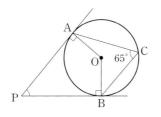

답 ②

03

오른쪽 그림과 같이 $\overline{BQ}$를 그으면

$\angle BQC = \dfrac{1}{2}\angle BOC = \dfrac{1}{2} \times 108°$

$\qquad = 54°$

$\therefore \angle AQB = 77° - 54° = 23°$

$\therefore \angle x = \angle AQB = 23°$

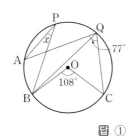

답 ①

04

오른쪽 그림과 같이 $\overline{BC}$를 그으면

$\overline{AB}$는 반원 O의 지름이므로

$\angle ACB = 90°$

$\triangle PCB$에서 $\angle CBP = 90° - 63° = 27°$

$\therefore \angle COD = 2\angle CBD$

$\qquad = 2 \times 27° = 54°$

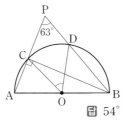

답 $54°$

05

오른쪽 그림과 같이 $\overline{BC}$를 그으면
$\overline{AB}$는 원 O의 지름이므로

$\angle ACB = 90°$

$\therefore \angle BCD = 90° - 48° = 42°$

$\therefore \angle x = \angle BCD = 42°$

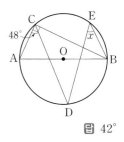

답 $42°$

06

오른쪽 그림과 같이 $\overline{BO}$의 연장선이 원
O와 만나는 점을 A′이라 하고 $\overline{A'C}$를
그으면 $\angle BAC = \angle BA'C$

$\overline{A'B}$는 원 O의 지름이므로

$\angle A'CB = 90°$

$\triangle A'BC$에서

$\overline{A'C} = \sqrt{20^2 - 12^2} = \sqrt{256} = 16$

$\therefore \cos A = \cos A' = \dfrac{16}{20} = \dfrac{4}{5}$

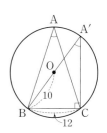

답 $\dfrac{4}{5}$

07

$\overline{AB}$는 반원 O의 지름이므로

$\angle ACB = 90°$

$\therefore \angle CAH = 90° - \angle ACH = \angle x$

$\triangle ABC$에서

$\overline{BC} = \sqrt{10^2 - 6^2} = \sqrt{64} = 8$이므로

$\sin x = \dfrac{8}{10} = \dfrac{4}{5}$

$\cos x = \dfrac{6}{10} = \dfrac{3}{5}$

$\therefore \sin x + \cos x = \dfrac{4}{5} + \dfrac{3}{5} = \dfrac{7}{5}$

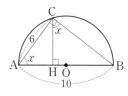

답 $\dfrac{7}{5}$

08

$\triangle ACP$에서

$\angle ACP = 78° - 26° = 52°$

$\overset{\frown}{AD} : \overset{\frown}{BC} = \angle ACD : \angle CAB$이므로

$14 : \overset{\frown}{BC} = 52 : 26$

$2\overset{\frown}{BC} = 14$

$\therefore \overset{\frown}{BC} = 7\text{(cm)}$

답 7 cm

09

오른쪽 그림과 같이 $\overline{BD}$를 그으면

$\overline{AB}$는 원 O의 지름이므로

$\angle ADB = 90°$

$\triangle DEB$에서

$\angle DEB = 180° - 124° = 56°$이므로

$\angle EBD = 90° - 56° = 34°$

이때 $\overset{\frown}{AC} = \overset{\frown}{CD}$이므로 $\angle ABC = \angle CBD = 34°$

따라서 $\triangle DAB$에서

$\angle x = 90° - (34° + 34°) = 22°$ 달 22°

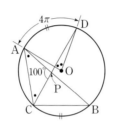

10

오른쪽 그림과 같이 $\overline{AC}$를 그으면

$\angle ACD = \angle CAB$이므로

$\triangle PAC$에서

$\angle PAC = \angle PCA$

$\qquad = \dfrac{1}{2} \times (180° - 100°) = 40°$

이때 $\overline{OA}$, $\overline{OD}$를 그으면

$\angle AOD = 2\angle ACD = 2 \times 40° = 80°$

원 O의 반지름의 길이를 r라 하면

$2\pi r \times \dfrac{80}{360} = 4\pi$ $\qquad \therefore r = 9$

따라서 원 O의 반지름의 길이는 9이다. 달 9

11

$\angle C : \angle A : \angle B = \overset{\frown}{AB} : \overset{\frown}{BC} : \overset{\frown}{CA} = 6 : 5 : 4$이므로

$\angle C = 180° \times \dfrac{6}{6+5+4} = 72°$

$\angle A = 180° \times \dfrac{5}{6+5+4} = 60°$

$\angle B = 180° \times \dfrac{4}{6+5+4} = 48°$

달 $\angle A = 60°$, $\angle B = 48°$, $\angle C = 72°$

12

오른쪽 그림과 같이 $\overline{AD}$를 그으면

$\overset{\frown}{BD}$의 길이가 원주의 $\dfrac{1}{12}$이므로

$\angle DAB = 180° \times \dfrac{1}{12} = 15°$

$\angle ADC : \angle DAB = \overset{\frown}{AC} : \overset{\frown}{BD} = 5 : 1$

이므로

$\angle ADC : 15° = 5 : 1$

$\therefore \angle ADC = 75°$

따라서 $\triangle APD$에서

$\angle APC = \angle DAP + \angle ADP = 15° + 75° = 90°$ 달 90°

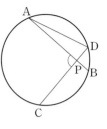

13

$\angle ABD = \angle ACD = 52°$이므로

$\angle DBC = 81° - 52° = 29°$

$\therefore \angle x = \angle DBC = 29°$

$\square ABCD$가 원에 내접하므로

$\angle ABC + \angle ADC = 180°$에서

$81° + (51° + \angle y) = 180°$

$\therefore \angle y = 48°$

또한, $\angle BAC = \angle BDC = \angle y$이므로

$\angle z = \angle BAD = \angle x + \angle y = 29° + 48° = 77°$

$\therefore 2\angle x - \angle y + \angle z = 2 \times 29° - 48° + 77° = 87°$ 달 87°

14

오른쪽 그림과 같이 $\overline{BE}$를 그으면

$\angle AEB = \dfrac{1}{2}\angle AOB = \dfrac{1}{2} \times 76° = 38°$

$\square BCDE$는 원 O에 내접하므로

$\angle BCD + \angle BED = 180°$에서

$123° + \angle BED = 180°$

$\therefore \angle BED = 57°$

$\therefore \angle AED = \angle AEB + \angle BED$

$\qquad = 38° + 57° = 95°$ 달 95°

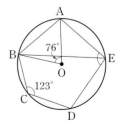

15

□PQCD가 원 O′에 내접하므로

$\angle BQP = \angle PDC = 102°$

□ABQP가 원 O에 내접하므로

$\angle BAP + \angle BQP = 180°$에서

$\angle BAP + 102° = 180°$

$\therefore \angle BAP = 78°$

$\therefore \angle x = 2\angle BAP = 2 \times 78° = 156°$

답 156°

16

다음 그림과 같이 $\overline{PQ}, \overline{RS}$를 그으면

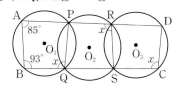

□RSCD가 원 O_3에 내접하므로

$\angle PRS = \angle x$

□PQSR가 원 O_2에 내접하므로

$\angle BQP = \angle PRS = \angle x$

□ABQP가 원 O_1에 내접하므로

$\angle x + 85° = 180°$

$\therefore \angle x = 95°$

답 95°

17

다음 그림과 같이 $\overline{BC}$를 그으면

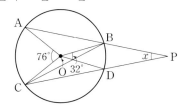

$\angle ABC = \dfrac{1}{2}\angle AOC = \dfrac{1}{2} \times 76° = 38°$

$\angle BCD = \dfrac{1}{2}\angle BOD = \dfrac{1}{2} \times 32° = 16°$

따라서 △BCP에서 $\angle ABC = \angle BCP + \angle x$이므로

$38° = 16° + \angle x$ $\therefore \angle x = 22°$

답 22°

18

$\overline{BD}$는 원 O의 지름이므로 $\angle BCD = 90°$

$\therefore \angle ECD = 90° - 63° = 27°$

△PCD에서 $\angle EPD = \angle PCD + \angle PDC$이므로

$102° = 27° + \angle PDC$ $\therefore \angle PDC = 75°$

□ABCD는 원 O에 내접하므로

$\angle ABC + \angle ADC = 180°$에서

$\angle ABC + 75° = 180°$ $\therefore \angle ABC = 105°$

답 105°

다음 세 가지 성질을 차례로 적용하여 각의 크기를 각각 구해 본다.

① 반원에 대한 원주각의 크기는 90°임을 이용하여 $\angle ECD$의 크기 구하기

② 삼각형의 한 외각의 크기는 그와 이웃하지 않는 두 내각의 크기의 합과 같음을 이용하여 $\angle PDC$의 크기 구하기

③ 원에 내접하는 사각형의 한 쌍의 대각의 크기의 합은 180°임을 이용하여 $\angle ABC$의 크기 구하기

또한, 사각형의 내각의 크기의 합이 360°임을 이용하여 풀 수도 있다.

$\overline{BD}$는 원 O의 지름이므로 $\angle BAD = 90°$

$\angle APC = \angle EPD = 102°$(맞꼭지각)

따라서 □ABCP에서

$\angle ABC + 90° + 102° + 63° = 360°$이므로

$\angle ABC = 360° - 255° = 105°$

LEVEL 2 필수 기출 문제 → 51쪽~54쪽

01 (1) 60°   (2) $12\sqrt{3}$ cm²   **02** $(18\pi + 108)$ m²   **03** 76°

04 $\dfrac{10}{3}$ cm   **05** $2\sqrt{3}$ **06** 144π **07** 76°   **08** 100°   **09** 35°

10 144   **11** 130°   **12** 38°   **13** 44°   **14** $3\sqrt{2}$ cm   **15** 75°   **16** 104°

01

[**전략**] $\angle APB$는 $\widehat{AB}$에 대한 원주각이므로 $\widehat{AB}$의 중심각의 크기를 구해 본다.

(1) 다음 그림과 같이 점 O에서 $\overline{AB}$에 내린 수선의 발을 H라 하고 $\overline{OH}$의 연장선이 원 O와 만나는 점을 C라 하자.

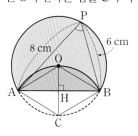

△AOH와 △ACH에서

$\overline{OH} = \overline{CH}$, $\angle AHO = \angle AHC = 90°$,

$\overline{AH}$는 공통이므로

△AOH ≡ △ACH (SAS 합동)

$\therefore \overline{AO}=\overline{AC}$

마찬가지 방법으로

$\triangle BOH \equiv \triangle BCH$ (SAS 합동)이므로

$\overline{BO}=\overline{BC}$

이때 $\overline{OA}=\overline{OC}=\overline{OB}$(원 O의 반지름)이므로

$\triangle OAC$, $\triangle OCB$는 모두 정삼각형이다.

따라서 $\angle AOB=60^\circ+60^\circ=120^\circ$이므로

$\angle APB=\dfrac{1}{2}\angle AOB=\dfrac{1}{2}\times120^\circ=60^\circ$

(2) $\triangle PAB=\dfrac{1}{2}\times\overline{PA}\times\overline{PB}\times\sin60^\circ$

$\qquad\quad =\dfrac{1}{2}\times8\times6\times\dfrac{\sqrt{3}}{2}$

$\qquad\quad =12\sqrt{3}\ (\mathrm{cm}^2)$

目 (1) 60° (2) $12\sqrt{3}\ \mathrm{cm}^2$

참고 다음과 같은 방법으로 $\angle AOB$의 크기를 구할 수도 있다.

$\overline{OH}=\dfrac{1}{2}\overline{OC}=\dfrac{1}{2}\overline{OA}$이므로

$\triangle OAH$에서

$\cos(\angle AOH)=\dfrac{\overline{OH}}{\overline{OA}}=\dfrac{\frac{1}{2}\overline{OA}}{\overline{OA}}=\dfrac{1}{2}$

$\therefore \angle AOH=60^\circ$

마찬가지 방법으로 $\angle BOH=60^\circ$

$\therefore \angle AOB=60^\circ+60^\circ=120^\circ$

쌤의 복합 개념 특강

삼각형의 넓이

삼각형의 두 변의 길이와 그 끼인각의 크기를 알면 삼각비를 이용하여 넓이를 구할 수 있다.

① ∠B가 예각인 경우   ② ∠B가 둔각인 경우

$\triangle ABC=\dfrac{1}{2}ac\sin B$ $\triangle ABC=\dfrac{1}{2}ac\sin(180^\circ-B)$

02

[전략] $\widehat{AB}$에 대한 중심각의 크기를 구한 후, 이를 이용하여 원 모양의 공연장의 반지름의 길이를 구한다.

오른쪽 그림과 같이 공연장을 원 O라 하면

$\angle AOB=2\angle APB$

$\qquad\quad =2\times45^\circ=90^\circ$

이때 원 O의 반지름의 길이를 r m라 하면

$\overline{AO}=\overline{BO}=r$ m이므로

$\triangle AOB$에서

$2r^2=12^2$, $r^2=72$

이때 $r>0$이므로 $r=6\sqrt{2}$

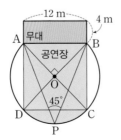

따라서 원 O의 반지름의 길이는 $6\sqrt{2}$ m이다.

위의 그림과 같이 $\overline{AO}$의 연장선이 원 O와 만나는 점을 C, $\overline{BO}$의 연장선이 원 O와 만나는 점을 D라 하면 무대를 정면으로 볼 수 있는 영역은 정사각형 ADCB와 $\widehat{CD}$, $\overline{CD}$로 이루어진 활꼴이다.

$\therefore \square ADCB=12\times12=144\ (\mathrm{m}^2)$

$\therefore$ ($\overline{CD}$와 $\widehat{CD}$로 이루어진 활꼴의 넓이)

$\qquad =\pi\times(6\sqrt{2})^2\times\dfrac{90}{360}-\dfrac{1}{2}\times6\sqrt{2}\times6\sqrt{2}$

$\qquad =18\pi-36\ (\mathrm{m}^2)$

따라서 구하는 영역의 넓이는

$144+(18\pi-36)=18\pi+108\ (\mathrm{m}^2)$

目 $(18\pi+108)\ \mathrm{m}^2$

참고 $\square ADCB$는 두 대각선이 서로 다른 것을 수직이등분하고, 그 길이가 같으므로 정사각형이다.

03

[전략] $\angle ACD$와 크기가 같은 각을 찾는다.

$\triangle FCE$에서

$\angle CEF=90^\circ-38^\circ=52^\circ$

$\therefore \angle DEG=\angle CEF=52^\circ$ (맞꼭지각)

$\angle DEB=90^\circ$이므로

$\angle GEB=90^\circ-52^\circ=38^\circ$

$\widehat{AD}$에 대한 원주각의 크기는 같으므로 $\angle ABD=\angle ACD=38^\circ$

따라서 $\triangle EGD$에서

$\angle x=\angle GEB+\angle EBG=38^\circ+38^\circ=76^\circ$

目 76°

04

[전략] $\overline{AB}$를 한 변으로 하고 직각삼각형 AHC와 닮음인 직각삼각형을 찾을 수 있도록 적절한 보조선을 긋는다.

오른쪽 그림과 같이 $\overline{AO}$의 연장선이 원 O와 만나는 점을 D라 하고, $\overline{BD}$를 그으면 $\triangle ABD$에서

$\overline{AD}$는 원 O의 지름이므로

$\overline{AD}=2\times6=12\ (\mathrm{cm})$

반원에 대한 원주각의 크기는 90°이므로

$\angle ABD=90^\circ$

$\widehat{AB}$에 대한 원주각의 크기는 같으므로

$\angle ACB=\angle ADB$

즉, $\triangle ABD$와 $\triangle AHC$에서

$\angle ABD=\angle AHC=90^\circ$, $\angle ADB=\angle ACH$

$\therefore \triangle ABD\infty\triangle AHC$ (AA 닮음)

따라서 $\overline{AB} : \overline{AH} = \overline{AD} : \overline{AC}$이므로

$8 : \overline{AH} = 12 : 5$, $12\overline{AH} = 40$

$\therefore \overline{AH} = \dfrac{10}{3}$ (cm)　　　　　　　　　　🅐 $\dfrac{10}{3}$ cm

05

[전략] 원 O의 지름을 지나도록 $\overparen{BC}$에 대한 원주각을 그린 후, 직각삼각형에서 삼각비의 값을 이용한다.

오른쪽 그림과 같이 $\overline{BO}$의 연장선이 원 O와 만나는 점을 A′이라 하면 $\overline{A'B}$는 원 O의 지름이므로

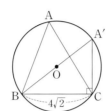

$\angle BCA' = 90°$

이때 $\angle BAC = \angle BA'C$이므로

$\tan A' = \tan A = \sqrt{2}$

△A′BC에서

$\overline{A'C} = \dfrac{4\sqrt{2}}{\tan A'} = \dfrac{4\sqrt{2}}{\sqrt{2}} = 4$

$\therefore \overline{A'B} = \sqrt{4^2 + (4\sqrt{2})^2} = \sqrt{48} = 4\sqrt{3}$

따라서 원 O의 반지름의 길이는 $2\sqrt{3}$이다.　　🅐 $2\sqrt{3}$

06

[전략] $\overline{BC}$를 그은 후 $\overparen{AC}$와 $\overparen{BD}$의 원주각의 크기의 합을 구한다.

오른쪽 그림과 같이 $\overline{BC}$를 그으면

$\angle ABC + \angle DCB = \angle APC = 45°$

원 O의 반지름의 길이를 r라 하면

$\overparen{AC} + \overparen{BD}$의 길이에 대한 원주각의 크기의 합이 45°이므로

$45° : 180° = 6\pi : 2\pi r$

$1 : 4 = 3 : r$　　$\therefore r = 12$

따라서 원 O의 반지름의 길이가 12이므로 그 넓이는

$\pi \times 12^2 = 144\pi$　　　　　　　　🅐 144π

다른 풀이

오른쪽 그림과 같이 $\overline{BC}$, $\overline{OA}$, $\overline{OC}$, $\overline{OB}$, $\overline{OD}$를 그으면

$\angle AOC + \angle DOB$

$= 2\angle ABC + 2\angle DCB$

$= 2(\angle ABC + \angle DCB)$

$= 2 \times 45° = 90°$

$\overparen{AC} + \overparen{BD}$의 길이에 대한 중심각의 크기의 합이 90°이므로

$90° : 360° = 6\pi : 2\pi r$

$1 : 4 = 3 : r$　　$\therefore r = 12$

따라서 원 O의 반지름의 길이가 12이므로 그 넓이는

$\pi \times 12^2 = 144\pi$

07

[전략] $\overparen{BA} = \overparen{AC} = \overparen{CD}$이므로 세 호에 대한 원주각의 크기가 같음을 이용할 수 있도록 적절한 보조선을 긋는다.

다음 그림과 같이 $\overline{AD}$, $\overline{BC}$를 긋고, $\angle BCD = \angle x$라 하면

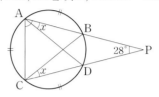

$\angle BAD = \angle BCD = \angle x$

△BCP에서

$\angle ABC = \angle x + 28°$

$\overparen{BA} = \overparen{CD} = \overparen{AC}$이므로

$\angle ACB = \angle CAD = \angle ABC = \angle x + 28°$

따라서 △ACB에서

$(\angle x + 28°) + \angle x + (\angle x + 28°) + (\angle x + 28°) = 180°$

$4\angle x + 84° = 180°$, $4\angle x = 96°$

$\therefore \angle x = 24°$

$\therefore \angle BAC = \angle x + (\angle x + 28°)$

$\qquad\qquad\quad = 2 \times 24° + 28°$

$\qquad\qquad\quad = 76°$　　　　　　🅐 $76°$

다른 풀이

다음 그림과 같이 $\overline{BC}$, $\overline{BD}$를 긋고, $\angle BCD = \angle x$라 하면

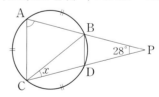

△BCP에서

$\angle ABC = \angle x + 28°$

$\overparen{BA} = \overparen{CD} = \overparen{AC}$이므로

$\angle ACB = \angle CBD = \angle ABC = \angle x + 28°$

이때 □ACDB는 원에 내접하므로

$\angle ACD + \angle ABD = 180°$에서

$(\angle x + 28°) + \angle x + (\angle x + 28°) + (\angle x + 28°) = 180°$

$4\angle x + 84° = 180°$, $4\angle x = 96°$

$\therefore \angle x = 24°$

따라서 △ACB에서

$\angle BAC = 180° - 2(\angle x + 28°)$

$\qquad\qquad\quad = 180° - 2 \times (24° + 28°)$

$\qquad\qquad\quad = 76°$

08

[전략] 한 원에서 길이가 같은 호에 대한 원주각의 크기는 같고, 원주각의 크기와 호의 길이는 정비례함을 이용할 수 있도록 적절한 보조선을 긋는다.

오른쪽 그림과 같이 $\overline{AC}$, $\overline{BC}$를 긋고
$\overline{AB}$와 $\overline{CE}$의 교점을 F라 하면
$\overline{AB}$는 원 O의 지름이므로

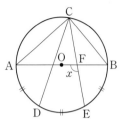

$\angle ACB = 90°$

즉, $\angle CAB + \angle CBA = 90°$이고,

$\angle CBA : \angle CAB$
$= \overset{\frown}{AC} : \overset{\frown}{CB} = 5 : 4$

$\therefore \angle CAB = 90° \times \dfrac{4}{5+4} = 40°$

또, $\overset{\frown}{AD} = \overset{\frown}{DE} = \overset{\frown}{EB}$이므로

$\angle ACD = \angle DCE = \angle ECB = 90° \times \dfrac{1}{3} = 30°$

$\therefore \angle ACE = 30° + 30° = 60°$

따라서 $\triangle CAF$에서

$\angle x = \angle CAF + \angle ACF = 40° + 60° = 100°$ **답** 100°

09

[전략] $\overset{\frown}{AM}$과 $\overset{\frown}{MB}$의 원주각의 크기가 같고, $\overset{\frown}{AN}$과 $\overset{\frown}{NC}$의 원주각의 크기가 같음을 이용할 수 있도록 적절한 보조선을 긋는다.

오른쪽 그림과 같이
$\overline{AM}$, $\overline{AN}$을 그으면
$\overset{\frown}{AM} = \overset{\frown}{MB}$이므로
$\angle ANM = \angle MAB$
$\overset{\frown}{AN} = \overset{\frown}{NC}$이므로
$\angle AMN = \angle NAC$
$\triangle AMP$와 $\triangle ANQ$에서
$\angle APQ = \angle MAP + \angle AMP$
$\qquad = \angle ANQ + \angle NAQ$
$\qquad = \angle AQP = 50°$

따라서 $\triangle PBQ$에서
$\angle APQ = \angle PBQ + \angle PQB$이므로
$50° = 15° + \angle x$ $\therefore \angle x = 35°$ **답** 35°

10

[전략] 점 A를 지나는 원 O의 지름을 긋고, $\overset{\frown}{CD}$와 길이가 같은 호를 찾는다.

오른쪽 그림과 같이 $\overline{AO}$의 연장선이 원 O
와 만나는 점을 E라 하고, $\overline{BE}$, $\overline{CE}$를 그
으면

$\overline{AE}$는 원 O의 지름이므로

$\angle ACE = 90°$

즉, $\overline{BD} /\!/ \overline{EC}$이므로

$\angle BCE = \angle DBC$ (엇각)

이때 $\overset{\frown}{BE}$와 $\overset{\frown}{CD}$의 원주각의 크기가 같으므로

$\overset{\frown}{BE} = \overset{\frown}{CD}$ $\therefore \overline{BE} = \overline{CD}$

또, $\triangle ABE$에서 $\angle ABE = 90°$이므로

$\overline{AB}^2 + \overline{BE}^2 = \overline{AE}^2 = 12^2 = 144$

$\therefore \overline{AB}^2 + \overline{CD}^2 = \overline{AB}^2 + \overline{BE}^2 = 144$ **답** 144

쌤의 만점 특강

원주각의 성질, 평행선의 성질, 피타고라스 정리 등 여러 가지 개념을 복합하여 적용할 수 있어야 문제를 해결할 수 있다.
특히, 평행선에서 엇각의 크기가 같음을 이용하여 원주각의 크기가 같은 두 호를 찾을 수 있어야 한다.

11

[전략] □ABCD가 원 O에 내접하므로 한 쌍의 대각의 크기의 합은 180°이다.

□ABCD가 원 O에 내접하므로

$\angle ABC = 180° - \angle x$

$\triangle PBC$에서

$\angle PCQ = 37° + (180° - \angle x) = 217° - \angle x$

따라서 $\triangle DCQ$에서

$\angle x = (217° - \angle x) + 43°$

$2 \angle x = 260°$

$\therefore \angle x = 130°$ **답** 130°

12

[전략] 원에 내접하는 사각형의 성질을 이용하여 $\angle BED$의 크기를 구한다.

□BCDE는 원 O에 내접하므로

$\angle BED = 180° - 116° = 64°$

$\overline{BE}$는 원 O의 지름이므로

$\angle BDE = 90°$

$\triangle BDE$에서

$\angle EBD = 90° - 64° = 26°$

$\therefore \angle ABE = \angle EBD = 26°$

따라서 $\triangle FBD$에서

$\angle x = 90° - (26° + 26°) = 38°$ **답** 38°

13

[전략] 원에 내접하는 사각형이 생기도록 적절한 보조선을 그은 후, ∠ABC의 대각의 크기를 구한다.

오른쪽 그림과 같이 $\overline{RA}$, $\overline{RB}$, $\overline{RC}$를 그으면

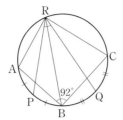

$\overparen{AP}=\overparen{PB}$, $\overparen{BQ}=\overparen{QC}$이므로

∠ARP=∠PRB, ∠BRQ=∠QRC

$\begin{aligned} \angle ARC &= \angle ARP + \angle PRB \\ &\quad + \angle BRQ + \angle QRC \\ &= 2\angle PRB + 2\angle BRQ \\ &= 2(\angle PRB + \angle BRQ) \\ &= 2\angle PRQ \end{aligned}$

이때 □ABCR는 원에 내접하므로

∠ARC=180°−92°=88°

따라서 2∠PRQ=88°이므로 ∠PRQ=44°　　　　目 **44°**

14

[전략] □ABDE가 원 O에 내접함을 이용하여 크기가 같은 각을 찾는다.

□ABDE가 원 O에 내접하므로

∠EDC=∠BAE

△ABC와 △DCF에서

∠CAB=∠FDC, $\overline{AB}=\overline{DC}$, ∠ABC=∠DCF이므로

△ABC≡△DCF (ASA 합동)

∴ $\overline{BC}=\overline{CF}=12$ cm

다음 그림과 같이 $\overline{AD}$를 그으면 ∠ABD=90°이므로 $\overline{AD}$는 원 O의 지름이다.

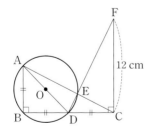

∴ $\overline{AB}=\overline{BD}=\overline{DC}$

　　$=\dfrac{1}{2}\times 12=6$ (cm)

이때 △ABD에서

$\overline{AD}=\sqrt{6^2+6^2}=\sqrt{72}=6\sqrt{2}$ (cm)

따라서 원 O의 반지름의 길이는

$\dfrac{1}{2}\overline{AD}=\dfrac{1}{2}\times 6\sqrt{2}=3\sqrt{2}$ (cm)　　　目 **$3\sqrt{2}$ cm**

15

[전략] 원주각의 크기와 호의 길이는 정비례함을 이용하여 ∠ADC, ∠DAB의 크기를 각각 구한다.

$\overparen{AC}$의 길이가 원주의 $\dfrac{1}{4}$이므로 $\angle ADC=180°\times\dfrac{1}{4}=45°$

$\overparen{BD}$의 길이가 원주의 $\dfrac{1}{3}$이므로 $\angle DAB=180°\times\dfrac{1}{3}=60°$

□ABCD가 원 O에 내접하므로

∠x=180°−45°=135°, ∠y=∠DAB=60°

∴ ∠x−∠y=135°−60°=75°　　　　　目 **75°**

16

[전략] $\overline{CD}$를 긋고, 두 원 O, O'에서 원주각의 성질과 원에 내접하는 사각형의 성질을 각각 이용한다.

오른쪽 그림과 같이 ∠PBE=∠x라 하고, $\overline{CD}$를 그으면

원 O에서

∠ADC=∠ABC=∠x

△PBE에서

∠BEF=76°+∠x

□CDFE는 원 O'에 내접하므로

$\begin{aligned} \angle CDF &= 180°-(76°+\angle x) \\ &= 104°-\angle x \end{aligned}$

$\begin{aligned} \therefore \angle ADF &= \angle ADC + \angle CDF \\ &= \angle x + (104°-\angle x) = 104° \end{aligned}$　　目 **104°**

LEVEL 3 최고난도 문제　　　→55쪽

01 2 cm	**02** $\dfrac{9\sqrt{2}}{2}$	**03** 21 cm	**04** $(4\sqrt{3}-6)$ cm

01 solution 미리 보기

step ❶	∠BAC의 크기 구하기
step ❷	점 A에서 $\overline{BC}$에 내린 수선의 발을 H라 할 때, $\overline{AH}$의 길이 구하기
step ❸	$\overline{AC}$의 길이 구하기

오른쪽 그림에서

$\angle a = 360° - 150° = 210°$

$\therefore \angle BAC = \dfrac{1}{2} \times 210° = 105°$ ·················· ❶

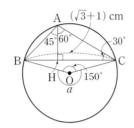

점 A에서 $\overline{BC}$에 내린 수선의 발을 H라

하고, $\overline{AH} = x$ cm라 하면

$\angle CAH = 60°$, $\angle BAH = 45°$이므로

$\triangle ABH$에서 $\overline{BH} = x \tan 45° = x$ (cm)

$\triangle AHC$에서 $\overline{CH} = x \tan 60° = \sqrt{3}\,x$ (cm)

이때 $\overline{BC} = \overline{BH} + \overline{CH}$이므로

$\sqrt{3} + 1 = x + \sqrt{3}\,x$, $(\sqrt{3} + 1)x = \sqrt{3} + 1$ $\quad \therefore x = 1$ ·················· ❷

즉, $\overline{AH}$의 길이는 1 cm이다.

따라서 $\triangle AHC$에서

$\overline{AC} = \dfrac{\overline{AH}}{\cos 60°} = 1 \times 2 = 2$ (cm) ·················· ❸

답 2 cm

쌤의 만점 특강

오른쪽 그림과 같이 예각삼각형의 한 변의 길이(a)와

그 양 끝 각의 크기를 알면 삼각비를 이용하여 높

이(h)를 구할 수 있다.

$\triangle ABH$에서 $\overline{BH} = h \tan x$

$\triangle AHC$에서 $\overline{CH} = h \tan y$

$a = \overline{BH} + \overline{CH} = h(\tan x + \tan y)$

➡ $h = \dfrac{a}{\tan x + \tan y}$

02 solution 미리 보기

step ❶	$\overline{AC}$의 길이를 구한 후 $\overline{AB}$, $\overline{BC}$의 길이 각각 구하기
step ❷	$\triangle ACD$와 $\triangle ABC$의 넓이를 이용하여 □ABCD의 넓이 구하기
step ❸	$\triangle ABD$와 $\triangle BCD$의 넓이를 이용하여 □ABCD의 넓이 구하기
step ❹	$\overline{BD}$의 길이 구하기

$\overline{AC}$는 원 O의 지름이므로 $\angle ADC = 90°$, $\angle ABC = 90°$

$\triangle ACD$에서 $\overline{AC} = \sqrt{6^2 + 3^2} = \sqrt{45} = 3\sqrt{5}$

$\triangle ABC$에서 $\overline{AB} = \overline{BC} = a$라 하면

$2a^2 = \overline{AC}^2 = (3\sqrt{5})^2 = 45$, $a^2 = \dfrac{45}{2}$

이때 $a > 0$이므로 $a = \dfrac{3\sqrt{10}}{2}$

$\therefore \overline{AB} = \overline{BC} = \dfrac{3\sqrt{10}}{2}$ ·················· ❶

$\square ABCD = \triangle ACD + \triangle ABC$

$= \dfrac{1}{2} \times 6 \times 3 + \dfrac{1}{2} \times \dfrac{3\sqrt{10}}{2} \times \dfrac{3\sqrt{10}}{2}$

$= 9 + \dfrac{45}{4} = \dfrac{81}{4}$ ·················· ❷

한편, $\overline{AB} = \overline{BC}$이므로 $\overparen{AB} = \overparen{BC}$ $\quad \therefore \angle ADB = \angle BDC = 45°$

$\overline{BD} = x$라 하면

$\triangle ABD = \dfrac{1}{2} \times 6 \times x \times \sin 45° = \dfrac{1}{2} \times 6 \times x \times \dfrac{\sqrt{2}}{2} = \dfrac{3\sqrt{2}}{2}x$

$\triangle BCD = \dfrac{1}{2} \times x \times 3 \times \sin 45° = \dfrac{1}{2} \times x \times 3 \times \dfrac{\sqrt{2}}{2} = \dfrac{3\sqrt{2}}{4}x$

$\square ABCD = \triangle ABD + \triangle BCD$

$= \dfrac{3\sqrt{2}}{2}x + \dfrac{3\sqrt{2}}{4}x = \dfrac{9\sqrt{2}}{4}x$ ·················· ❸

즉, $\dfrac{9\sqrt{2}}{4}x = \dfrac{81}{4}$이므로 $x = \dfrac{9\sqrt{2}}{2}$

따라서 $\overline{BD}$의 길이는 $\dfrac{9\sqrt{2}}{2}$이다. ·················· ❹

답 $\dfrac{9\sqrt{2}}{2}$

다른 풀이

$\overline{AC}$는 원 O의 지름이므로 $\angle ADC = 90°$, $\angle ABC = 90°$

$\triangle ACD$에서 $\overline{AC} = \sqrt{6^2 + 3^2} = \sqrt{45} = 3\sqrt{5}$

$\triangle ABC$에서 $\overline{AB} = \overline{BC} = a$라 하면

$2a^2 = \overline{AC}^2 = (3\sqrt{5})^2 = 45$, $a^2 = \dfrac{45}{2}$

이때 $a > 0$이므로 $a = \dfrac{3\sqrt{10}}{2}$

$\therefore \overline{AB} = \overline{BC} = \dfrac{3\sqrt{10}}{2}$

오른쪽 그림과 같이 $\overline{AC}$와 $\overline{BD}$의 교점을

E라 하고, 점 E에서 $\overline{AD}$, $\overline{CD}$에 내린

수선의 발을 각각 F, G라 하면

$\triangle DFE$와 $\triangle DGE$에서

$\angle DFE = \angle DGE = 90°$,

$\overline{DE}$는 공통, $\angle FDE = \angle GDE$이므로

$\triangle DFE \equiv \triangle DGE$ (RHA 합동) $\quad \therefore \overline{EF} = \overline{EG}$

$\overline{EF} = \overline{EG} = b$라 하면

$\triangle DAC = \triangle DAE + \triangle DEC$이므로

$\dfrac{1}{2} \times 6 \times 3 = \dfrac{1}{2} \times 6 \times b + \dfrac{1}{2} \times 3 \times b$, $\dfrac{9}{2}b = 9$ $\quad \therefore b = 2$

따라서 $\overline{EF} = \overline{EG} = 2$이고 □DFEG는 정사각형이다.

$\triangle FAE$에서 $\overline{AE} = \sqrt{\overline{FA}^2 + \overline{FE}^2} = \sqrt{(6-2)^2 + 2^2} = 2\sqrt{5}$

또한, $\triangle AED$와 $\triangle BCD$에서

$\angle ADE = \angle BDC$, $\angle DAE = \angle DBC$

$\therefore \triangle AED \backsim \triangle BCD$ (AA 닮음)

즉, $\overline{AD} : \overline{BD} = \overline{AE} : \overline{BC}$이므로 $6 : \overline{BD} = 2\sqrt{5} : \dfrac{3\sqrt{10}}{2}$

$2\sqrt{5}\,\overline{BD} = 6 \times \dfrac{3\sqrt{10}}{2} = 9\sqrt{10}$

$\therefore \overline{BD} = \dfrac{9\sqrt{10}}{2\sqrt{5}} = \dfrac{9\sqrt{2}}{2}$

03 solution 미리 보기

step ❶	$\overline{BD}$의 길이 구하기
step ❷	△ABC와 닮음인 삼각형 찾기
step ❸	$\overline{AC}$의 길이 구하기
step ❹	$\overline{AD}$의 길이 구하기

오른쪽 그림과 같이 $\overline{AC}$, $\overline{BO}$, $\overline{BD}$를
그으면 $\overline{CD}$는 원 O의 지름이므로
$\angle CAD=90°$, $\angle CBD=90°$
△BCD에서
$\overline{BD}=\sqrt{24^2-6^2}$
$\quad=\sqrt{540}$
$\quad=6\sqrt{15}$ (cm) ·········· ❶

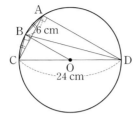

이때 $\overparen{AB}=\overparen{BC}$이므로 $\overparen{AB}=\overparen{BC}$
$\therefore \angle ADB=\angle ACB=\angle BDC=\angle BAC$
또한, $\overline{OB}=\overline{OD}$이므로
$\angle OBD=\angle ODB$
$\therefore$ △ABC∽△BOD (AA 닮음) ·········· ❷
즉, $\overline{AB}:\overline{BO}=\overline{AC}:\overline{BD}$이므로
$6:12=\overline{AC}:6\sqrt{15}$
$12\overline{AC}=36\sqrt{15}$ $\therefore \overline{AC}=3\sqrt{15}$ (cm) ·········· ❸
따라서 △ACD에서
$\overline{AD}=\sqrt{\overline{CD}^2-\overline{AC}^2}$
$\quad=\sqrt{24^2-(3\sqrt{15})^2}$
$\quad=\sqrt{441}=21$ (cm) ·········· ❹

답 21 cm

다른 풀이

오른쪽 그림과 같이
$\overline{AC}$와 $\overline{BO}$의 교점을 E라 하면
△ABE와 △CBE에서
$\overline{BA}=\overline{BC}$, $\angle ABE=\angle CBE$,
$\overline{BE}$는 공통이므로
△ABE≡△CBE (SAS 합동)
$\therefore \angle AEB=\angle CEB=90°$
$\overline{BE}=x$ cm, $\overline{CE}=y$ cm라 하면
△BCE에서 $y^2=6^2-x^2$ ······ ㉠
△ECO에서 $y^2=12^2-(12-x)^2$
즉, $6^2-x^2=12^2-(12-x)^2$에서
$6^2-x^2=144-(144-24x+x^2)$
$24x=36$ $\therefore x=\dfrac{3}{2}$

$x=\dfrac{3}{2}$을 ㉠에 대입하면
$y^2=6^2-\left(\dfrac{3}{2}\right)^2=\dfrac{135}{4}$
이때 $y>0$이므로 $y=\dfrac{3\sqrt{15}}{2}$
$\therefore \overline{AC}=2y=2\times\dfrac{3\sqrt{15}}{2}=3\sqrt{15}$ (cm)
따라서 △ACD에서

$\overline{AD}=\sqrt{\overline{CD}^2-\overline{AC}^2}$
$\quad=\sqrt{24^2-(3\sqrt{15})^2}$
$\quad=\sqrt{441}=21$(cm)

04 solution 미리 보기

step ❶	$\angle ADE$, $\angle DAB$의 크기를 각각 구하여 △ADF가 이등변삼각형임을 알기
step ❷	$\angle BCE$의 크기 구하기
step ❸	$\angle BAE$의 크기 구하기
step ❹	$\overline{AF}=x$ cm라 하고, △AFE에서 삼각비를 이용하여 $\overline{AF}$의 길이 구하기

오른쪽 그림과 같이 $\overline{AD}$, $\overline{AE}$, $\overline{CE}$를
그으면 $\overparen{AE}$, $\overparen{BD}$의 길이가 각각 원주의
$\dfrac{1}{12}$이므로

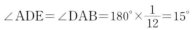

$\angle ADE=\angle DAB=180°\times\dfrac{1}{12}=15°$
즉, △ADF는 $\overline{AF}=\overline{DF}$인 이등변삼각
형이다. ·········· ❶
△ABC에서 $\overline{AB}=\overline{AC}$이므로
$\angle ABC=\angle ACB=\dfrac{1}{2}\times(180°-30°)=75°$
또한, $\angle ACE=\angle ADE=15°$이므로
$\angle BCE=75°+15°=90°$ ·········· ❷
□ABCE는 원 O에 내접하므로
$\angle BAE=180°-90°=90°$ ·········· ❸
$\overline{AF}=x$ cm라 하면 $\overline{DF}=\overline{AF}=x$ cm이므로
$\overline{EF}=(2-x)$ cm
이때 △AFE에서 $\angle FAE=90°$이고
$\angle AFE=15°+15°=30°$이므로
$\overline{AF}=\overline{EF}\cos30°$, 즉 $x=(2-x)\times\dfrac{\sqrt{3}}{2}$
$2x=\sqrt{3}(2-x)$, $(2+\sqrt{3})x=2\sqrt{3}$
$\therefore x=\dfrac{2\sqrt{3}}{2+\sqrt{3}}=4\sqrt{3}-6$
따라서 $\overline{AF}$의 길이는 $(4\sqrt{3}-6)$ cm이다. ·········· ❹

답 $(4\sqrt{3}-6)$ cm

05. 원주각의 활용

LEVEL 1 시험에 꼭 내는 문제 → 58쪽~59쪽

01 ③, ⑤	**02** $\angle x=25°$, $\angle y=38°$	**03** 54°	**04** 38°	**05** 50°
06 ③	**07** 8π cm²	**08** $\dfrac{28}{5}$	**09** 9 cm	**10** 4 cm
11 50°	**12** 40°			

01

① $\angle ACB=\angle ADB$이므로 네 점 A, B, C, D는 한 원 위에 있다.

② $\angle BAC=86°-47°=39°$

즉, $\angle BAC=\angle BDC$이므로 네 점 A, B, C, D는 한 원 위에 있다.

③ $\angle BDC=90°-47°=43°$

즉, $\angle BAC\neq\angle BDC$이므로 네 점 A, B, C, D는 한 원 위에 있지 않다.

④ $\angle ACB=180°-(80°+70°)=30°$

즉, $\angle ACB=\angle ADB$이므로 네 점 A, B, C, D는 한 원 위에 있다.

⑤ $\angle DAC=44°+29°=73°$

즉, $\angle DAC\neq\angle DBC$이므로 네 점 A, B, C, D는 한 원 위에 있지 않다.

따라서 네 점 A, B, C, D가 한 원 위에 있지 않은 것은 ③, ⑤이다.

답 ③, ⑤

02

네 점 A, B, C, D가 한 원 위에 있으므로

$\angle x=\angle ACB=180°-(100°+55°)=25°$

$\angle BAC=\angle BDC=62°$이므로

$\angle y=100°-62°=38°$

답 $\angle x=25°$, $\angle y=38°$

03

□ABCD가 원에 내접하려면 한 쌍의 대각의 크기의 합이 180°이어야 하므로 $\angle ADC=180°-\angle x$

또한, △EBC에서 $\angle ECF=\angle x+28°$

따라서 △DCF에서

$(\angle x+28°)+44°=180°-\angle x$

$2\angle x=108°$ ∴ $\angle x=54°$

답 54°

04

□BATC는 원에 내접하므로

$\angle BAT=180°-98°=82°$

$\angle ATP=\angle ABT=44°$

따라서 △APT에서

$\angle x=82°-44°=38°$

답 38°

다른 풀이

$\angle BTP=\angle BCT=98°$이므로

△BPT에서 $\angle x=180°-(98°+44°)=38°$

05

$\angle ACB:\angle BAC:\angle ABC=\overset{\frown}{AB}:\overset{\frown}{BC}:\overset{\frown}{CA}=7:5:6$

이므로 $\angle BAC=180°\times\dfrac{5}{7+5+6}=50°$

∴ $\angle CBT=\angle BAC=50°$

답 50°

쌤의 오답 피하기 특강

$\angle BAC$, $\angle ABC$, $\angle ACB$ 중 $\angle CBT$와 그 크기가 같은 각은 $\angle BAC$임을 안다. 또한, 한 원에서 원주각의 크기와 호의 길이는 정비례함을 이용하여 원주각의 크기의 비를 구한 후 △ABC의 세 내각의 크기의 합이 180°임을 이용하여 $\angle BAC$의 크기를 구한다.

06

$\angle ATP=\angle ABT=41°$, $\angle PTD=\angle TCD=63°$

∴ $\angle ATB=180°-(41°+63°)=76°$

답 ③

다른 풀이

$\angle BAT=\angle BTQ=\angle PTD=\angle TCD=63°$

따라서 △ABT에서 $\angle ATB=180°-(41°+63°)=76°$

07

$\overline{PA}=x$ cm라 하면 $\overline{PB}=3x$ cm

$\overline{PA}\times\overline{PB}=\overline{PC}\times\overline{PD}$이므로

$x\times3x=3\times2$, $x^2=2$

이때 $x>0$이므로 $x=\sqrt{2}$

따라서 원 O의 반지름의 길이는 $2\sqrt{2}$ cm이므로

원 O의 넓이는 $\pi\times(2\sqrt{2})^2=8\pi$ (cm²)

답 8π cm²

지름을 이용한 원에서의 비례 관계

① 점 P가 원의 내부에 있는 경우   ② 점 P가 원의 외부에 있는 경우

 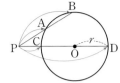

$$\overline{PA} \times \overline{PB} = \overline{PC} \times \overline{PD}$$
$$= (r - \overline{OP})(r + \overline{OP})$$
$$= r^2 - \overline{OP}^2$$

$$\overline{PA} \times \overline{PB} = \overline{PC} \times \overline{PD}$$
$$= (\overline{OP} - r)(\overline{OP} + r)$$
$$= \overline{OP}^2 - r^2$$

08

원 O의 반지름의 길이를 r라 하면

△PDO에서 $(4+r)^2 + r^2 = 20^2$, $16 + 8r + 2r^2 = 400$

$r^2 + 4r - 192 = 0$, $(r+16)(r-12) = 0$

이때 $r > 0$이므로 $r = 12$

$\overline{PA} \times \overline{PB} = \overline{PC} \times \overline{PD}$이므로

$4 \times (4+24) = \overline{PC} \times 20$, $20\overline{PC} = 112$

$\therefore \overline{PC} = \dfrac{28}{5}$ 　　　　　　　　　　　　　　　　　　　　🖪 $\dfrac{28}{5}$

원에서의 비례 관계를 이용하여 식을 세울 때, 교점 P에 대하여
$\overline{PA} \times \overline{PB} = \overline{PC} \times \overline{PD}$이지만 $\overline{PA} \times \overline{AB} \neq \overline{PC} \times \overline{CD}$임에 주의한다.

09

$\overline{PT}^2 = \overline{PA} \times \overline{PB}$이므로

$\overline{PT}^2 = 8 \times (8+10) = 144$

이때 $\overline{PT} > 0$이므로 $\overline{PT} = 12$ (cm)

△PAT와 △PTB에서

∠P는 공통, ∠ATP = ∠TBP이므로

△PAT ∽ △PTB (AA 닮음)

따라서 $\overline{PA} : \overline{PT} = \overline{AT} : \overline{TB}$이므로

$8 : 12 = 6 : \overline{BT}$, $8\overline{BT} = 72$

$\therefore \overline{BT} = 9$ (cm) 　　　　　　　　　　　　　　　　　　🖪 9 cm

10

원 O에서 $\overline{PT}^2 = \overline{PA} \times \overline{PB}$, 원 O′에서 $\overline{PT'}^2 = \overline{PA} \times \overline{PB}$

이므로 $\overline{PT} = \overline{PT'}$

이때 $\overline{TT'} = 16$ cm이므로

$\overline{PT} = \overline{PT'} = \dfrac{1}{2} \times 16 = 8$ (cm)

$\overline{PA} = x$ cm라 하면

원 O에서 $\overline{PT}^2 = \overline{PA} \times \overline{PB}$이므로

$8^2 = x(x+12)$, $x^2 + 12x - 64 = 0$, $(x+16)(x-4) = 0$

이때 $x > 0$이므로 $x = 4$

따라서 $\overline{PA}$의 길이는 4 cm이다. 　　　　　　　　　　🖪 4 cm

두 원에서 할선과 접선 사이의 관계

(1) $\overline{PT}$, $\overline{PT'}$이 각각 두 원 O, O′의 접선일 때
원 O에서 $\overline{PT}^2 = \overline{PA} \times \overline{PB}$
원 O′에서 $\overline{PT'}^2 = \overline{PA} \times \overline{PB}$
➡ $\overline{PT} = \overline{PT'}$

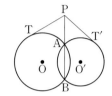

(2) $\overline{PT}$가 두 원 O, O′의 공통인 접선일 때
원 O에서 $\overline{PT}^2 = \overline{PA} \times \overline{PB}$
원 O′에서 $\overline{PT}^2 = \overline{PC} \times \overline{PD}$
➡ $\overline{PA} \times \overline{PB} = \overline{PC} \times \overline{PD}$

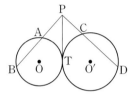

11

△ECF에서 $\overline{CE} = \overline{CF}$이므로

$\angle CEF = \angle CFE = \dfrac{1}{2} \times (180° - 56°) = 62°$

$\therefore \angle EDF = \angle CEF = 62°$

따라서 △DEF에서

$\angle DFE = 180° - (62° + 68°) = 50°$ 　　　　　　🖪 50°

12

오른쪽 그림과 같이 $\overline{AT}$를 그으면

$\overline{AB}$는 원 O의 지름이므로

$\angle ATB = 90°$

$\angle BAT = \angle BTC = 65°$

△BAT에서

$\angle ABT = 90° - 65° = 25°$

따라서 △BPT에서

$\angle x = 65° - 25° = 40°$ 　　　　　　　　　　　🖪 40°

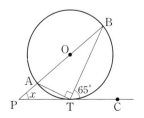

LEVEL 2 필수 기출 문제
→ 60쪽~62쪽

| 01 52° | 02 80° | 03 121° | 04 48π cm² | 05 42° | 06 √2 | 07 99° |
| 08 $\frac{18}{5}$ cm | 09 $\frac{27}{2}$ | 10 2 cm | 11 3√5 cm |

01

[전략] 원주각의 성질을 이용하여 한 원 위에 있는 네 점을 찾는다.

∠BDC=∠BEC=90°이므로 네 점 D, B, C, E는 한 원 위에 있다.

이때 점 M은 두 직각삼각형 BCD, BCE의 빗변의 중점이므로 이 원의 중심이다.

따라서 △ABE에서

∠ABE=90°-64°=26°

∴ ∠DME=2∠ABE=2×26°=52°

답 52°

02

[전략] 한 원 위에 있는 네 점을 찾은 후, △DOE가 이등변삼각형임을 이용한다.

∠ODC=∠OEC이므로 네 점 D, O, C, E는 한 원 위에 있다.

오른쪽 그림과 같이 $\overline{DE}$를 그으면

△DOC에서

∠DCO=65°-15°=50°이므로

∠DEO=∠DCO=50°

이때 △DOE는 $\overline{DO}=\overline{EO}$인

이등변삼각형이므로

∠EDO=∠DEO=50°

∴ ∠DOE=180°-(50°+50°)=80°

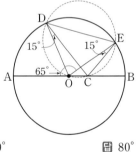

답 80°

03

[전략] $\overline{BD}$를 그으면 □ABDE는 원에 내접하므로 한 쌍의 대각의 크기의 합이 180°임을 이용한다.

오른쪽 그림과 같이 $\overline{BD}$를 그으면

△ABC≡△ADE이므로

$\overline{AB}=\overline{AD}$

즉, △ABD는 이등변삼각형이므로

∠ABD=$\frac{1}{2}$×(180°-62°)=59°

이때 □ABDE는 원에 내접하므로

∠ABD+∠AED=180°

∴ ∠AED=180°-59°=121°

∴ ∠ACB=∠AED=121°

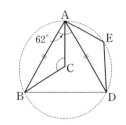

답 121°

04

[전략] 접선과 현이 이루는 각의 성질을 이용하여 ∠BAC의 크기를 구하고, $\overset{\frown}{BC}$의 원주각의 크기는 중심각의 크기의 $\frac{1}{2}$임을 이용하여 ∠BOC의 크기를 구한다.

오른쪽 그림과 같이 $\overline{OB}$, $\overline{OC}$를 그으면

∠BAC=∠CBT=60°이므로

∠BOC=2∠BAC=2×60°=120°

점 O에서 $\overline{BC}$에 내린 수선의 발을 H라 하면 원의 중심에서 현에 내린 수선은 그 현을 이등분하므로

$\overline{BH}=\overline{CH}=\frac{1}{2}\overline{BC}=\frac{1}{2}×12=6$(cm)

△OBC에서 $\overline{OB}=\overline{OC}$이므로

∠OBC=∠OCB=$\frac{1}{2}$×(180°-120°)=30°

△OBH에서

$\overline{OB}=\dfrac{\overline{BH}}{\cos 30°}=6×\dfrac{2}{\sqrt{3}}=4\sqrt{3}$ (cm)

따라서 원 O의 넓이는

π×$(4\sqrt{3})^2$=48π (cm²)

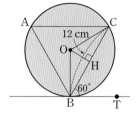

답 48π cm²

05

[전략] 원에 내접하는 사각형이 생기도록 보조선을 그어 본다.

오른쪽 그림과 같이 $\overline{AT}$를 그으면

□ATCB는 원에 내접하므로

∠BAT=180°-106°=74°

△BAT에서

∠BTA=∠BAT=74°이므로

∠ABT=180°-(74°+74°)=32°

∴ ∠ATP=∠ABT=32°

따라서 △APT에서

∠x=74°-32°=42°

답 42°

06

[전략] $\overline{BT}$를 그으면 ∠CTB=∠TOB임을 이용하여 △CTB에서 삼각비의 값을 생각한다.

원 O의 반지름의 길이가 12 cm이므로

원 O′의 반지름의 길이는

$\frac{1}{2}$×12=6 (cm)

오른쪽 그림과 같이 $\overline{TO'}$, $\overline{CB}$를 그으면

∠ATO'=∠ACB=90°이므로

$\overline{TO'}/\!\!/\overline{CB}$

즉, 삼각형에서 평행선과 선분의 길이의 비에 의해

$\overline{AO'}:\overline{AB}=\overline{TO'}:\overline{CB}$이므로

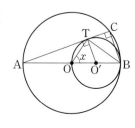

$18 : 24 = 6 : \overline{CB}$

$18\overline{CB} = 144$

$\therefore \overline{CB} = 8 \, (cm)$

한편, △ATO'에서

$\overline{AT} = \sqrt{18^2 - 6^2} = \sqrt{288} = 12\sqrt{2} \, (cm)$

또, $\overline{AO'} : \overline{O'B} = \overline{AT} : \overline{TC}$이므로

$18 : 6 = 12\sqrt{2} : \overline{TC}$

$18\overline{TC} = 72\sqrt{2}$

$\therefore \overline{TC} = 4\sqrt{2} \, (cm)$

이때 $\overline{BT}$를 그으면

$\angle CTB = \angle TOB = x$이므로

△CTB에서

$\tan x = \dfrac{\overline{CB}}{\overline{TC}} = \dfrac{8}{4\sqrt{2}} = \sqrt{2}$ 　　　📋 $\sqrt{2}$

쌤의 만점 특강

△OBT가 직각삼각형이므로 △OBT에서 $\tan x$의 값을 구하려고 하기 쉽다. 그러나 $\overline{OT}$, $\overline{TB}$의 길이를 구할 수 없으므로 ∠TOB와 크기가 같은 각을 가지는 직각삼각형을 찾아 $\tan x$의 값을 구하도록 한다.

이때 $\overline{AT}$의 길이는 원에서 할선과 접선 사이의 관계를 이용하여 다음과 같이 구할 수도 있다.

$\overline{AT}^2 = \overline{AO} \times \overline{AB} = 12 \times 24 = 288$

이때 $\overline{AT} > 0$이므로

$\overline{AT} = \sqrt{288} = 12\sqrt{2} \, (cm)$

또한, $\overline{TC}$의 길이도 다음과 같이 구할 수도 있다.

△ACB에서

$\overline{AC} = \sqrt{24^2 - 8^2} = \sqrt{512} = 16\sqrt{2} \, (cm)$이므로

$\overline{TC} = \overline{AC} - \overline{AT} = 16\sqrt{2} - 12\sqrt{2} = 4\sqrt{2} \, (cm)$

쌤의 복합 개념 특강

삼각형에서 평행선과 선분의 길이의 비

△ABC에서 두 점 D, E가 각각 $\overline{AB}$, $\overline{AC}$ 위의 점일 때

$\overline{BC} /\!/ \overline{DE}$이면

① $\overline{AD} : \overline{AB} = \overline{AE} : \overline{AC}$

　　　　　 $= \overline{DE} : \overline{BC}$

② $\overline{AD} : \overline{DB} = \overline{AE} : \overline{EC}$

07

[전략] $\overline{PQ}$는 두 원의 공통인 접선이고, $\overline{AB}$는 작은 원의 접선이므로 두 원에서 접선과 현이 이루는 각을 이용하여 크기가 같은 각을 찾는다.

오른쪽 그림과 같이

$\overline{CD}$를 그으면

$\angle ATP = \angle ABT = 65°$이므로

$\angle DCT = \angle ATP = 65°$

$\angle ACD = \angle x$라 하면

$\angle DTC = \angle ACD = \angle x$이므로

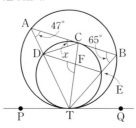

△ATC에서

$47° + (\angle x + 65°) + \angle x = 180°$

$2\angle x = 68°$　　$\therefore \angle x = 34°$

이때 $\angle DET = \angle DTP = 65°$이므로 $\angle ABT = \angle DET$

즉, 동위각의 크기가 같으므로 $\overline{AB} /\!/ \overline{DE}$

$\therefore \angle DFT = \angle ACF = \angle ACD + \angle DCF$

　　　　　 $= 34° + 65° = 99°$　　　📋 $99°$

쌤의 특강

평행선에서 동위각의 성질을 이용하지 않고 다음과 같이 풀 수도 있다.

$\angle BTQ = \angle TAB = 47°$이므로

$\angle TDE = \angle BTQ = 47°$

△DTF에서 $\angle DFT = 180° - (47° + 34°) = 99°$

08

[전략] 접선과 현이 이루는 각을 이용하여 닮음인 삼각형을 찾은 후, $\overline{BP} : \overline{TP}$를 구한다.

△BPT와 △TPA에서 ∠P는 공통, $\angle PBT = \angle PTA$

$\therefore$ △BPT ∽ △TPA (AA 닮음)

즉, $\overline{BP} : \overline{TP} = \overline{BT} : \overline{TA} = 9 : 6 = 3 : 2$

이때 $\overline{PD}$는 ∠BPT의 이등분선이므로

$\overline{BD} : \overline{DT} = \overline{BP} : \overline{TP} = 3 : 2$

$\therefore \overline{DT} = \dfrac{2}{5}\overline{BT} = \dfrac{2}{5} \times 9 = \dfrac{18}{5} \, (cm)$　　　📋 $\dfrac{18}{5}$ cm

쌤의 복합 개념 특강

삼각형의 내각의 이등분선의 성질

△ABC에서 $\overline{AD}$가 ∠A의 이등분선일 때

$\overline{BC}$와 만나는 점을 D라 하면

$\overline{AB} : \overline{AC} = \overline{BD} : \overline{CD}$

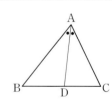

09

[전략] 원 O에서 내부의 점 P에 대하여 비례 관계를, 원 O'에서 외부의 점 P에 대하여 비례 관계를 생각한다.

원 O에서

$\overline{PA} \times \overline{PB} = \overline{PC} \times \overline{PD}$이므로

$2 \times \overline{PB} = 3 \times \overline{PD}$　　$\therefore \overline{PB} = \dfrac{3}{2}\overline{PD}$

원 O'에서

$\overline{PB} \times \overline{PE} = \overline{PD} \times \overline{PF}$이므로

$\dfrac{3}{2}\overline{PD} \times 9 = \overline{PD} \times \overline{PF}$

$\therefore \overline{PF} = \dfrac{27}{2}$　　　📋 $\dfrac{27}{2}$

다른 풀이

다음 그림과 같이 원 O에서 $\overline{AC}$, $\overline{DB}$를 그으면

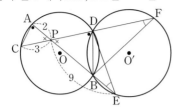

$\angle CAP = \angle BDP$이고 $\angle APC = \angle DPB$ (맞꼭지각)이므로

$\triangle PAC \backsim \triangle PDB$ (AA 닮음)

$\therefore \overline{PA} : \overline{PC} = \overline{PD} : \overline{PB}$ ...... ㉠

원 O'에서

$\overline{DE}$, $\overline{BF}$를 그으면

$\angle PFB = \angle PED$, $\angle P$는 공통이므로

$\triangle PDE \backsim \triangle PBF$ (AA 닮음)

$\therefore \overline{PE} : \overline{PF} = \overline{PD} : \overline{PB}$ ...... ㉡

㉠, ㉡에서

$\overline{PA} : \overline{PC} = \overline{PE} : \overline{PF}$

따라서 $\overline{PA} \times \overline{PF} = \overline{PC} \times \overline{PE}$이므로

$2 \times \overline{PF} = 3 \times 9$

$\therefore \overline{PF} = \dfrac{27}{2}$

쌤의 만점 특강

두 원에서의 비례 관계

두 원 O, O'이 서로 다른 두 점 E, F에서 만날 때

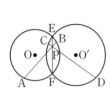 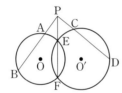

원 O에서 $\overline{PA} \times \overline{PB} = \overline{PE} \times \overline{PF}$

원 O'에서 $\overline{PE} \times \overline{PF} = \overline{PC} \times \overline{PD}$

➡ $\overline{PA} \times \overline{PB} = \overline{PC} \times \overline{PD}$

10

[전략] 보조선을 그어 닮음인 두 삼각형을 찾은 후, $\overline{BT}$의 길이를 구한다.

오른쪽 그림과 같이

$\overline{AT}$를 그으면

$\triangle BAT$와 $\triangle BTP$에서

$\angle BAT = \angle BTP$,

$\angle ATB = \angle TPB = 90°$이므로

$\triangle BAT \backsim \triangle BTP$ (AA 닮음)

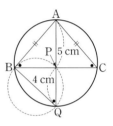

즉, $\overline{BA} : \overline{BT} = \overline{BT} : \overline{BP}$이므로

$6 : \overline{BT} = \overline{BT} : 4$, $\overline{BT}^2 = 24$

이때 $\overline{BT} > 0$이므로 $\overline{BT} = \sqrt{24} = 2\sqrt{6}$ (cm)

$\triangle BTP$에서 $\overline{TP} = \sqrt{(2\sqrt{6})^2 - 4^2} = \sqrt{8} = 2\sqrt{2}$ (cm)

따라서 $\overline{TP}^2 = \overline{PC} \times \overline{PB}$이므로

$(2\sqrt{2})^2 = \overline{PC} \times 4$ $\therefore \overline{PC} = 2$ (cm)

답 2 cm

11

[전략] 이등변삼각형의 성질과 원주각의 성질을 이용하여 한 원 위에 있는 세 점을 찾는다.

$\triangle ABC$는 $\overline{AB} = \overline{AC}$인 이등변삼각형이므로

$\angle ABC = \angle ACB$

오른쪽 그림과 같이 $\overline{BQ}$를 그으면

$\angle AQB = \angle ACB$

$\therefore \angle ABP = \angle PQB$

즉, $\overline{AB}$는 세 점 B, P, Q를 지나는

원의 접선이다.

$\overline{AB} = x$ cm라 하면

$\overline{AB}^2 = \overline{AP} \times \overline{AQ}$이므로

$x^2 = 5 \times (5 + 4) = 45$

이때 $x > 0$이므로 $x = \sqrt{45} = 3\sqrt{5}$

따라서 $\overline{AB}$의 길이는 $3\sqrt{5}$ cm이다.

답 $3\sqrt{5}$ cm

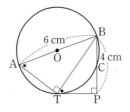

LEVEL 3 최고난도 문제
→ 63쪽

| **01** 61° | **02** 72 cm² | **03** $4\sqrt{3}$ cm | **04** 6 cm |

01 **solution** **미리 보기**

step ❶	$\overline{BP}$, $\overline{CP}$를 그어 $\angle CPB$의 크기 구하기
step ❷	$\angle APC$의 크기 구하기
step ❸	$\angle DPB$의 크기 구하기
step ❹	$\angle DHB$의 크기 구하기

다음 그림과 같이 $\overline{BP}, \overline{CP}$를 그으면 $\overline{BC}$는 작은 원의 지름이므로

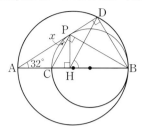

$\angle CPB = 90°$ ········· ❶

$\angle APC = \angle x$라 하면

$\angle PBC = \angle APC = \angle x$이므로

$\triangle PAB$에서

$32° + (\angle x + 90°) + \angle x = 180°$

$2\angle x = 58°$ ∴ $\angle x = 29°$ ········· ❷

∴ $\angle DPB = 180° - (29° + 90°) = 61°$ ········· ❸

또한, 위의 그림과 같이 $\overline{BD}$를 그으면 $\overline{AB}$는 큰 원의 지름이므로

$\angle ADB = 90°$

즉, $\angle PHB + \angle PDB = 180°$이므로 $\square PHBD$는 원에 내접한다.

∴ $\angle DHB = \angle DPB = 61°$ ········· ❹

답 $61°$

다음 그림과 같이 점 T에서 $\overline{AB}$에 내린 수선의 발을 M, $\overline{CD}$에 내린 수선의 발을 N이라 하자.

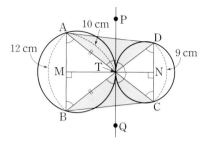

$\triangle AMT$에서

$\overline{AM} = \dfrac{1}{2} \times 12 = 6 \,(\text{cm})$이므로

$\overline{TM} = \sqrt{10^2 - 6^2} = \sqrt{64} = 8 \,(\text{cm})$ ········· ❷

또한, $\triangle AMT \backsim \triangle CNT$ (AA 닮음)이고

$\overline{CN} = \dfrac{1}{2} \times 9 = \dfrac{9}{2} \,(\text{cm})$이므로

$\overline{AM} : \overline{CN} = \overline{TM} : \overline{TN}$

$6 : \dfrac{9}{2} = 8 : \overline{TN}, 6\overline{TN} = 36$

∴ $\overline{TN} = 6 \,(\text{cm})$ ········· ❸

$\overline{MN} = \overline{TM} + \overline{TN} = 8 + 6 = 14 \,(\text{cm})$이므로

$\square ABCD = \dfrac{1}{2} \times (12 + 9) \times 14 = 147 \,(\text{cm}^2)$ ········· ❹

$\triangle ABT = \dfrac{1}{2} \times 12 \times 8 = 48 \,(\text{cm}^2)$

$\triangle CDT = \dfrac{1}{2} \times 9 \times 6 = 27 \,(\text{cm}^2)$

따라서 색칠한 부분의 넓이는

$147 - (48 + 27) = 72 \,(\text{cm}^2)$ ········· ❺

답 $72 \,\text{cm}^2$

02 solution 미리 보기

step ❶	$\triangle DTC$가 어떤 삼각형인지 알기
step ❷	$\triangle ABT$의 높이 구하기
step ❸	$\triangle DTC$의 높이 구하기
step ❹	$\square ABCD$의 넓이 구하기
step ❺	색칠한 부분의 넓이 구하기

$\triangle ABT$는 이등변삼각형이므로

$\angle TAB = \angle TBA$

$\angle TAB = \angle BTQ = \angle PTD = \angle TCD$

$\angle TBA = \angle ATP = \angle QTC = \angle TDC$

즉, $\angle TCD = \angle TDC$이므로

$\triangle DTC$는 $\overline{TD} = \overline{TC}$인 이등변삼각형이다. ········· ❶

03 solution 미리 보기

step ❶	$\overline{BD}, \overline{CD}$의 길이 각각 구하기
step ❷	$\triangle ADC$와 닮음인 삼각형 찾기
step ❸	$\overline{AD} = x \,\text{cm}, \overline{DE} = y \,\text{cm}$라 하고 닮음비를 이용하여 식 세우기
step ❹	원에서의 비례 관계를 이용하여 $\overline{AD}$의 길이 구하기

$\triangle ABC$에서 $\overline{AD}$가 $\angle A$의 이등분선이므로

$\overline{BD} = a \,\text{cm}$라 하면

$9 : 6 = a : (5 - a)$ ∴ $a = 3$

∴ $\overline{BD} = 3 \,\text{cm}, \overline{CD} = 2 \,\text{cm}$ ········· ❶

다음 그림과 같이 $\overline{AD}$의 연장선이 원과 만나는 점을 E라 하고, $\overline{BE}$를 그으면

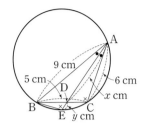

△ABE와 △ADC에서

∠BAE=∠DAC, ∠AEB=∠ACD이므로

△ABE∽△ADC (AA 닮음)   ……❷

$\overline{AD}=x$ cm, $\overline{DE}=y$ cm라 하면

$\overline{AB}:\overline{AD}=\overline{AE}:\overline{AC}$이므로

$9:x=(x+y):6$

$x(x+y)=54$

$\therefore x^2+xy=54$ ……㉠   ……❸

또, $\overline{DA}\times\overline{DE}=\overline{DB}\times\overline{DC}$이므로

$xy=3\times2=6$

$xy=6$을 ㉠에 대입하면 $x^2=48$

이때 $x>0$이므로 $x=\sqrt{48}=4\sqrt{3}$

따라서 $\overline{AD}$의 길이는 $4\sqrt{3}$ cm이다.   ……❹

답 $4\sqrt{3}$ cm

다른 풀이

다음 그림과 같이 $\overline{AD}$의 연장선이 원과 만나는 점을 E라 하고, $\overline{BE}$를 그으면

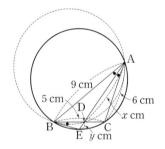

△ABE와 △BDE에서

∠E는 공통, ∠EBC=∠EAC=∠BAE이므로

△ABE∽△BDE (AA 닮음)

$\overline{AD}=x$ cm, $\overline{DE}=y$ cm라 하면

$\overline{AB}:\overline{BD}=\overline{BE}:\overline{DE}$이므로

$9:3=\overline{BE}:y$ $\therefore \overline{BE}=3y\,(cm)$

$\overline{BE}$는 세 점 A, B, D를 지나는 원의 접선이므로

$\overline{BE}^2=\overline{ED}\times\overline{EA}$에서

$(3y)^2=y(x+y),\ 8y^2=xy$ ……㉠

또, $\overline{DA}\times\overline{DE}=\overline{DB}\times\overline{DC}$이므로

$xy=3\times2=6$ ……㉡

㉠, ㉡에서

$x=4\sqrt{3},\ y=\dfrac{\sqrt{3}}{2}$

따라서 $\overline{AD}$의 길이는 $4\sqrt{3}$ cm이다.

04 solution **미리 보기**

step ❶	$\overset{\frown}{CAB}=\overset{\frown}{BD}$임을 이용하여 ∠BDC와 크기가 같은 각 찾기
step ❷	∠APC와 크기가 같은 각 찾기
step ❸	한 원 위에 있는 세 점을 찾아 $\overline{BD}$의 길이 구하기

다음 그림과 같이 $\overline{AC}, \overline{AD}, \overline{BC}$를 그으면

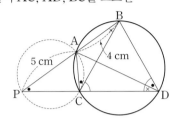

$\overset{\frown}{CAB}=\overset{\frown}{BD}$이므로 $\overline{BC}=\overline{BD}$이고, ∠BCD=∠BDC   ……❶

또한, ∠ACB=∠ADB, ∠ABC=∠ADC

$\therefore$ ∠ACB=∠ADB=∠BDC−∠ADC

$\qquad\qquad\qquad= $∠BDC−∠ABC

$\qquad\qquad\qquad= $∠BCD−∠ABC

$\qquad\qquad\qquad= $∠APC   ……❷

즉, $\overline{BC}$는 세 점 A, P, C를 지나는 원의 접선이므로

$\overline{BC}^2=\overline{BA}\times\overline{BP}=4\times(4+5)=36$

이때 $\overline{BC}>0$이므로 $\overline{BC}=6\,(cm)$

$\therefore \overline{BD}=\overline{BC}=6$ cm   ……❸

답 6 cm

III. 통계

06. 대푯값과 산포도

LEVEL 1 시험에 꼭 내는 문제 → 68쪽~70쪽

01 65 kg   **02** 5   **03** 25   **04** 51   **05** ④   **06** ⑤

07 5회   **08** ③, ⑤   **09** ③   **10** 6

11 평균 : 70점, 분산 : 12   **12** $\sqrt{9.9}$점

13 평균 : 35, 표준편차 : 6   **14** ③   **15** ③, ④

16 $a=b<c$ **17** ㄱ, ㄷ   **18** A, B, C

01

세 학생 A, B, C의 몸무게를 각각 a kg, b kg, c kg이라 하면

$\dfrac{a+b}{2}=61$에서 $a+b=122$ …… ㉠

$\dfrac{b+c}{2}=66$에서 $b+c=132$ …… ㉡

$\dfrac{a+c}{2}=68$에서 $a+c=136$ …… ㉢

㉠+㉡+㉢을 하면

$2(a+b+c)=122+132+136=390$

$\therefore a+b+c=195$

따라서 세 학생 A, B, C의 몸무게의 평균은

$\dfrac{a+b+c}{3}=\dfrac{195}{3}=65\,(\text{kg})$ 🔑 65 kg

02

$\dfrac{(3x_1+1)+(3x_2+1)+(3x_3+1)+(3x_4+1)+(3x_5+1)}{5}=16$

에서 $3(x_1+x_2+x_3+x_4+x_5)+5=80$

$\therefore x_1+x_2+x_3+x_4+x_5=25$

따라서 x_1, x_2, x_3, x_4, x_5의 평균은

$\dfrac{x_1+x_2+x_3+x_4+x_5}{5}=\dfrac{25}{5}=5$ 🔑 5

다른 풀이

x_1, x_2, x_3, x_4, x_5의 평균을 m이라 하면

$3x_1+1, 3x_2+1, 3x_3+1, 3x_4+1, 3x_5+1$의 평균은 $3m+1$

즉, $3m+1=16$이므로 $m=5$

따라서 x_1, x_2, x_3, x_4, x_5의 평균은 5이다.

03

$(\text{평균})=\dfrac{9+14+8+16+8+14+14+13}{8}=\dfrac{96}{8}=12\,(\text{회})$

이므로 $a=12$

주어진 자료를 작은 값부터 크기순으로 나열하면

$8, 8, 9, 13, 14, 14, 14, 16$이므로

$(\text{중앙값})=\dfrac{13+14}{2}=13.5\,(\text{회})$ $\therefore b=13.5$

최빈값은 14회이므로 $c=14$

$\therefore a+2b-c=12+2\times13.5-14=12+27-14=25$ 🔑 25

04

x를 제외한 4개의 변량이 모두 다르므로 최빈값은 $x\ \mu\text{g/m}^3$이다.

$(\text{평균})=\dfrac{57+47+51+49+x}{5}=x$이므로

$204+x=5x, 4x=204$ $\therefore x=51$ 🔑 51

05

주어진 자료를 크기순으로 나열할 때 중앙에 위치하는 값, 즉 10번째 값은 $(10+y)$이므로 중앙값은 $(10+y)$회

이때 $x<y$이고, 최빈값은 한 개이므로 최빈값은 13회이고, $x=3$

중앙값이 최빈값보다 3회만큼 크므로

$10+y=13+3$ $\therefore y=6$

$\therefore x+y=3+6=9$ 🔑 ④

쌤의 특강

줄기와 잎 그림

자료의 값을 큰 자리의 수와 작은 자리의 수로 구분하여 세로선의 왼쪽에는 큰 자리의 수(줄기)를, 세로선의 오른쪽에는 작은 자리의 수(잎)를 기록하여 나타낸 그림

06

$(\text{평균})=\dfrac{87+94+80+88+95+78}{6}=\dfrac{522}{6}=87\,(\text{점})$

즉, 각 변량의 편차 (점)는

$87-87=0, 94-87=7, 80-87=-7, 88-87=1,$

$95-87=8, 78-87=-9$

따라서 편차가 될 수 없는 것은 ⑤이다.   🔑 ⑤

07

편차의 합은 0이므로

$3+2+x+1+0+(-4)+(-1)=0$ $\therefore x=-1$

이때 $(\text{편차})=(\text{변량})-(\text{평균})$에서

$(\text{변량})=(\text{편차})+(\text{평균})$이므로

학생 C의 자유투 성공 횟수는 $-1+6=5\,(\text{회})$ 🔑 5회

(편차)=(변량)-(평균)에서

(변량)=(편차)+(평균), (평균)=(변량)-(편차)

즉, 변량, 평균, 편차 사이의 관계를 이용하여 문제에서 요구하는 값을 구한다.

08

편차의 합은 0이므로

$-3+x+2+(-1)+(-7)+4=0$ ∴ $x=5$

① (독서 시간)=(편차)+(평균)이므로 독서 시간이 가장 긴 학생은 B이다.

② 평균보다 독서 시간이 긴 학생은 편차의 값이 양수인 B, C, F의 3명이다.

③ 독서 시간이 평균에 가장 가까운 학생은 편차의 절댓값이 가장 작은 D이다.

④ 독서 시간이 평균과 가장 많이 차이나는 학생은 편차의 절댓값이 가장 큰 E이다.

⑤ (학생 A의 독서 시간)=$-3+$(평균),

(학생 F의 독서 시간)=$4+$(평균)

이므로 학생 F의 독서 시간이 학생 A의 독서 시간보다 7시간 더 많다.

따라서 옳은 것은 ③, ⑤이다. **답** ③, ⑤

09

잘못 보고 구한 평균이 94점이므로

이때의 점수의 총합은 $94 \times 10 = 940$ (점)

또, 편차의 총합은 항상 0인데, -2점이 되었으므로 바르게 구한 점수의 총합은 $940+2=942$ (점)

따라서 바르게 구한 평균은 $\dfrac{942}{10}=94.2$ (점) **답** ③

10

평균이 12이므로

$\dfrac{7+x+15+16+13}{5}=12$, $x+51=60$ ∴ $x=9$

(분산)

$=\dfrac{(7-12)^2+(9-12)^2+(15-12)^2+(16-12)^2+(13-12)^2}{5}$

$=\dfrac{25+9+9+16+1}{5}$

$=\dfrac{60}{5}=12$

이므로 $y=12$

∴ $2x-y=2 \times 9 - 12 = 6$ **답** 6

11

6명의 학생을 성적이 70점인 한 학생과 나머지 5명의 학생으로 나누어 보자.

(6명의 평균)=$\dfrac{70+(5명의\ 점수의\ 합)}{6}=70$ (점)

∴ (5명의 점수의 합)=350 (점) ······ ㉠

(6명의 분산)=$\dfrac{(70-70)^2+\{5명의\ (편차)^2의\ 합\}}{6}=10$

{5명의 (편차)²의 합}=60 ······ ㉡

따라서 나머지 5명의 성적의 평균과 분산은

(평균)=$\dfrac{㉠}{5}=\dfrac{350}{5}=70$ (점)

(분산)=$\dfrac{㉡}{5}=\dfrac{60}{5}=12$

답 평균 : 70점, 분산 : 12

12

편차의 합은 0이므로

$a \times 1 + (-4) \times 2 + (-1) \times 8 + 2 \times 4 + 3 \times 4 + 5 \times 1 = 0$

$a-8-8+8+12+5=0$

∴ $a=-9$

(분산)

$=\dfrac{(-9)^2 \times 1 + (-4)^2 \times 2 + (-1)^2 \times 8 + 2^2 \times 4 + 3^2 \times 4 + 5^2 \times 1}{20}$

$=\dfrac{81+32+8+16+36+25}{20}$

$=\dfrac{198}{20}=9.9$

∴ (표준편차)=$\sqrt{9.9}$ (점) **답** $\sqrt{9.9}$점

모든 편차의 합이 0이므로 각 편차에서 (편차)×(학생 수)의 총합이 0임에 주의한다.

또한, 분산을 구할 때도 (편차)²×(학생 수)의 총합을 전체 학생 수로 나누어서 구해야 한다.

13

네 수 a, b, c, d의 평균이 16, 분산이 9이므로

$\dfrac{a+b+c+d}{4}=16$

$\dfrac{(a-16)^2+(b-16)^2+(c-16)^2+(d-16)^2}{4}=9$

따라서 네 수 $2a+3, 2b+3, 2c+3, 2d+3$에서

(평균)=$\dfrac{(2a+3)+(2b+3)+(2c+3)+(2d+3)}{4}$

$=2 \times \dfrac{a+b+c+d}{4}+3$

$=2 \times 16 + 3 = 35$

(분산)
$$= \frac{(2a+3-35)^2+(2b+3-35)^2+(2c+3-35)^2+(2d+3-35)^2}{4}$$
$$= 4 \times \frac{(a-16)^2+(b-16)^2+(c-16)^2+(d-16)^2}{4}$$
$$= 4 \times 9 = 36$$
$$\therefore (\text{표준편차}) = \sqrt{36} = 6 \qquad \text{㉠ 평균 : 35, 표준편차 : 6}$$

다른 풀이

네 수 a, b, c, d의 평균이 16, 표준편차가 $\sqrt{9}=3$이므로
$2a+3$, $2b+3$, $2c+3$, $2d+3$에서
$(\text{평균}) = 2 \times 16 + 3 = 35$
$(\text{표준편차}) = 2 \times 3 = 6$

14

n명의 학생들의 영어 성적의 평균이 m점, 분산이 s^2이므로 점수를 3점씩 올려 준 후의 영어 성적의 평균은 $(m+3)$점, 분산은 s^2이다.

㉠ ③

다른 풀이

n개의 변량을 x_1, x_2, $\cdots$, x_n이라 하자.
평균이 m점이므로
$$\frac{x_1+x_2+\cdots+x_n}{n} = m \ (\text{점})$$
분산이 s^2이므로
$$\frac{(x_1-m)^2+(x_2-m)^2+\cdots+(x_n-m)^2}{n} = s^2$$
n명의 학생들의 점수를 각각 3점씩 올려준 후의 평균은
$$\frac{(x_1+3)+(x_2+3)+\cdots+(x_n+3)}{n}$$
$$= \frac{x_1+x_2+\cdots+x_n}{n} + 3$$
$$= m+3 \ (\text{점})$$
분산은
$$\frac{\{(x_1+3)-(m+3)\}^2+\{(x_2+3)-(m+3)\}^2+\cdots+\{(x_n+3)-(m+3)\}^2}{n}$$
$$= \frac{(x_1-m)^2+(x_2-m)^2+\cdots+(x_n-m)^2}{n}$$
$$= s^2$$

15

① 편차의 합은 항상 0이다.
② 성적이 가장 우수한 반은 평균이 가장 높은 A반이다.
③ 성적이 가장 높은 학생이 있는 반은 알 수 없다.
④ 성적이 가장 고른 반은 표준편차가 가장 작은 C반이다.
⑤ B반과 C반의 평균은 64점으로 같으나, C반의 표준편차가 더 작으므로 C반의 성적이 B반의 성적에 비해 평균 주위에 모여 있다.
따라서 옳지 않은 것은 ③, ④이다. ㉠ ③, ④

16

두 자료 A와 B는 연속하는 100개의 자연수이므로 평균은 다르지만 자료의 분포 상태가 같다. 즉, 표준편차가 같다.
자료 C는 변량의 개수가 100으로 A, B와 같지만 변량 사이의 간격이 2씩이므로 A, B보다 자료의 분포 상태가 더 흩어져 있다. 즉, A, B보다 표준편차가 크다.
$$\therefore a = b < c \qquad \text{㉠ } a = b < c$$

다른 풀이

자료 B는 자료 A의 각 변량에 100을 더한 것이므로
자료 A와 자료 B의 표준편차는 같다. $\qquad \therefore a = b$
자료 C는 자료 A의 각 변량에 2를 곱한 것이므로
자료 C의 표준편차는 자료 A의 표준편차의 2배이다.
$\therefore c = 2a$
이때 $a > 0$이므로 $a = b < c$

17

편차의 합은 0이므로
$-1+3+2+x+(-4) = 0$
$\therefore x = 0$

ㄱ. 편차가 0이므로 학생 D의 맥박 수는 평균과 같다.
ㄴ. (학생 A의 맥박 수) $= -1 + (\text{평균})$
(학생 C의 맥박 수) $= 2 + (\text{평균})$
이므로 두 학생의 맥박 수의 차는 3회이다.
ㄷ. (분산) $= \dfrac{(-1)^2+3^2+2^2+0^2+(-4)^2}{5} = \dfrac{30}{5} = 6$
ㄹ. (표준편차) $= \sqrt{(\text{분산})} = \sqrt{6} \ (\text{회})$
따라서 옳은 것은 ㄱ, ㄷ이다. ㉠ ㄱ, ㄷ

18

세 선수의 막대 그래프에서 평균은 가운데 막대 그래프의 점수인 8점으로 모두 같다.
이때 점수가 평균 주위에 모여 있을수록 표준편차가 작고, 점수가 평균으로부터 멀리 흩어져 있을수록 표준편차가 크므로 표준편차가 가장 작은 선수는 A이고, 표준편차가 가장 큰 선수는 C이다.
따라서 표준편차가 작은 선수부터 차례로 나열하면 A, B, C이다.
㉠ A, B, C

다른 풀이

(i) 선수 A에서
$$(\text{평균}) = \frac{7 \times 3 + 8 \times 4 + 9 \times 3}{10} = \frac{80}{10} = 8 \ (\text{점})$$

$$(\text{분산})=\frac{(-1)^2\times3+0^2\times4+1^2\times3}{10}$$

$$=\frac{6}{10}=0.6$$

$$\therefore (\text{표준편차})=\sqrt{0.6} \text{ (점)}$$

(ii) 선수 B에서

$$(\text{평균})=\frac{6\times2+7\times2+8\times2+9\times2+10\times2}{10}=\frac{80}{10}=8 \text{ (점)}$$

$$(\text{분산})=\frac{(-2)^2\times2+(-1)^2\times2+0^2\times2+1^2\times2+2^2\times2}{10}$$

$$=\frac{20}{10}=2$$

$$\therefore (\text{표준편차})=\sqrt{2} \text{ (점)}$$

(iii) 선수 C에서

$$(\text{평균})=\frac{6\times3+7\times1+8\times2+9\times1+10\times3}{10}$$

$$=\frac{80}{10}=8 \text{ (점)}$$

$$(\text{분산})=\frac{(-2)^2\times3+(-1)^2\times1+0^2\times2+1^2\times1+2^2\times3}{10}$$

$$=\frac{26}{10}=2.6$$

$$\therefore (\text{표준편차})=\sqrt{2.6} \text{ (점)}$$

(i)~(iii)에서 표준편차가 작은 선수부터 차례로 나열하면 A, B, C 이다.

LEVEL 2 필수 기출 문제 → 71쪽~76쪽

01 ④	**02** 2개	**03** 풀이 참조	**04** 11.5	**05** 2	**06** ㄱ, ㄷ
07 $x\geq6$	**08** 3개	**09** 3개	**10** 63, 98	**11** 182
12 66 kg	**13** ③, ④	**14** $\sqrt{13.15}$점	**15** 74
16 6	**17** $\sqrt{70}$개	**18** ㄷ, ㄹ, ㅁ	**19** $\frac{17\sqrt{3}}{18}$ cm^2
20 ⑤	**21** ④, ⑤			

01

[**전략**] 남학생 수와 여학생 수를 각각 미지수로 놓고 남학생 점수의 총합과 여학생 점수의 총합을 구해 본다.

남학생 수를 x, 여학생 수를 y라 하면

(남학생 점수의 총합)$=77x$ (점),

(여학생 점수의 총합)$=73.5y$ (점)

이므로 남학생과 여학생 전체의 평균 점수는

$$\frac{77x+73.5y}{x+y}=75 \text{ (점)}$$

$77x+73.5y=75x+75y$, $2x=1.5y$ $\therefore x:y=3:4$

따라서 남학생 수와 여학생 수의 비는 3 : 4이다. **답** ④

02

[**전략**] 평균, 중앙값, 최빈값이 각각 어떤 자료의 대푯값으로 적절한지 생각한다.

ㄱ, ㅂ. 최빈값은 변량의 개수가 많거나 혈액형 조사, 옷의 치수 등과 같이 변량이 중복되어 나타나는 자료의 대푯값으로 주로 이용된다.

ㄴ. 경우에 따라 대푯값은 숫자가 아닐 수 있으며, 숫자로 나타나지 않는 자료의 대푯값은 최빈값을 이용한다.

ㄹ. 대푯값으로 평균, 중앙값, 최빈값 등이 있고, 대푯값으로 자료 전체의 중심적인 경향이나 특징을 알 수 있다.

따라서 옳은 것은 ㄷ, ㅁ의 2개이다. **답** 2개

03

[**전략**] 각 자료의 평균, 중앙값, 최빈값을 구하여 대푯값으로 적절한 것을 찾는다.

(i) 수학 점수에서

$$(\text{평균})=\frac{1}{10}(90+80+75+65+70+85+60+60+85+70)$$

$$=\frac{740}{10}=74 \text{ (점)}$$

주어진 자료를 작은 값부터 크기순으로 나열하면 60, 60, 65, 70, 70, 75, 80, 85, 85, 90이므로

$$(\text{중앙값})=\frac{70+75}{2}=72.5 \text{ (점)}$$

최빈값은 60점, 70점, 85점

이때 수학 점수는 극단적인 값이 없으므로 대푯값으로 가장 적절한 것은 평균이다.

(ii) 신발의 치수에서

$$(\text{평균})=\frac{1}{10}(250+255+255+235+255+245$$

$$+265+255+255+275)$$

$$=\frac{2545}{10}=254.5 \text{ (mm)}$$

주어진 자료를 작은 값부터 크기순으로 나열하면

235, 245, 250, 255, 255, 255, 255, 255, 265, 275이므로

$$(\text{중앙값})=\frac{255+255}{2}=255 \text{ (mm)}$$

최빈값은 255 mm

이때 신발의 치수는 같은 변량인 255 mm가 중복되어 나타나므로 대푯값으로 가장 적절한 것은 최빈값이다.

(iii) 이웃 돕기 성금에서

$$(\text{평균})=\frac{1}{10}(3000+2000+3000+50000+1000+4500$$

$$+2500+3500+2500+1500)$$

$$=\frac{73500}{10}=7350 \text{ (원)}$$

주어진 자료를 작은 값부터 크기순으로 나열하면

1000, 1500, 2000, 2500, 2500, 3000, 3000, 3500, 4500,

50000이므로

$$(중앙값)=\frac{2500+3000}{2}=2750\,(원)$$

최빈값은 2500원, 3000원

이때 이웃 돕기 성금은 극단적인 값인 50000원이 있으므로 대 푯값으로 가장 적절한 것은 중앙값이다.　　　🗒 풀이 참조

04

[전략] 최빈값이 15이므로 주어진 변량 중 적어도 3개는 15이어야 한다.

평균이 11이므로

$$\frac{7+a+15+9+14+b+16+4+c+9}{10}=11$$

$a+b+c+74=110$　　$\therefore a+b+c=36$　　…… ㉠

a, b, c를 제외한 변량을 작은 값부터 크기순으로 나열하면

4, 7, 9, 9, 14, 15, 16

이때 최빈값이 15이므로 a, b, c 중 적어도 2개는 15이다.

(i) $a=b=c=15$이면

　　$a+b+c=45$이므로 ㉠을 만족시키지 않는다.

(ii) a, b, c 중 2개만 15이면

　　㉠에 의해 나머지 1개는 6

(i), (ii)에서 주어진 자료는 4, 6, 7, 9, 9, 14, 15, 15, 15, 16이므로

구하는 중앙값은 $\frac{9+14}{2}=11.5$　　🗒 11.5

05

[전략] 주사위를 두 번 던져 나올 수 있는 모든 경우에 대하여 두 수의 차를 각각 구해 본다.

주사위를 차례로 두 번 던졌을 때, 첫 번째 나오는 수를 p, 두 번째 나오는 수를 q라 하자.

모든 경우의 수는 $4\times4=16$

(i) $p=1$일 때

　　$q=1, 2, 3, 4$이므로 두 수의 차는 각각 0, 1, 2, 3

(ii) $p=2$일 때

　　$q=1, 2, 3, 4$이므로 두 수의 차는 각각 1, 0, 1, 2

(iii) $p=3$일 때

　　$q=1, 2, 3, 4$이므로 두 수의 차는 각각 2, 1, 0, 1

(iv) $p=4$일 때

　　$q=1, 2, 3, 4$이므로 두 수의 차는 각각 3, 2, 1, 0

(i)~(iv)에서 두 수의 차를 변량으로 하는 자료를 작은 값부터 크기순으로 나열하면

0, 0, 0, 0, 1, 1, 1, 1, 1, 1, 2, 2, 2, 2, 3, 3이므로

$$(중앙값)=\frac{1+1}{2}=1\qquad\therefore a=1$$

최빈값은 1이므로 $b=1$　　$\therefore a+b=1+1=2$　　🗒 2

참고 두 수의 차를 변량으로 하는 자료를 다음과 같이 구할 수도 있다.

p, q의 순서쌍 (p, q)에 대하여

(i) 두 수의 차가 0인 경우 : $(1,1), (2,2), (3,3), (4,4)$

(ii) 두 수의 차가 1인 경우 : $(1,2), (2,1), (2,3), (3,2), (3,4), (4,3)$

(iii) 두 수의 차가 2인 경우 : $(1,3), (3,1), (2,4), (4,2)$

(iv) 두 수의 차가 3인 경우 : $(1,4), (4,1)$

(i)~(iv)에서 0, 0, 0, 0, 1, 1, 1, 1, 1, 1, 2, 2, 2, 2, 3, 3

쌤의 복합 개념 특강

경우의 수

사건 A가 일어나는 경우의 수가 m이고 그 각각에 대하여 사건 B가 일어나는 경우의 수가 n이면

(두 사건 A와 B가 동시에 일어나는 경우의 수)$=m\times n$

06

[전략] 85호, 90호, 95호, 100호의 각 변량의 개수로 가능한 경우를 모두 생각한다.

10명의 학생의 티셔츠 치수로 85호, 90호, 95호, 100호의 네 종류가 나왔고, 95호를 입는 학생이 5명이므로

85호, 90호, 95호, 100호의 변량의 개수의 순서쌍으로 가능한 경우는 다음과 같이 6가지이다.

$(3, 1, 5, 1), (1, 3, 5, 1), (1, 1, 5, 3), (1, 2, 5, 2), (2, 1, 5, 2),$

$(2, 2, 5, 1)$

ㄱ. 티셔츠 치수의 평균이 최대가 되는 경우는 위의 순서쌍 중 $(1, 1, 5, 3)$이므로

$$(평균)=\frac{85\times1+90\times1+95\times5+100\times3}{10}$$

$$=\frac{950}{10}=95\,(호)$$

ㄴ. 위의 순서쌍 중 $(1, 2, 5, 2)$인 경우는

$$(평균)=\frac{85\times1+90\times2+95\times5+100\times2}{10}$$

$$=\frac{940}{10}=94\,(호)$$

이므로 평균이 항상 5의 배수인 것은 아니다.

ㄷ. 어떠한 경우에도 변량을 작은 값부터 크기순으로 나열하였을 때, 5번째 변량과 6번째 변량은 95호이므로 중앙값은 항상 95호이다.

따라서 옳은 것은 ㄱ, ㄷ이다.　　🗒 ㄱ, ㄷ

07

[**전략**] x의 값에 따른 주어진 세 자료의 중앙값을 각각 구해 본다.

주어진 세 자료에서 x를 제외한 나머지 변량을 작은 값부터 크기순으로 나열하면

4, 6, 7, 9 ➡ 중앙값은 a

3, 6, 8, 10 ➡ 중앙값은 b

3, 5, 9, 10 ➡ 중앙값은 c

(ⅰ) $x=1, 2, 3, 4, 5$이면

　　$a=6, b=6, c=5$이므로 $a \le b \le c$가 성립하지 않는다.

(ⅱ) $x=6$이면

　　$a=6, b=6, c=6$ 이므로 $a \le b \le c$가 성립한다.

(ⅲ) $x=7$이면

　　$a=7, b=7, c=7$이므로 $a \le b \le c$가 성립한다.

(ⅳ) $x=8$이면

　　$a=7, b=8, c=8$이므로 $a \le b \le c$가 성립한다.

(ⅴ) $x=9, 10, \cdots$이면

　　$a=7, b=8, c=9$이므로 $a \le b \le c$가 성립한다.

(ⅰ)~(ⅴ)에서 주어진 조건을 만족시키는 x의 값의 범위는 $x \ge 6$

📄 $x \ge 6$

쌤의 만점 특강

세 자료 모두 변량이 각각 5개이므로 변량을 작은 값부터 크기순으로 나열하였을 때 세 번째 값이 중앙값이다.
이때 x를 제외한 첫 번째 자료의 변량을 작은 값부터 크기순으로 나열하였을 때 첫 번째와 두 번째 변량은 4, 6, 두 번째 자료에서는 3, 6, 세 번째 자료에서는 3, 5이므로 $x \le 5$일 경우에만 세 자료의 중앙값이 각각 6, 6, 5로 주어진 조건을 만족시키지 않는다.

08

[**전략**] 민영이의 점수에서 가능한 x의 값을 모두 구해 본다.

민영이의 점수에서 x를 제외한 나머지를 작은 값부터 크기순으로 나열하면 4, 5, 6, 7

이때 민영이의 점수의 중앙값이 x점이므로 $x=5$ 또는 $x=6$

(ⅰ) $x=5$일 때

　　민영이와 환희의 점수를 섞은 전체에서 y를 제외한 나머지를 작은 값부터 크기순으로 나열하면 4, 5, 5, 5, 5, 6, 7, 7, 8이고
　　이때의 중앙값이 5.5점이려면 $y=6$ 또는 $y=7$ 또는 $y=8$이어야 한다.

(ⅱ) $x=6$일 때

　　민영이와 환희의 점수를 섞은 전체에서 y를 제외한 나머지를 작은 값부터 크기순으로 나열하면 4, 5, 5, 6, 6, 6, 7, 7, 8이고
　　이때의 중앙값은 y의 값에 관계없이 항상 6점이므로 주어진 조건을 만족시키지 않는다.

(ⅰ), (ⅱ)에서 구하는 순서쌍은 (5, 6), (5, 7), (5, 8)의 3개이다.

📄 3개

09

[**전략**] 대푯값과 산포도의 의미를 정확히 알고, 각각의 성질을 구분하여 이해한다.

ㄱ. 산포도는 자료의 흩어진 정도를 나타내는 값이고, 평균은 자료의 중심적인 경향을 나타내는 값이므로 서로의 증감에 영향을 끼치지 않는다.

ㄹ. (편차)=(변량)-(평균)이므로 평균이 변량보다 작으면 편차는 양수이다.

ㅁ. 편차의 절댓값이 작을수록 그 변량은 평균 가까이에 있다.

ㅂ. 점수가 1점씩 감점되면 평균은 1점 작아지지만, 점수의 분포 상태는 변하지 않으므로 표준편차는 그대로이다.

따라서 옳은 것은 ㄴ, ㄷ, ㅅ의 3개이다.

📄 3개

10

[**전략**] 편차의 합은 0임을 이용하여 x의 값을 모두 구한다.

편차의 합은 0이므로

$(-x^2+x+3)+(-6)+(2x^2-x+2)+(x-2)+(2x-1)=0$

$x^2+3x-4=0$, $(x+4)(x-1)=0$ 　∴ $x=-4$ 또는 $x=1$

(ⅰ) $x=-4$일 때

　　$2x^2-x+2=2 \times (-4)^2-(-4)+2=38$

　　∴ $C=38+60=98$

(ⅱ) $x=1$일 때

　　$2x^2-x+2=2 \times 1^2-1+2=3$

　　∴ $C=3+60=63$

(ⅰ), (ⅱ)에서 $C=98$ 또는 $C=63$

📄 63, 98

쌤의 복합 개념 특강

인수분해를 이용한 이차방정식의 풀이

❶ 주어진 이차방정식을 정리한 후 좌변을 인수분해하여 $(ax+b)(cx+d)=0$의 꼴로 좌변을 변형한다.

❷ $ax+b=0$ 또는 $cx+d=0$

❸ 이차방정식의 해는 $x=-\dfrac{b}{a}$ 또는 $x=-\dfrac{d}{c}$

11

[**전략**] 변량, 평균, 편차 사이의 관계를 이용하여 평균을 먼저 구한다.

학생 B의 키는 172 cm, 편차는 4 cm이므로

(평균)=(변량)-(편차)에서

6명의 학생 키의 평균은 172-4=168 (cm)

(편차)=(변량)-(평균)에서 $a=165-168=-3$

편차의 합은 0이므로

$-3+4+(-9)+c+(-7)+10=0$ $\quad$ $\therefore c=5$

(변량)=(편차)+(평균)에서

$b=5+168=173$, $d=-7+168=161$, $e=10+168=178$

$\therefore a+b-c-d+e=-3+173-5-161+178$

$\qquad\qquad\qquad =182$ $\qquad\qquad\qquad$ 답 182

쌤의 만점 특강

평균과 중앙값이 같고, 변량이 7개이므로 평균은 7개의 변량 중 한 변량과 그 값이 같다. 또, 평균과 같은 변량의 편차는 0이므로 두 학생 A와 C의 편차 중 적어도 하나는 0이어야 한다.

12

[전략] 네 학생 A, B, C, D의 평균을 미지수로 놓고, 각각의 몸무게를 식으로 나타낸다.

네 학생 A, B, C, D의 몸무게의 평균을 m kg이라 하면

(A의 몸무게)$=m+5$ (kg), (B의 몸무게)$=m+2$ (kg)

(C의 몸무게)$=m-6$ (kg), (D의 몸무게)$=m-1$ (kg)

(E의 몸무게)$=(m-1)+7=m+6$ (kg)

이때 E를 포함한 5명의 몸무게의 평균은 $1.02m$ kg이므로

$$\frac{(m+5)+(m+2)+(m-6)+(m-1)+(m+6)}{5}=1.02m$$

$5m+6=5.1m$, $0.1m=6$ $\quad$ $\therefore m=60$

따라서 가장 무거운 학생인 E의 몸무게는

$60+6=66$ (kg) $\qquad\qquad\qquad$ 답 66 kg

13

[전략] 평균과 중앙값이 같다는 조건과 편차의 합은 0임을 이용하여 두 학생 A와 C의 편차를 각각 구해 본다.

학생 A의 편차를 x회, 학생 C의 편차를 y회라 하면 평균과 중앙값이 같으므로 $x=0$ 또는 $y=0$이다.

(ⅰ) $x=0$일 때

편차의 합은 0이므로

$0+3+y+2+(-4)+(-2)+2=0$ $\quad$ $\therefore y=-1$

(ⅱ) $y=0$일 때

$x+3+0+2+(-4)+(-2)+2=0$ $\quad$ $\therefore x=-1$

(ⅰ), (ⅱ)에서 $x=0$, $y=-1$ 또는 $x=-1$, $y=0$이다.

① 학생 A의 편차가 0회 또는 -1회이므로 학생 A의 기록은 평균과 같거나 평균보다 1회 낮다.

② 학생 C의 편차가 0회 또는 -1회이므로 학생 B의 기록은 학생 C의 기록보다 3회 또는 4회 높다.

③ 7개의 변량의 편차는 작은 값부터 크기순으로 -4, -2, -1, 0, 2, 2, 3(회)이므로 최빈값은 편차가 2회인 학생 D와 학생 G의 기록이다.

④ 학생 C의 편차가 -1회이면 중앙값은 편차가 0회인 학생 A의 기록이다.

⑤ 학생 E의 기록은 평균보다 4회 낮으므로 중앙값보다 4회 낮다.

따라서 옳지 않은 것은 ③, ④이다. $\qquad$ 답 ③, ④

14

[전략] A반과 B반의 (편차)^{2}의 합을 각각 구한 후, 두 반의 평균이 같음을 이용한다.

A반의 분산이 $(\sqrt{10})^2=10$이므로

A반 학생 19명의 (편차)^{2}의 합은

$10\times19=190$ $\qquad$ ……㉠

B반의 분산이 $4^2=16$이므로

B반 학생 21명의 (편차)^{2}의 합은

$16\times21=336$ $\qquad$ ……㉡

이때 A반과 B반의 평균이 70점으로 같으므로 전체 학생 40명의 평균도 70점이다.

따라서 전체 학생 40명의 미술 실기 점수의 분산은

$$\frac{㉠+㉡}{40}=\frac{190+336}{40}=\frac{526}{40}=13.15$$

$\therefore$ (표준편차)$=\sqrt{13.15}$ (점) $\qquad$ 답 $\sqrt{13.15}$점

참고 다음과 같이 전체 학생의 평균을 직접 구할 수도 있다.

$$\Rightarrow \frac{70\times19+70\times21}{19+21}=\frac{2800}{40}=70 \text{ (점)}$$

쌤의 만점 특강

평균이 같은 두 집단 A, B의 표준편차와 도수가 오른쪽과 같을 때, 두 집단 A, B 전체의

표준편차 $\Rightarrow \sqrt{\dfrac{ax^2+by^2}{a+b}}$

	A	B
표준편차	x	y
도수	a	b

15

[전략] 주어진 평균과 분산을 이용하여 식을 세운 후 변형하여 새로운 변량의 평균을 구한다.

x_1, x_2, x_3, x_4, 7, 9의 평균이 8이므로

$$\frac{x_1+x_2+x_3+x_4+7+9}{6}=8 \quad \therefore x_1+x_2+x_3+x_4=32$$

또, x_1, x_2, x_3, x_4, 7, 9의 분산이 7이므로

$$\frac{(x_1-8)^2+(x_2-8)^2+(x_3-8)^2+(x_4-8)^2+(7-8)^2+(9-8)^2}{6}=7$$

$x_1{}^2+x_2{}^2+x_3{}^2+x_4{}^2-16(x_1+x_2+x_3+x_4)+256+1+1=42$

$x_1{}^2+x_2{}^2+x_3{}^2+x_4{}^2-16\times32+258=42$

$\therefore x_1{}^2+x_2{}^2+x_3{}^2+x_4{}^2=296$

따라서 $x_1{}^2,\ x_2{}^2,\ x_3{}^2,\ x_4{}^2$의 평균은

$\dfrac{x_1{}^2+x_2{}^2+x_3{}^2+x_4{}^2}{4}=\dfrac{296}{4}=74$ 　　　 **답** 74

다른 풀이

$(\text{분산})=\dfrac{\{(\text{변량})^2\text{의 총합}\}}{(\text{변량의 개수})}-(\text{평균})^2$이므로

$7=\dfrac{x_1{}^2+x_2{}^2+x_3{}^2+x_4{}^2+7^2+9^2}{6}-8^2$

$x_1{}^2+x_2{}^2+x_3{}^2+x_4{}^2=296$

$\therefore \dfrac{x_1{}^2+x_2{}^2+x_3{}^2+x_4{}^2}{4}=\dfrac{296}{4}=74$

따라서 구하는 평균은 74이다.

16

[전략] $(\text{분산})=\dfrac{\{(\text{변량})^2\text{의 총합}\}}{(\text{변량의 개수})}-(\text{평균})^2$임을 이용한다.

$x_1,\ x_2,\ x_3,\ \cdots,\ x_{111}$의 평균은

$\dfrac{x_1+x_2+x_3+\cdots+x_{111}}{111}=\dfrac{1332}{111}=12$

따라서 $x_1,\ x_2,\ x_3,\ \cdots,\ x_{111}$의 분산은

$\dfrac{x_1{}^2+x_2{}^2+x_3{}^2+\cdots+x_{111}{}^2}{111}-12^2$

$=\dfrac{16650}{111}-12^2=150-144=6$ 　　　 **답** 6

쌤의 만점 특강

다음과 같이 $(\text{분산})=\dfrac{\{(\text{편차})^2\text{의 총합}\}}{(\text{변량의 개수})}$을 이용하여 구할 수도 있다.

$x_1,\ x_2,\ x_3,\ \cdots,\ x_{111}$의 분산은

$\dfrac{(x_1-12)^2+(x_2-12)^2+(x_3-12)^2+\cdots+(x_{111}-12)^2}{111}$

$=\dfrac{1}{111}\{x_1{}^2+x_2{}^2+x_3{}^2+\cdots+x_{111}{}^2-24(x_1+x_2+x_3+\cdots+x_{111})$

$\hphantom{=\dfrac{1}{111}\{}+12^2\times111\}$

$=\dfrac{16650-24\times1332+15984}{111}=\dfrac{666}{111}=6$

그러나 변량의 수가 많고, 조건에서 변량의 제곱의 합이 주어졌으므로

$(\text{분산})=\dfrac{\{(\text{변량})^2\text{의 총합}\}}{(\text{변량의 개수})}-(\text{평균})^2$을 이용하면 더 간단하게 문제를 해결

할 수 있다.

분산을 구하는 두 가지 방법을 같이 기억하여 문제의 조건에 따라 적절히 활용한다.

17

[전략] 네 학생 A, B, C, D를 제외한 나머지 18명의 편차의 제곱의 합을 구해 본다.

A, B가 받은 문자 메시지 수의 합은 $50+90=140$ (개)

C, D가 받은 문자 메시지 수의 합은 $60+80=140$ (개)

즉, A, B가 전학을 가고 C, D가 전학 온 이후에도 20명의 문자 메시지 수의 평균은 80개로 변하지 않는다.

A, B, C, D를 제외한 18명의 편차의 제곱의 합을 p라 하면

18명과 A, B를 포함한 20명의 분산이 $10^2=100$이므로

$\dfrac{p+(50-80)^2+(90-80)^2}{20}=100$

$p+900+100=2000$ 　　$\therefore p=1000$

따라서 18명과 C, D를 포함한 20명의 분산은

$\dfrac{1000+(60-80)^2+(80-80)^2}{20}=\dfrac{1400}{20}=70$

$\therefore (\text{표준편차})=\sqrt{70}$ (개) 　　　 **답** $\sqrt{70}$ 개

다른 풀이

A, B, C, D를 제외한 나머지 18명의 문자 메시지 수를 각각

$x_1,\ x_2,\ x_3,\ \cdots,\ x_{18}$ (개)이라 하자.

18명과 A, B를 포함한 20명의 평균이 80개, 표준편차가 10개이므로

$\dfrac{x_1+x_2+x_3+\cdots+x_{18}+50+90}{20}=80$

$\therefore x_1+x_2+x_3+\cdots+x_{18}=1460$

$\dfrac{1}{20}\{(x_1-80)^2+(x_2-80)^2+\cdots+(x_{18}-80)^2$

$\hphantom{\dfrac{1}{20}\{}+(50-80)^2+(90-80)^2\}=10^2$

$\therefore (x_1-80)^2+(x_2-80)^2+\cdots+(x_{18}-80)^2=1000$

따라서 18명과 C, D를 포함한 20명에 대하여

$(\text{평균})=\dfrac{x_1+x_2+x_3+\cdots+x_{18}+60+80}{20}$

$\hphantom{(\text{평균})}=\dfrac{1460+140}{20}=80\,(\text{개})$

$(\text{분산})=\dfrac{1}{20}\{(x_1-80)^2+(x_2-80)^2+\cdots+(x_{18}-80)^2$

$\hphantom{(\text{분산})=\dfrac{1}{20}\{}+(60-80)^2+(80-80)^2\}$

$\hphantom{(\text{분산})}=\dfrac{1000+400}{20}=70$

$\therefore (\text{표준편차})=\sqrt{70}\,(\text{개})$

쌤의 특강

전학 간 두 학생 A, B보다 전학 온 두 학생 C, D의 문자 메시지 수가 평균 80개에 더 가까우므로 표준편차는 10개에서 $\sqrt{70}$개로 작아졌음을 확인할 수 있다.

18

[전략] 평균과 표준편차로 각 반의 봉사 시간의 대표적인 값과 흩어진 정도는 알 수 있지만 각각의 학생들의 봉사 시간은 알 수 없다.

ㄱ, ㄴ. B반을 제외하고 학생들 각각의 봉사 시간은 알 수 없다.

ㄷ. E반의 표준편차가 가장 크므로 봉사 시간의 분포 상태가 가장 고르지 않다. 즉, E반의 봉사 시간의 격차가 가장 크다.

ㄹ. B반의 표준편차는 0시간이므로 자료의 모든 변량의 값이 평균과 동일하다.

ㅁ. A반의 봉사 시간의 총합은 $11 \times 30 = 330$ (시간)

이때 A반 학생 중 10명이 봉사 활동을 3시간씩 더 하면 총합은
$330 + 10 \times 3 = 360$ (시간)

∴ (평균)$= \dfrac{360}{30} = 12$ (시간)

즉, B반과 평균이 같아진다.

ㅂ. 학생 전체의 봉사 시간이 2시간씩 늘어나면 평균은 2시간 커지지만, 봉사 시간의 분포 상태는 변하지 않으므로 표준편차는 그대로이다.

따라서 옳은 것은 ㄷ, ㄹ, ㅁ이다.　　　　　　　　　답 ㄷ, ㄹ, ㅁ

참고 다음과 같이 $a^2 + b^2 + c^2 + d^2$의 값을 구할 수도 있다.

평균이 5이므로 $\dfrac{a+b+c+d}{4} = 5$　　∴ $a+b+c+d = 20$

분산이 $3^2 = 9$이므로

$$\dfrac{(a-5)^2 + (b-5)^2 + (c-5)^2 + (d-5)^2}{4} = 9$$

$$a^2 + b^2 + c^2 + d^2 - 10(a+b+c+d) + 100 = 36$$

$$\therefore\ a^2 + b^2 + c^2 + d^2 = 10 \times 20 - 100 + 36 = 136$$

쌤의 복합 개념 특강

정삼각형의 넓이

오른쪽 그림과 같이 한 변의 길이가 a인 정삼각형 ABC에서

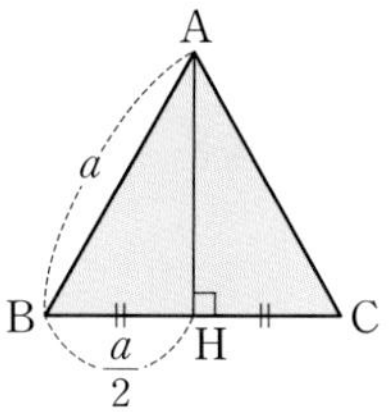

$$\overline{AH} = \sqrt{a^2 - \left(\dfrac{a}{2}\right)^2} = \dfrac{\sqrt{3}}{2}a$$

$$\therefore\ \triangle ABC = \dfrac{1}{2} \times a \times \dfrac{\sqrt{3}}{2}a = \dfrac{\sqrt{3}}{4}a^2$$

또한, $\angle ABC = 60°$이므로

$$\triangle ABC = \dfrac{1}{2} \times a \times a \times \sin 60° = \dfrac{1}{2} \times a \times a \times \dfrac{\sqrt{3}}{2} = \dfrac{\sqrt{3}}{4}a^2$$

으로 구할 수도 있다.

19

[전략] 한 변의 길이가 a인 정삼각형의 넓이는 $\dfrac{\sqrt{3}}{4}a^2$이다.

분산은 $3^2 = 9$이고,

(분산)$= \dfrac{\{(변량)^2의\ 총합\}}{(변량의\ 개수)} - (평균)^2$이므로

$$9 = \dfrac{a^2 + b^2 + c^2 + d^2}{4} - 5^2$$

$$\therefore\ a^2 + b^2 + c^2 + d^2 = 136$$

길이가 a cm, b cm, c cm, d cm인 철사로 만든 정삼각형의 한 변의 길이는 각각

$\dfrac{a}{3}$ cm, $\dfrac{b}{3}$ cm, $\dfrac{c}{3}$ cm, $\dfrac{d}{3}$ cm

이때 정삼각형의 넓이는 각각

$$\dfrac{\sqrt{3}}{4} \times \left(\dfrac{a}{3}\right)^2 = \dfrac{\sqrt{3}}{36}a^2\ (cm^2)$$

$$\dfrac{\sqrt{3}}{4} \times \left(\dfrac{b}{3}\right)^2 = \dfrac{\sqrt{3}}{36}b^2\ (cm^2)$$

$$\dfrac{\sqrt{3}}{4} \times \left(\dfrac{c}{3}\right)^2 = \dfrac{\sqrt{3}}{36}c^2\ (cm^2)$$

$$\dfrac{\sqrt{3}}{4} \times \left(\dfrac{d}{3}\right)^2 = \dfrac{\sqrt{3}}{36}d^2\ (cm^2)$$

따라서 정삼각형 4개의 넓이의 평균은

$$\dfrac{\dfrac{\sqrt{3}}{36}a^2 + \dfrac{\sqrt{3}}{36}b^2 + \dfrac{\sqrt{3}}{36}c^2 + \dfrac{\sqrt{3}}{36}d^2}{4} = \dfrac{\sqrt{3}}{144}(a^2 + b^2 + c^2 + d^2)$$

$$= \dfrac{\sqrt{3}}{144} \times 136$$

$$= \dfrac{17\sqrt{3}}{18}\ (cm^2)$$

답 $\dfrac{17\sqrt{3}}{18}$ cm^2

20

[전략] 네 모둠의 그래프를 보고 각각의 학생 수, 평균, 자료의 분포 상태를 분석해 본다.

① 각 모둠의 학생 수는 다음과 같다.

A : $2+2+2+2+2 = 10$ (명)

B : $1+2+4+2+1 = 10$ (명)

C : $3+1+2+1+3 = 10$ (명)

D : $3+4+3 = 10$ (명)

즉, 학생 수는 모두 같다.

② 모둠 A의 TV 시청 시간은

1, 1, 2, 2, 3, 3, 4, 4, 5, 5 (시간)이다.

③ 네 그래프는 가운데 막대 그래프를 기준으로 좌우대칭이므로 평균은 가운데 막대 그래프의 시간이다. 즉, 네 모둠의 TV 시청 시간의 평균은 A는 3시간, B는 4시간, C는 5시간, D는 4시간이므로 평균이 작은 모둠부터 순서대로 나열하면 A, B, D, C, 또는 A, D, B, C이다.

④ TV 시청 시간이 평균 주위에 모여 있을수록 분산이 작으므로 분산이 가장 작은 모둠은 B이다.

따라서 옳은 것은 ⑤이다.　　　　　　　　　답 ⑤

쌤의 만점 특강

다음과 같이 네 모둠의 평균과 분산을 각각 구하여 비교해도 된다.

① 모둠 A ➡ 평균 : 3시간, 분산 : 2

② 모둠 B ➡ 평균 : 4시간, 분산 : 1.2

③ 모둠 C ➡ 평균 : 5시간, 분산 : 2.6

④ 모둠 D ➡ 평균 : 4시간, 분산 : 2.4

즉, 분산이 가장 작은 모둠은 B이다.

21

[**전략**] 주어진 두 그래프에서 대칭축으로 평균을, 그래프의 폭으로 표준편차를 비교할 수 있다.

①, ③ 그래프의 대칭축이 평균을 나타내므로

 (A반의 평균) < (B반의 평균)

 이고, A반 학생들이 B반 학생들보다 통학 시간이 대체로 더 짧게 걸린다.

②, ④ B반의 그래프가 A반의 그래프보다 폭이 더 좁으므로 B반의 표준편차가 더 작고, B반이 A반보다 학생들 간의 통학 시간의 격차가 더 작다.

따라서 옳은 것은 ④, ⑤이다. 답 ④, ⑤

LEVEL 3 최고난도 문제 →77쪽

01 199 **02** $\sqrt{2}$ **03** 45 **04** 풀이 참조

---

01 solution 미리 보기

step ❶	평균의 규칙성을 이용하여 x_3을 추가했을 때의 평균부터 x_{50}을 추가했을 때까지의 평균 각각 구하기
step ❷	$x_1+x_2+x_3+\cdots+x_{49}$의 값 구하기
step ❸	$x_1+x_2+x_3+\cdots+x_{50}$의 값 구하기
step ❹	x_{50}의 값 구하기

수가 하나씩 추가될 때마다 평균이 2씩 증가하므로

$\dfrac{x_1+x_2}{2}=5=2\times2+1$

$\dfrac{x_1+x_2+x_3}{3}=7=2\times3+1$

$\dfrac{x_1+x_2+x_3+x_4}{4}=9=2\times4+1$

$\vdots$

$\dfrac{x_1+x_2+x_3+\cdots+x_{49}}{49}=2\times49+1=99$

$\dfrac{x_1+x_2+x_3+\cdots+x_{50}}{50}=2\times50+1=101$ ·········· ❶

$\therefore x_1+x_2+x_3+\cdots+x_{49}=99\times49=4851$ ······ ㉠

 ❷

$x_1+x_2+x_3+\cdots+x_{50}=101\times50=5050$ ······ ㉡

 ❸

㉡−㉠을 하면 $x_{50}=199$ ❹

답 199

쌤의 특강

식의 값을 구하는 계산 과정에서 다음과 같이 곱셈 공식을 이용할 수도 있다.

$x_1+x_2+x_3+\cdots+x_{49}=99\times49$

$=(100-1)(50-1)$

$=5000-100-50+1$

$=4851$

---

02 solution 미리 보기

step ❶	a, b, c에 대한 네 방정식 세우기
step ❷	a, b, c의 값 각각 구하기
step ❸	a, b, c의 표준편차 구하기

a는 $b, c, 15$의 평균이므로

$a=\dfrac{b+c+15}{3}$ $\therefore 3a=b+c+15$ ······ ㉠

b는 $a, 6, 9$의 평균이므로

$b=\dfrac{a+6+9}{3}$ $\therefore 3b=a+15$ ······ ㉡

c는 $a, 9, 15$의 평균이므로

$c=\dfrac{a+9+15}{3}$ $\therefore 3c=a+24$ ······ ㉢

9는 $6, b, c$의 평균이므로

$9=\dfrac{6+b+c}{3}$ $\therefore b+c=21$ ······ ㉣ ❶

㉣을 ㉠에 대입하면

$3a=21+15=36$ $\therefore a=12$

$a=12$를 ㉡에 대입하면

$3b=12+15=27$ $\therefore b=9$

$b=9$를 ㉣에 대입하면

$9+c=21$ $\therefore c=12$ ❷

따라서 세 수 12, 9, 12에 대하여

(평균) $=\dfrac{12+9+12}{3}=\dfrac{33}{3}=11$

(분산) $=\dfrac{(12-11)^2+(9-11)^2+(12-11)^2}{3}=\dfrac{6}{3}=2$

$\therefore$ (표준편차) $=\sqrt{2}$ ❸

답 $\sqrt{2}$

---

03 solution 미리 보기

step ❶	평균과 표준편차를 이용하여 $a+b+c+d$, $a^2+b^2+c^2+d^2$의 값 각각 구하기
step ❷	❶에서 구한 값을 대입하여 $f(x)$ 구하기
step ❸	$f(x)$를 표준형으로 변형하기
step ❹	p, q의 값을 각각 구하여 $p+q$의 값 구하기

네 변량 a, b, c, d의 평균이 5이므로

$\dfrac{a+b+c+d}{4}=5$ $\therefore a+b+c+d=20$

네 변량 a, b, c, d의 분산은 $(\sqrt{10})^2=10$이므로

$$\frac{(a-5)^2+(b-5)^2+(c-5)^2+(d-5)^2}{4}=10$$

$(a-5)^2+(b-5)^2+(c-5)^2+(d-5)^2=40$

$a^2+b^2+c^2+d^2-10(a+b+c+d)+100=40$

$a^2+b^2+c^2+d^2-10\times20+100=40$

$\therefore a^2+b^2+c^2+d^2=140$ .... ❶

$f(x)=(x-a)^2+(x-b)^2+(x-c)^2+(x-d)^2$

$\qquad=4x^2-2(a+b+c+d)x+(a^2+b^2+c^2+d^2)$

$\qquad=4x^2-40x+140$ .... ❷

$\qquad=4(x^2-10x)+140$

$\qquad=4(x^2-10x+25-25)+140$

$\qquad=4(x-5)^2+40$ .... ❸

따라서 이차함수 $f(x)$는 $x=5$일 때 최솟값 40을 가지므로

$p=5$, $q=40$

$\therefore p+q=5+40=45$ .... ❹

답 45

참고 (분산)$=\dfrac{\{(\text{변량})^2\text{의 총합}\}}{(\text{변량의 개수})}-(\text{평균})^2$이므로

$10=\dfrac{a^2+b^2+c^2+d^2}{4}-5^2 \qquad \therefore a^2+b^2+c^2+d^2=140$

쌤의 만점 특강

이차함수의 최댓값과 최솟값

이차함수 $y=ax^2+bx+c$를 $y=a(x-p)^2+q$의 꼴로 나타낼 때

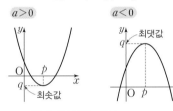

① $a>0$이면 ➡ $x=p$일 때, 최솟값은 q이다.

② $a<0$이면 ➡ $x=p$일 때, 최댓값은 q이다.

04 solution 미리 보기

step ❶	통계학과의 변동계수 구하기
step ❷	체육학과의 변동계수 구하기
step ❸	두 학과의 변동계수를 비교하여 자료의 흩어진 정도 분석하기
step ❹	통계학과 1등 학생의 $z-$score 구하기
step ❺	체육학과 1등 학생의 $z-$score 구하기
step ❻	두 학생의 $z-$score를 비교하여 상대적 위치의 측도 분석하기

(1) 통계학과에서

$$(\text{평균})=\frac{78+82+75+62+75+92+75+61}{8}$$

$$\qquad\quad=\frac{600}{8}=75\,(\text{점})$$

$$(\text{분산})=\frac{3^2+7^2+0^2+(-13)^2+0^2+17^2+0^2+(-14)^2}{8}$$

$$\qquad\quad=\frac{712}{8}=89$$

$(\text{표준편차})=\sqrt{89}\,(\text{점})$

$\therefore (\text{변동계수})=\dfrac{\sqrt{89}}{75}\times100=\dfrac{4\sqrt{89}}{3}$ .... ❶

체육학과에서

$$(\text{평균})=\frac{6.8+8.2+8+7+6.1+7+7+5.9}{8}$$

$$\qquad\quad=\frac{56}{8}=7\,(\text{점})$$

$$(\text{분산})=\frac{(-0.2)^2+1.2^2+1^2+0^2+(-0.9)^2+0^2+0^2+(-1.1)^2}{8}$$

$$\qquad\quad=\frac{4.5}{8}=\frac{9}{16}$$

$(\text{표준편차})=\sqrt{\dfrac{9}{16}}=\dfrac{3}{4}\,(\text{점})$

$\therefore (\text{변동계수})=\dfrac{\dfrac{3}{4}}{7}\times100=\dfrac{3}{28}\times100=\dfrac{75}{7}$ .... ❷

$\dfrac{4\sqrt{89}}{3}$와 $\dfrac{75}{7}$에서 $9<\sqrt{89}<10$, $36<4\sqrt{89}<40$

$\therefore 12<\dfrac{4\sqrt{89}}{3}<\dfrac{40}{3}$

$\dfrac{75}{7}=10.7\times\times\times$

따라서 $\dfrac{75}{7}<\dfrac{4\sqrt{89}}{3}$이므로 통계학과의 학업 성취도 분포가

체육학과의 학업 성취도 분포보다 더 흩어져 있음을 알 수 있다.

.... ❸

(2) 통계학과에서

(1등 학생의 점수)$=92\,(\text{점})$

(1등 학생의 $z-$score)$=\dfrac{92-75}{\sqrt{89}}=\dfrac{17\sqrt{89}}{89}$ .... ❹

체육학과에서

(1등 학생의 점수)$=8.2\,(\text{점})$

(1등 학생의 $z-$score)$=\dfrac{8.2-7}{\dfrac{3}{4}}=\dfrac{\dfrac{6}{5}}{\dfrac{3}{4}}=\dfrac{24}{15}=\dfrac{8}{5}$ .... ❺

$\dfrac{17\sqrt{89}}{89}$와 $\dfrac{8}{5}$에서 $9<\sqrt{89}<10$, $153<17\sqrt{89}<170$

$\therefore \dfrac{153}{89}<\dfrac{17\sqrt{89}}{89}<\dfrac{170}{89}$

$\dfrac{8}{5}=1.6$

이때 $\dfrac{153}{89}=1.7\times\times\times$이므로 $\dfrac{8}{5}<\dfrac{17\sqrt{89}}{89}$

따라서 통계학과 1등 학생이 체육학과 1등 학생보다 학업 성취도의 상대적 위치가 더 높음을 알 수 있다.

.... ❻

답 풀이 참조

07. 산점도와 상관관계

LEVEL 1 시험에 꼭 내는 문제
→ 79쪽~80쪽

01 ②   02 (1) 4   (2) 3   03 ④   04 ②, ③   05 ③
06 (1) 5명   (2) 25 %   07 (1) C   (2) 26.5 kg/m²   08 풀이 참조

01

두 변량 x, y를 순서쌍 (x, y)로 하는 6개의 점 $(5, 4)$, $(2, 2)$, $(4, 3)$, $(3, 3)$, $(4, 5)$, $(5, 5)$를 좌표평면 위에 바르게 나타낸 것은 ②이다.   답 ②

02

(1) 1차 점수보다 2차 점수가 더 높은 학생 수는 오른쪽 그림의 색칠한 부분(경계선 제외)에 속하는 점의 개수와 같으므로 4이다.

(2) 1차와 2차의 점수 차가 2점 이상인 학생 수는 오른쪽 그림의 빗금친 부분(경계선 포함)에 속하는 점의 개수와 같으므로 3이다.   답 (1) 4   (2) 3

쌤의 특강

산점도에서 기준선 긋기
① 두 변량의 비교에 관한 문제
→ x보다 y가 크거나($x<y$) y보다 x가 클 때($x>y$)

② 두 변량의 차에 관한 문제
→ x와 y의 차가 a 이상

03

게임 시간이 길수록 대체로 성적이 떨어지는 경향이 뚜렷한 경우는 강한 음의 상관관계를 나타낼 때이므로 ④이다.   답 ④

04

① 주어진 산점도는 양의 상관관계를 나타낸다.
② 가방의 무게와 성적 사이에는 상관관계가 없다.
③ 산의 높이가 높을수록 대체로 정상에서의 기온은 내려가므로 음의 상관관계가 있다.
④ 국어 성적이 높을수록 대체로 독서량이 많으므로 양의 상관관계가 있다.
⑤ 점들이 기울기가 양인 직선 주위에 가까이 모여 있으므로 비교적 양의 상관관계가 강하다고 할 수 있다.
따라서 옳지 않은 것은 ②, ③이다.   답 ②, ③

05

주어진 산점도는 x의 값이 증가함에 따라 y의 값이 대체로 감소하므로 음의 상관관계를 나타낸다.
①, ②, ⑤ 양의 상관관계
③ 음의 상관관계
④ 상관관계가 없다.
따라서 두 변량 x, y에 대한 산점도가 주어진 그림과 같은 것은 ③이다.   답 ③

06

(1) 국어 성적과 사회 성적이 모두 70점 이상인 학생 수는 오른쪽 그림에서 색칠한 부분(경계선 포함)에 속하는 점의 개수와 같으므로 5이다.

(2) 국어 성적이 사회 성적보다 더 높은 학생 수는 오른쪽 그림에서 빗금친 부분(경계선 제외)에 속하는 점의 개수와 같으므로 4이다.

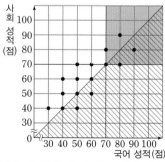

따라서 국어 성적이 사회 성적보다 더 높은 학생은 전체의
$\dfrac{4}{16} \times 100 = 25$ (%)   답 (1) 5명   (2) 25 %

① 산점도에서 이상, 이하에 관한 문제는 오른쪽 그림과 같이 기준선을 그어서 생각한다.

이때 이상, 이하는 경계의 값을 포함하고, 초과, 미만은 경계의 값을 포함하지 않는다.

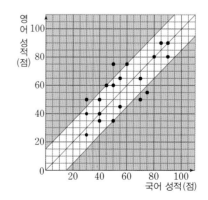

$x \le a$ $y \ge b$	$x \ge a$ $y \ge b$
$x \le a$ $y \le b$	$x \ge a$ $y \le b$

② 백분율을 구할 때는 단위(%)를 꼭 붙여 답을 적는다.

$$\Rightarrow (백분율) = \frac{(해당\ 도수)}{(전체\ 도수)} \times 100(\%)$$

07

(1) 운동 시간에 비해 체질량 지수가 높은 학생은 운동 시간이 많은 쪽에 있는 학생 중에서 체질량 지수가 높은 쪽에 있는 학생 C이다.

(2) 운동 시간이 6시간인 학생은 모두 4명이고 각각의 체질량 지수는 $22\ kg/m^2$, $26\ kg/m^2$, $28\ kg/m^2$, $30\ kg/m^2$이다.

$$\therefore (평균) = \frac{22+26+28+30}{4} = \frac{106}{4} = 26.5\ (kg/m^2)$$

🖺 (1) C (2) $26.5\ kg/m^2$

08

몸무게와 턱걸이 횟수에 대한 산점도는 다음 그림과 같다.

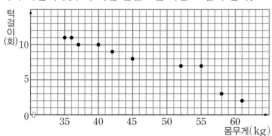

몸무게가 늘어남에 따라 턱걸이 횟수가 대체로 줄어들므로 두 변량 사이에는 음의 상관관계가 있다. 🖺 풀이 참조

LEVEL 2 필수 기출 문제

→ 81쪽~84쪽

01 72	02 35 %	03 (1) 9권 (2) 풀이 참조	04 13.3점
05 4명	06 80점	07 (1) 75점 (2) 182점	08 160
09 ㄱ, ㄷ	10 ㄷ, ㅂ, ㅅ	11 ②, ⑤	12 ⑤

01

[전략] 오른쪽 위로 향하는 대각선을 그은 후 필기 점수와 실기 점수가 같은 학생 수, 필기 점수가 실기 점수보다 높은 학생 수를 각각 세어 본다.

필기 점수와 실기 점수가 같은 학생 수는 오른쪽 그림에서 오른쪽 위로 향하는 직선 위의 점의 개수와 같으므로 6이다.

$$\therefore \frac{6}{25} \times 100 = 24\ (\%)$$

필기 점수가 실기 점수보다 높은 학생 수는 오른쪽 그림의 색칠한 부분(경계선 제외)에 속하는 점의 개수와 같으므로 12이다.

$$\therefore \frac{12}{25} \times 100 = 48\ (\%)$$

따라서 $a=24$, $b=48$이므로
$a+b=72$ 🖺 72

02

[전략] 산점도에서 오른쪽 위로 향하는 대각선을 기준으로 두 과목의 성적의 차가 15점인 두 직선을 그어 본다.

국어 성적과 영어 성적의 차가 15점 이상인 학생 수는 다음 그림에서 색칠한 부분(경계선 포함)에 속하는 점의 개수와 같으므로 7이다.

$$\therefore \frac{7}{20} \times 100 = 35\ (\%)$$ 🖺 35 %

03

[**전략**] 산점도를 보고 10명의 학생들이 대출한 도서 수를 각각 나열해 본다.

(1) 10명의 학생들이 대출한 도서 수의 평균은

$$\frac{19+18+14+9+10+6+5+2+4+3}{10}=\frac{90}{10}=9(권)$$

(2) 휴대 전화 사용 시간이 3시간 이하인 학생들이 대출한 도서 수의 평균은

$$\frac{19+18+14}{3}=\frac{51}{3}=17(권) \qquad \cdots\cdots\text{㉠}$$

휴대 전화 사용 시간이 15시간 이상인 학생들이 대출한 도서 수의 평균은

$$\frac{2+4+3}{3}=\frac{9}{3}=3(권) \qquad \cdots\cdots\text{㉡}$$

즉, ㉠은 (1)보다 8권이 많고, ㉡은 (1)보다 6권이 적다.

따라서 휴대 전화를 적게 사용한 학생이 대체로 대출 도서 수가 많고, 휴대 전화를 많이 사용한 학생이 대체로 대출 도서 수가 적다고 할 수 있다.

답 (1) 9권 (2) 풀이 참조

04

[**전략**] 주어진 산점도에서 오른쪽 위로 향하는 대각선의 위쪽에 있는 점들이 성적이 향상된 학생을 나타낸다.

기말고사 성적이 중간고사 성적보다 향상된 학생들을 나타내는 점은 오른쪽 그림에서 색칠한 부분(경계선 제외)에 속한다. 이 부분에 속하는 학생들은 순서쌍

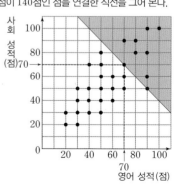

(중간고사 성적, 기말고사 성적)
이 (30, 40), (40, 50), (40, 60),
(50, 60), (50, 70), (60, 70),
(70, 80), (80, 90), (80, 100)인 학생이다.

이때 점수의 차는 각각 10점, 10점, 20점, 10점, 20점, 10점, 10점, 10점, 20점이므로 점수 차의 평균은

$$\frac{10+10+20+10+20+10+10+10+20}{9}$$

$$=\frac{120}{9}=13.33\times\times\times(점)$$

따라서 반올림하여 소수점 아래 첫째 자리까지 나타내면 13.3점이다.

답 13.3점

05

[**전략**] 주어진 산점도에 세 조건 ㉮, ㉯, ㉰에 해당하는 영역을 각각 표시한 후, 공통인 부분에 있는 점을 찾는다.

오른쪽 그림에서

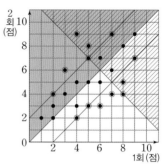

㉮ 1회보다 2회의 성적이 향상된 학생들을 나타내는 점은 색칠한 부분(경계선 제외)에 속한다.

㉯ 1회와 2회의 성적의 차가 2점 이상인 학생들을 나타내는 점은 ○ 표시한 점이다.

㉰ 1회와 2회의 성적의 평균이 6점 이상인 학생들을 나타내는 점은 빗금친 부분(경계선 포함)에 속한다.

따라서 ㉮, ㉯, ㉰를 모두 만족시키는 학생은 순서쌍
(1회 성적, 2회 성적)이 (4, 9), (5, 7), (5, 8), (7, 9)인 학생이므로 4명이다.

답 4명

쌤의 특강

산점도에서 두 변량 x, y의 평균이 a 이상 또는 두 변량의 합이 $2a$ 이상인 문제는 오른쪽 그림과 같이 기준선을 그어서 생각한다.

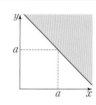

06

[**전략**] 주어진 산점도에 두 과목의 총점이 140점인 점을 연결한 직선을 그어 본다.

두 과목의 총점이 140점 이상인 학생들을 나타내는 점은 오른쪽 그림의 색칠한 부분(경계선 포함)에 속한다.

이 부분에는 사회 성적이 50점, 60점, 70점인 학생이 각각 1명씩, 80점, 90점, 100점인 학생이 각각 2명씩 있으므로 그 총합은

$$50+60+70+80\times2+90\times2+100\times2=720(점)$$

$$\therefore (평균)=\frac{720}{9}=80(점)$$

답 80점

07

[전략] (1) 오른쪽 위로 향하는 대각선부터 그어 본다.

(2) 먼저 상위 25 % 이내에 드는 학생 수를 구한다.

(1) 2학기 수학 성적이 1학기 수학 성적보다 올라간 학생들을 나타내는 점은 오른쪽 그림에서 색칠한 부분(경계선 제외)에 속한다.

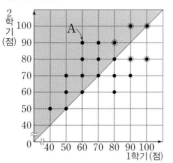

이때 오른쪽 위로 향하는 대각선으로부터 멀리 떨어져 있을수록 성적이 많이 오른 것이므로 A의 성적이 가장 많이 올랐고, A의 1학기 점수는 60점, 2학기 점수는 90점이다.

$$\therefore (평균) = \frac{60+90}{2} = \frac{150}{2} = 75(점)$$

(2) 상위 25 % 이내에 드는 학생 수는

$$20 \times \frac{25}{100} = 5(명)$$

이때 총점이 높은 순으로 5명 이내에 드는 학생들을 나타내는 점은 위의 그림에서 ○ 표시한 점이다.

따라서 수학경시대회에 출전하는 5명의 총점의 평균은

$$\frac{170+170+180+190+200}{5} = \frac{910}{5} = 182(점)$$

답 (1) 75점 (2) 182점

쌤의 만점 특강

총점이 높은 순으로 5명 이내에 드는 학생들을 골라낼 때, 오른쪽 그림과 같이 위에서부터 대각선에 수직인 직선을 그어 차례로 그 위에 있는 점들의 수를 세어 본다.

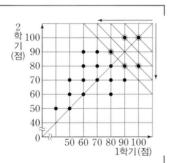

08

[전략] 중간고사와 기말고사의 성적의 합이 가장 높은 학생부터 시작하여 차례로 등수를 매겨 본다.

등수가 3등, 즉 중간고사와 기말고사 성적의 합이 3번째로 높은 학생의 중간고사 성적은 90점, 기말고사 성적은 90점이다.

또한, 등수가 9등, 즉 중간고사와 기말고사 성적의 합이 9번째로 높은 학생의 중간고사 성적은 80점, 기말고사 성적은 70점이다.

따라서 $a=90$, $b=70$이므로

$a+b=160$

답 160

쌤의 만점 특강

오른쪽 그림과 같이 위에서부터 차례로 대각선에 수직인 직선을 그어 3등인 학생과 9등인 학생을 나타내는 점을 찾는다.

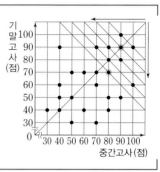

09

[전략] 두 변량 x, y의 증가와 감소에 대한 대체적인 경향을 생각하여 상관관계를 파악한다.

ㄱ. x의 값이 증가함에 따라 y의 값이 대체로 증가하므로 두 변량 x와 y 사이에는 양의 상관관계가 있다.

ㄴ. 두 점 A, B를 지우면 두 변량 x와 y 사이에는 상관관계가 없다.

ㄷ. 산점도에 주어진 다섯 개의 점을 추가하면 오른쪽 그림과 같으므로 더 뚜렷한 양의 상관관계를 나타낸다.

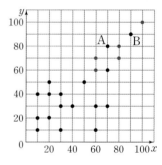

따라서 옳은 것은 ㄱ, ㄷ이다.

답 ㄱ, ㄷ

10

[전략] 두 변량 사이에 양의 상관관계가 있는지, 음의 상관관계가 있는지, 상관관계가 없는지를 파악한다.

주어진 산점도는 x의 값이 증가함에 따라 y의 값도 대체로 증가하므로 양의 상관관계를 나타낸다.

ㄱ, ㄹ. 상관관계가 없다.

ㄴ, ㅁ. 음의 상관관계

ㄷ, ㅂ, ㅅ. 양의 상관관계

따라서 두 변량에 대한 산점도가 주어진 그림과 같은 것은 ㄷ, ㅂ, ㅅ이다.

답 ㄷ, ㅂ, ㅅ

쌤의 특강

① 양의 상관관계 ➡ 한 변량이 증가하면 다른 변량도 대체로 증가

② 음의 상관관계 ➡ 한 변량이 증가하면 다른 변량은 대체로 감소

③ 상관관계가 없다 ➡ 그 관계가 분명하지 않은 관계

11

[전략] 주어진 산점도에서 5명의 직원 A~E의 자료를 나타내는 점의 위치를 보고, 각 직원들의 특징을 파악한다.

① 주어진 산점도는 양의 상관관계를 나타낸다.

② E를 나타내는 점보다 월 수입액이 적은 점이 있으므로 E는 월 수입액이 가장 적은 직원이 아니다.

⑤ A~E 5명의 직원 중 월급에 비해 저축을 가장 적게 하는 직원은 B이다.

따라서 옳지 않은 것은 ②, ⑤이다. 답 ②, ⑤

쌤의 만점 특강

오른쪽 산점도에서

① A는 x의 값에 비해 y의 값이 크다.

② B는 x의 값에 비해 y의 값이 작다.

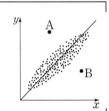

12

[전략] 주어진 산점도에서 네 학생 A, B, C, D가 나타내는 점의 위치를 보고, 각 학생들의 특징을 파악한다.

⑤ 학생 D는 몸무게가 많이 나가는 데 비해 키가 작으므로 4명의 학생 중 비만도가 가장 높을 것으로 예상된다. 답 ⑤

참고 체질량 지수

➡ 키와 몸무게를 이용하여 지방의 양을 추정하는 비만 측정법으로 몸무게(kg)를 키(m)의 제곱으로 나눈 값이다. 그 수치가 20 미만인 경우 저체중, 20~25인 경우 정상체중, 25~30인 경우 과체중, 30 이상인 경우 비만으로 본다.

LEVEL 3 최고난도 문제 ➡85쪽

01 40 %	02 풀이 참조	03 ②, ④

01 solution 미리 보기

step ❶	1차 성적의 평균 구하기
step ❷	2차 성적의 평균 구하기
step ❸	1차와 2차에서 모두 평균 이상의 점수를 받은 학생 수 구하기
step ❹	합격생의 비율 구하기

(i) 1차 성적을 표로 나타내면 다음과 같다.

1차(점)	6	7	8	9	10	11
학생 수(명)	3	1	4	3	3	1

$$\therefore (평균) = \frac{6\times3+7\times1+8\times4+9\times3+10\times3+11\times1}{15}$$
$$= \frac{125}{15}$$
$$= 8.3\times\times\times (점) \qquad \text{❶}$$

(ii) 2차 성적을 표로 나타내면 다음과 같다.

2차(점)	5	6	7	8	9	10
학생 수(명)	1	2	4	2	3	3

$$\therefore (평균) = \frac{5\times1+6\times2+7\times4+8\times2+9\times3+10\times3}{15}$$
$$= \frac{118}{15}$$
$$= 7.8\times\times\times (점) \qquad \text{❷}$$

즉, 1차와 2차에서 모두 평균 이상의 점수를 받은 학생 수는 다음 그림에서 색칠한 부분(경계선 포함)에 속하는 점의 개수와 같으므로 6이다. ❸

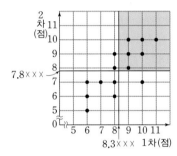

따라서 지원자 중 합격생의 비율은

$$\frac{6}{15}\times100 = 40\,(\%) \qquad \text{❹}$$

답 40 %

02 solution 미리 보기

step ❶	그룹 A, B에 속하는 학생 수 각각 구하기
step ❷	그룹 A의 두 과목의 총점의 평균과 분산 각각 구하기
step ❸	그룹 B의 두 과목의 총점의 평균과 분산 각각 구하기
step ❹	결과 해석하기

그룹 A, B에 속하는 학생 수는 각각

$$20\times\frac{15}{100} = 3\,(명)씩이다. \qquad \text{❶}$$

(i) 그룹 A에 속하는 학생은 순서쌍 (수학 성적, 과학 성적)이
$(80, 90), (80, 100), (90, 100)$이므로

두 과목의 총점의 평균은

$$\frac{170+180+190}{3}=\frac{540}{3}=180(점)$$

$$\therefore (분산)=\frac{(-10)^2+0^2+10^2}{3}=\frac{200}{3}$$ ·········❷

(ⅱ) 그룹 B에 속하는 학생은 순서쌍 (수학 성적, 과학 성적)이
(30, 30), (40, 50), (50, 40)이므로

두 과목의 총점의 평균은

$$\frac{60+90+90}{3}=\frac{240}{3}=80(점)$$

$$\therefore (분산)=\frac{(-20)^2+10^2+10^2}{3}$$

$$=\frac{600}{3}=200$$ ·········❸

(ⅰ), (ⅱ)에서 그룹 A의 분산이 그룹 B의 분산보다 작으므로 그룹 A는 비교적 두 과목의 총점이 평균 주위에 모여 있고, 그룹 B는 비교적 두 과목의 총점이 평균으로부터 흩어져 있다고 할 수 있다.
따라서 그룹 A가 그룹 B보다 자료의 분포 상태가 고르다.
·········❹

🅐 풀이 참조

03 solution 미리 보기

step ❶	해당하는 평균 수명에 대한 사망자 수를 구하여 옳고 그름 판단하기
step ❷	해당하는 사망자 수에 대한 평균 수명을 구하여 옳고 그름 판단하기
step ❸	두 변량 사이의 상관관계 파악하기
step ❹	보기에서 옳은 것 모두 고르기

① 평균 수명이 75세인 점은 3개이고, 각각의 사망자 수는 9명, 12명, 15명이다.

② 평균 수명이 60세인 점은 1개, 65세인 점은 3개이므로 총 4번이다. ·········❶

③ 사망자 수가 9명인 점은 3개이다.

$$\therefore \frac{3}{9}\times100=33.3\times\times\times(\%)$$

④ 사망자 수가 15명으로 가장 많은 연도의 평균 수명은 75세이다.
·········❷

⑤ 평균 수명이 높아짐에 따라 사망자 수도 대체로 늘어나므로 두 변량 사이에는 양의 상관관계가 있다. ·········❸

따라서 옳은 것은 ②, ④이다. ·········❹

🅐 ②, ④

Memo

최상위의 절대 기준

절대등급

정답과 풀이

중학 수학 3-2

최상위의 절대 기준

절대등급